Quentin M. Hope
INDIANA UNIVERSITY

Spoken French in Review

BASED ON MODERN AUTHORS

THIRD EDITION

Macmillan Publishing Co., Inc.
NEW YORK
Collier Macmillan Publishers
LONDON

ACKNOWLEDGMENTS

LIBRAIRIE GALLIMARD for "Quartier libre," "Dejeuner du matin," "Le Chat et l'oiseau," "Le Cancre," "L'Addition," and "L'Accent grave" by Jacques Prevert; and selections from *Les Contes du chat perche* by Marcel Ayme.

MONSIEUR GIRARD BILLAUDOT for the selections from *A louer meuble* by Gabriel d'Hervilliez.

EDITIONS BERNARD GRASSET for the selections from *Ondine, L'Apollon de Bellac,* and *La Folle de Chaillot* by Jean Giraudoux.

LA TABLE RONDE for the selections from *L'Hurluberlu, Ornifle,* and *Le Bal des voleurs* by Jean Anouilh.

LIBRAIRIE HACHETTE for the selections from *Les Carnets du Major Thompson* by Pierre Daninos.

Illustrated by Annemarie Mahler.

Library of Congress catalog card number: 72-11680

Macmillan Publishing Co., Inc.
866 Third Avenue, New York, New York 10022
Collier-Macmillan Canada, Ltd.

PRINTED IN THE UNITED STATES OF AMERICA

Preface

Although *Spoken French in Review* has undergone certain changes in its three successive editions, its basic method and purpose have remained the same. It aims to expand the student's fluency and understanding of French. It has been planned to attract and hold the student's interest while it leads him through a series of pattern drills and other exercises designed to develop his skill in the actual use of the language.

Each chapter begins with a short text drawn from a modern French author and written in colloquial French. Chosen from the realms of humor, satire, farce, and fantasy, these texts are lively, stimulating, and easy to talk about. They are short enough for intensive study, and they include many examples of the vocabulary and sentence structures drilled in the exercises.

These exercises consist largely of oral pattern practice. Each exercise drills one or two closely connected points of grammar. The student uses short, natural speech groups, and he has plenty of opportunity to repeat the form in different phrases, so that its use should become automatic. Each chapter also includes a *thème d'imitation* and a suggested composition topic related to the text and designed to give the student practice in using the French he has learned. Occasional review chapters provide exercises that recapitulate the important new words and expressions, and list the grammatical points drilled in the previous lessons.

Taken as a whole, the exercises constitute a review of the standard topics of French grammar. A paragraph number and heading are indicated so that the student may check the point of grammar drilled in the appendix at the back of the book. The appendix may also be used for review, and in checking compositions and *thèmes d'imitation*. To avoid the difficulty which students usually have in finding what they are looking for in a grammatical appendix, the arrangement is alphabetical, from *adjectives* to *verb tables*. A set of abbreviations referring to the various sections of the appendix is designed for use in correcting compositions.

The changes made in this edition and some of the features that have remained unchanged require some comment.

The distinction between Part I and II has been sharpened so as to make it clear that they are not interdependent. Chapters 22 to 33 have been rearranged. There are Review lessons after every five chapters in Part II, and the final two chapters are treated as supplementary. They may easily be omitted or covered in rapid reading. In these supplementary chapters, only two exercises do not cover material already extensively reviewed in the book. They are exercises on the recognition of the literary tenses which refer in turn to section 85, Literary Tenses. Since many intermediate classes use no grammar other than this book, it seems worth while to offer students some help in recognizing tenses that occur frequently in their reading.

Apart from the two supplementary chapters, there are twenty-one chapters in Part I and twenty chapters in Part II.

A chapter may be covered in one or two assignments, or—as happens in many classes—in one and a half assignments, as follows:

> Assignment 1: Chapter 1 text and exercises
> Assignment 2: Chapter 1 thème and Chapter 2 text
> Assignment 3: Chapter 2 exercises and thème
> Assignment 4: Chapter 3 text and exercises
> Assignment 5: Chapter 3 thème and Chapter 4 text
> Assignment 6: Chapter 4 exercises and thème

At this rate and assuming one assignment per review lesson, Part I can be covered in 36 assignments and Part II in 34 assignments.

In many schools Part I is used as a third-semester text and Part II as a fourth-semester text. Each part reviews the major points of French grammar, but the review in Part II is more inclusive. For example, when relative pronouns are drilled in Lessons 32 and 33, after having been first reviewed in Lesson 4, 5, and 6, *duquel,* and preposition + *quoi* appear for the first time. Similarly, when object pronouns are reviewed again in Part II, certain exercises contrast them with structures that were not drilled in Part I: forms such as *je vais à elle* and *je me méfie de lui.*

The exercises in each lesson have been grouped so that those reviewing the formation and use of the various tenses appear together under the heading *Révision des verbes*. A typographical device ☐ serves as a reminder that certain exercises drill essentially the same point and do not need to be completed if everyone seems to have understood it.

The brief grammatical explanations in French have been continued and in some cases expanded. Normally the student should be able to work through the exercise without referring to the appendix. The explanations in French will enable the student to get acquainted with simple grammatical terminology so that quick references or brief explanations can be made in class without resorting to English. At the same time, the grammatical appendix in English remains available for students who do not understand, or want a fuller explanation.

The basic features of the exercises are unchanged. They use the vocabulary and idioms of the chapter or of immediately preceding chapters. They often consist of phrases that might be spoken by characters in the chapter, or remarks that might be made about events in it. Most chapters contain exercises on two or three different points of grammar based on sentences or expressions in the text.

The presentation of the grammar is more systematic than it may appear to be. Major points of grammar are taken up successively in two or three successive lessons. The review of irregular verbs is practically continuous throughout Part I and also continues in Part II. The arrangement of the exercises is based on the assumption that language learning requires periodic repetition. You cannot achieve easy control of the *imparfait* or the subjunctive or word order in negative sentences from one intensive presentation. If you could, there would be no need for a review grammar at all.

The Review Lessons have been expanded and slightly rearranged. They are intended to help students review and consolidate material outside of class. By covering the right-hand column, the student can test himself on practically every item of vocabulary or idiom and on all grammar points in the chapters covered by the Review Lesson.

The questions on the text have been retitled *Le Contenu* to distinguish them from the questions under the heading *Le Sens*, a new section which directs attention to the broader meaning of the text, its various comic or other expressive devices, its general characteristics and effect on the reader. Many of these questions will be difficult to answer in French, particularly at first. Of course the section can easily be omitted. If time can be found to include these questions, however, they should offer students useful practice in preparing for the kind of discussion they may be asked to enter into in the beginning French literature course which often follows intermediate French. Even brief discussion in English might be occasionally acceptable. Students do respond, favorably or otherwise, to the texts themselves. Discussions of the text—usually before or after the class—occur frequently. It seems appropriate to offer some framework and orientation for such discussions.

The *thèmes d'imitation* have been slightly modified and have been provided systematically with references to the page and line where the expression being used appears in the book. This technique seems preferable to the English-French vocabulary which some users of the book had suggested as an addition. If a student needs to look a word up, it will take no more time to check the reference than it would to use an end-vocabulary. The reference offers the advantage of giving the word a context and serves as a reminder that it has been learned before.

Contents

Part One

1
Quartier libre[1]
Jacques Prévert

Les poèmes de Jacques Prévert sont écrits
dans un français familier,° et sont en général amusants et faciles à lire. Il aime les
jeux de mots,° les enfants, les animaux, la
⁵ fantaisie, l'amour, la liberté. Il aime se
moquer de tout ce qui symbolise la contrainte:° les prêtres, les maîtres d'école, les
hommes d'état, les militaires. Même la
ponctuation lui semble une contrainte inu-
¹⁰ tile.° Voici un de ses poèmes les plus
courts:

familier colloquial

jeu de mots pun, wordplay

la contrainte constraint

inutile useless

J'ai mis mon képi° dans la cage
et je suis sorti avec l'oiseau° sur la tête
Alors
¹⁵ on ne salue² plus³
a demandé le commandant°
Non
on ne salue plus
a répondu l'oiseau
²⁰ Ah bon°
excusez-moi je croyais qu'on saluait
a dit le commandant
Vous êtes tout excusé tout le monde peut
   se tromper°
²⁵ a dit l'oiseau.

le képi French military cap
un oiseau bird

le commandant major

Ah bon (here) Oh, I see

tout le monde peut se tromper anyone can make a mistake

[1]*Quartier libre*—a military pass; in the navy, liberty. *Donner quartier libre à quelqu'un*
means "to let someone do what he wants."
[2]*saluer*—to salute. In a nonmilitary context, *saluer* means "to say hello to."
[3]This question is used as a reprimand. Cf. "Have you given up saluting?"

If there are words in the lesson which you cannot understand and which are not glossed in the margin, look them up in the end-vocabulary *and learn them.* They are words whose meanings you should be able to recognize. Specifically, the words omitted are:

a. High frequency words like *court* ("short"), *écrit* ("written"), and *amour* ("love").
b. Easy cognates like *cage* ("cage") and *poème* ("poem"), and slightly harder ones like *prêtre* ("priest") or *moquer* ("mock," "make fun of").
c. Idiomatic usages that should not be translated but are perfectly easy to understand, like the *tout* in *vous êtes tout excusé* ("you are excused").

LE CONTENU

These questions cover what happens in the text almost line by line. After you have studied the text, test your control of the expressions and structures used in it by reading the questions aloud and trying to answer them. The answers to many of them can be given by quoting or paraphrasing the text.

1. Quelle sorte de poèmes Prévert écrit-il?
2. Qu'est-ce qu'il aime?
3. De qui se moque-t-il?
4. Quelle semble être son opinion de la ponctuation?
5. Celui qui parle dans ce poème, où a-t-il mis son képi?
6. Qu'est-ce qui montre qu'il aime la liberté, d'abord la sienne, mais aussi celle des autres?
7. Qu'est-ce qui montre que l'oiseau dans ce poème n'est pas un oiseau ordinaire?
8. Qu'est-ce que celui qui parle a négligé de faire quand il a croisé (*passed*) le commandant?
9. Quelle remarque le commandant lui a-t-il faite?
10. Qui a répondu pour lui?
11. Qu'est-ce qu'il a dit?
12. Quelle réponse inattendue (*unexpected*) le commandant a-t-il faite?

LE SENS

These questions are on the meaning and interpretation of the text. They call for observation, personal response, or judgment and may provide some opportunity for class discussion, if time permits.

1. Montrez comment le monde dans *Quartier libre* est un monde renversé (*topsy-turvy*). Est-ce un monde plus agréable que le monde ordinaire?
2. Pourquoi Prévert a-t-il choisi l'expression *quartier libre* comme titre au lieu de l'expression à peu près équivalente *en permission?*
3. Etudiez les effets de symétrie et de répétition dans le petit dialogue du commandant et de l'oiseau.

DIALOGUE

Un étudiant prend le rôle du commandant, un autre celui de l'oiseau.

A. Le commandant demande à l'oiseau si on ne salue plus.
B. L'oiseau répond négativement.
A. Le commandant fait ses excuses.
B. L'oiseau les accepte poliment.

ETUDE DE MOTS

Two kinds of information may be presented in the *Etudes de mots:*
a. The meanings of certain idioms or structures that appear in the lesson. Usually two or three uses of the expression are given to suggest its range and various shades of meaning.
b. A brief explanation of a grammar point which appears in the lesson, but which will not appear in the exercises until a later lesson. In both the *Etudes de mots* and the exercises, boldface numbers in parentheses refer to the grammatical appendix for a fuller treatment of a point.

1. *se moquer*	to make fun of
Je m'en moque.	I don't care.
Mais, vous vous moquez!	You're joking!
C'est se moquer du monde!	That's going too far!
2. *inutile*	useless
Oh! c'est inutile.	It's no good (trying); there's no point in it.
3. *se tromper*	to make a mistake
Vous vous trompez.	You're wrong.
Je me suis trompé d'étage.	I got off at the wrong floor.
Je me suis trompé de route.	I took the wrong road.

EXERCICES

Each group of exercises is usually preceded by an exchange between a professor and a student which serves as model for responses to the exercises.

Position of object pronouns (59)

A.

LE PROFESSEUR: Je l'invite chez moi?
L'ÉTUDIANT: Oui, invitez-la.
LE PROFESSEUR: Je lui offre du café?
L'ÉTUDIANT: Oui, offrez-lui du café.

A l'impératif affirmatif, le pronom suit le verbe, comme en anglais. Les verbes dans cet exercice sont tous des verbes en *-er*. Pour former la deuxième personne du pluriel, ajoutez *-ez*.

Répondez en suivant le modèle.

1. Je la salue?
2. Je lui parle?
3. Je l'accompagne?
4. Je l'invite chez moi?

5. Je lui montre l'appartement?
6. Je lui donne ces bonbons?
7. Je lui offre ce verre de vin?

B.

LE PROFESSEUR: Saluez-la.
L'ÉTUDIANT: Bon, je la salue.
LE PROFESSEUR: Offrez-lui du café.
L'ÉTUDIANT: Bon, je lui offre du café.

D'ordinaire le pronom précède le verbe, sauf à l'impératif affirmatif. N'oubliez pas l'élision de *la* devant un mot commençant par une voyelle, et suivez le modèle.

1. Saluez-la.
2. Parlez-lui.
3. Accompagnez-la.
4. Invitez-la.

5. Montrez-lui l'appartement.
6. Donnez-lui ces bonbons.
7. Offrez-lui ce verre de vin.

C.

LE PROFESSEUR: Je l'invite chez moi?
L'ÉTUDIANT: Ah, non! Ne l'invitez pas.
LE PROFESSEUR: Je la salue?
L'ÉTUDIANT: Ah, non! Ne la saluez pas!

A l'impératif négatif le pronom précède le verbe. Notez l'ordre des mots: *ne* + pronom + verbe + *pas*. Suivez le modèle.

1. Je la salue?
2. Je lui parle?
3. Je l'accompagne?
4. Je l'invite chez moi?

5. Je lui montre l'appartement?
6. Je lui donne ces bonbons?
7. Je lui offre ce verre de vin?

Direct and indirect object pronouns (56)

D.

Dans une phrase comme *offer her coffee*, *her* est complément indirect: On pourrait dire *offer coffee to her*. Dans *invite her*, *her* est complément direct. Dans cet exercice de traduction il faut distinguer entre le complément direct *la* et le complément indirect *lui*. Traduisez les phrases suivantes.

1. Speak to her.
2. Accompany her.
3. Invite her.

4. Offer her this glass of wine.
5. Give her these candies.
6. Show her the apartment.

Partitive article (17A)

E.

LE PROFESSEUR: Qu'est-ce que vous buvez? (*What are you drinking?*)
L'ÉTUDIANT: Je bois du vin. (*I am drinking wine.*)
LE PROFESSEUR: Qu'est-ce qui est rouge? (*What is red?*)
L'ÉTUDIANT: Le vin est rouge. (*Wine is red.*)

Dans la phrase *I am drinking wine,* wine est employé au sens partitif.
Dans la phrase *Wine is red,* wine est employé au sens général. En
français quand le nom est employé au sens général il est précédé par
l'article *l', le, la,* ou *les.* Quand il est employé au sens partitif il est
précédé par *du, de la, de l',* ou *des.*

Répondez par des phrases complètes en employant *le café* (sens général)
ou *du café* (sens partitif).
1. Qu'est-ce qu'il y a dans cette tasse?
2. Qu'est-ce que vous buvez maintenant?
3. Qu'est-ce qui est bon?
4. Qu'est-ce qui est noir?
5. Qu'est-ce que vous aimez?
6. Qu'est-ce que vous avez?

Répondez par des phrases complètes en employant *les bonbons* (sens
général) ou *des bonbons* (sens partitif).
1. Qu'est-ce que vous mangez en ce moment?
2. Qu'est-ce que vous m'offrez là?
3. Qu'est-ce qui coûte cher?
4. Qu'est-ce que vous aimez?
5. Qu'est-ce que vous servez ce soir?
6. Qu'est-ce que vous avez?

REVISION DES VERBES

Present (72, especially 72D.4)

F.

LE PROFESSEUR: Je prends son manteau?
L'ÉTUDIANT: Oui, prenez son manteau.
Les verbes dans cet exercice ne sont pas des verbes en *-er.* Comparez les
formes plurielles et les formes singulières.

je bois—vous buvez (ils boivent)
je choisis—vous choisissez
je dis—vous dites (nous disons, ils disent)
je fais—vous faites (nous faisons, ils font)
je finis—vous finissez

je lis—vous lisez
je mets—vous mettez
je pars—vous partez
je prends—vous prenez (ils prennent)
je réponds—vous répondez
je sers—vous servez

1. Je prends son manteau?
2. Je le mets dans l'armoire?
3. Je lui dis de s'asseoir?
4. Je fais du café?
5. Je sers du café?
6. Je bois du café?

7. Je réponds à ses questions?
8. Je choisis un livre?
9. Je lis des poésies?
10. Enfin, je finis de lire?
11. Je pars avec elle?

SUJET DE COMPOSITION

Le commandant rencontre son ami le capitaine. Il lui raconte son aventure. Etonnement du capitaine. Se moque-t-on de lui? Son commandant boit-il un peu trop? etc.

THEME D'IMITATION

The *thèmes d'imitation* are short passages in English for written translation into French. They use expressions and points of grammar from preceding lessons in the book.

If you know the lesson well, you can probably translate the *thème d'imitation* at sight. In case of doubt, however, use the parenthetic references. They are:

a. Line references showing where certain expressions used in the *thème* can be found in the lesson. (Page and line references are used if the expression comes from a previous lesson.) Note that these expressions are not always used word for word in the *thème*. A change of tense or person or number may be required.

b. References to the grammatical appendix. In most cases these are to points of grammar that have already been covered in the lesson or in immediately preceding lessons and you will recognize the point without having to look it up. Such references appear as follows: (**13A**). Occasionally, however, the references are to points of grammar that have not yet been reviewed. Such references appear as follows: (See **66**).

The soldier (*militaire*) passes the major (Question 8, p. 4) but he does not salute him. The major says to him, "So you've given up saluting, have you?" (ll. 14–15) The soldier answers, "Yes. There's no point in it (*Etude de mots*, p. 6). I don't like (**13A**) cages and I don't like (**13A**) constraint. I like liberty—mine (See **66**) and other people's, too (Question 6, p. 4). The major says, "Oh, I see. Excuse me." What an unexpected answer! (Question 12, p. 4)

PRONONCIATION
Syllabification

In French syllabification all syllables end with vowels whenever possible. Thus, they end with the mouth open.

REPEAT

mi-li-taire	a-ni-maux
i-na-tten-du	a-mu-sants
u-ni-forme	fan-tai-sie
i-nu-tile	co-mman-dant

(Note: Syllable may begin with double consonant)

English anticipates consonants. French anticipates vowels. That is, in French the lips and tongue take the position of the vowel while articulating the preceding consonant.

REPEAT

English	*French*
symbolize	sym-bo-lise
familiar	fa-mi-lier
military	mi-li-taire
commander	co-mman-dant
uniform	u-ni-forme
animal	a-ni-mal

A vowel followed by *m* or *n* is nasalized only if the *m* or *n* belongs to the same syllable.

CONTRAST

i-nu-tile	in-stru-ment
fan-tai-sie	fa-na-tique
i-na-tten-du	in-té-rêt
con-trainte	co-nnaître

2
Déjeuner du matin
Jacques Prévert

Il a mis le café
Dans la tasse°
Il a mis le lait
Dans la tasse de café
5 Il a mis le sucre°
Dans le café au lait
Avec la petite cuiller°
Il a tourné°
Il a bu le café au lait
10 Et il a reposé° la tasse
Sans me parler
Il a allumé
Une cigarette
Il a fait des ronds°
15 Avec la fumée°
Il a mis les cendres°
Dans le cendrier°
Sans me parler
Sans me regarder
20 Il s'est levé
Il a mis
Son chapeau sur sa tête
Il a mis
Son manteau de pluie[1]
25 Parce qu'il pleuvait
Et il est parti

la tasse cup

le sucre sugar

la cuiller (or *cuillère*) spoon
tourner to stir

reposer to put down

le rond ring, circle
la fumée smoke
la cendre ash
le cendrier ashtray

[1]*le manteau de pluie*—raincoat. A more common expression is *l'imperméable* (m.).

Sous la pluie
Sans une parole
Sans me regarder
⁸⁰ Et moi j'ai pris
Ma tête dans ma main
Et j'ai pleuré.

LE CONTENU

1. Comment savons-nous que l'homme n'est pas pressé de (*in a hurry to*) finir son petit déjeuner?
2. Qu'est-ce qu'il prend comme petit déjeuner?
3. Qu'est-ce qu'il met dans son café?
4. Comment ce petit déjeuner français diffère-t-il du petit déjeuner américain?
5. Qu'est-ce qu'on fait avec une cuiller?
6. Qu'est-ce qu'on met dans un cendrier?
7. Qu'est-ce qu'il a fait après avoir bu son café?
8. Qu'a-t-il fait avec la fumée?
9. Pourquoi a-t-il mis son imperméable?
10. Qu'est-ce qu'il a mis sur sa tête?

LE SENS

1. Comment les gestes (*gestures*) de cet homme qui prend son petit déjeuner le caractérisent-ils? Est-il démonstratif? soigneux (*careful*)? prudent? sympathique?
2. Montrez le contraste entre les gestes de la personne qui part et ceux de celle qui reste.
3. On se demande qui est la personne qui parle et pourquoi elle pleure. Laquelle des réponses suivantes vous paraît la plus juste:
   a. C'est peut-être une femme abandonnée par l'homme qu'elle aime.
   b. C'est peut-être un monsieur qui observe un inconnu dans un café. Ce qui le fait pleurer c'est l'ennui et la solitude et surtout le manque de rapport entre les humains.

c. On ne peut savoir qui est cette personne. Tout ce qu'on peut savoir c'est que ce poème présente un mouvement et un contraste: la succession de gestes froids et mécaniques de la personne observée, puis à la fin, et toujours sur le même rythme, l'émotion de la personne qui parle.

ETUDE DE MOTS

Words designating parts of the body are usually preceded by *le, la,* or *les* if the possessor is mentioned in the sentence. (13C)

Je suis sorti avec l'oiseau sur la tête.	I went out with the bird on my head.
Il dit non avec la tête.	He says no with his head.
Il se lèche le museau.	He licks his chops.

If two parts of the body or a part of the body and an article of clothing are involved in a gesture, the possessive adjective may be used to modify the part or parts of the body and article of clothing.

J'ai pris ma tête dans ma main.	I took my head in my hand.
Il a mis son chapeau sur sa tête.	He put his hat on his head.

But if an attitude or condition rather than a gesture is depicted the article is used:

N'entrez pas dans l'église le chapeau sur la tête.	Don't go into the church with your hat on your head.

EXERCICES

REVISION DES VERBES

A.

Mettez les phrases suivantes au présent. Puisque ce sont tous des verbes en -*er* au singulier vous n'avez qu'à

a. omettre l'auxiliaire: il *a* parlé—il parle; et
b. changer l'*é* (prononcé) du participe passé en *e* (non prononcé) du présent: je me suis retourné—je me retourne.

1. Il a tourné avec la cuiller.
2. Il a reposé la tasse.
3. Il a allumé une cigarette.

4. Je me suis moqué du commandant.
5. Je me suis trompé d'étage.
6. Je me suis excusé.

B.

Mettez les phrases suivantes au passé composé. Puisque ce sont tous des verbes en -*er* au singulier vous n'avez qu'à—

a. ajouter l'auxiliaire: il parle—il *a* parlé. Mais attention aux verbes suivants, qui sont conjugués avec l'auxiliaire *être*:

(1) les verbes pronominaux (**76**): il se retourne—il s'*est* retourné.
(2) certains verbes qui expriment le mouvement (**32**): je rentre—je *suis* rentré.

b. changez l'*e* (non prononcé) du présent en *é* (prononcé) du participe passé: il parle—il a parlé.

1. Je tourne le café.
2. Je repose la tasse.
3. J'allume une cigarette.
4. Elle me parle.
5. Je me retourne.

6. Je me dirige vers la porte.
7. Je m'arrête.
8. Elle me regarde.
9. J'arrive au bureau.
10. Je monte au premier.

C.

Mettez les phrases suivantes au passé composé. Ce ne sont pas des verbes en -*er*. Les participes passés se terminent en -*u*, en -*i*, en -*is*, ou en -*ert*. Repassez (*Review*) cette liste de participes passés avant de faire l'exercice:

boire—bu	offrir—offert	prendre—pris
dire—dit	ouvrir—ouvert	répondre—répondu
lire—lu	partir—parti	sortir—sorti
mettre—mis	pouvoir—pu	vouloir—voulu

1. Il prend sa tasse.
2. Il boit son café.
3. Il lit son journal.
4. Il ouvre le paquet de cigarettes.
5. Il offre une cigarette à sa femme.

6. Il répond à sa femme.
7. Il met son chapeau.
8. Il veut partir.
9. Il peut partir.
10. Il part.
11. Il sort dans la rue.

Infinitive (43)

D.

LE PROFESSEUR: Il boit mais il ne la regarde pas. (*He drinks but he doesn't look at her.*)

L'ÉTUDIANT: Il boit sans la regarder. (*He drinks without looking at her.*)

LE PROFESSEUR: Il la regarde mais il ne parle pas. (*He looks at her but he doesn't speak.*)

L'ÉTUDIANT: Il la regarde sans parler. (*He looks at her without speaking.*)

On emploie l'infinitif après la préposition *sans*. Remarquez qu'en anglais on emploie le participe présent: sans parler—*without speaking*. Le pronom complément précède l'infinitif en français: sans *la* regarder —*without looking at her*. Repassez les infinitifs de l'Exercice C avant de faire les Exercices D et E.

1. Il met le sucre dans le café, mais il ne tourne pas.
2. Il boit, mais il ne lui parle pas.
3. Il sort, mais il ne met pas son chapeau.
4. Il regarde son journal, mais il ne lit pas.
5. Il lit, mais il ne peut pas comprendre.

☐ This symbol means that the examples which follow are supplementary and are provided for extra practice if needed.

6. Il répond en classe et il ne se trompe pas.
7. Il prend du café, mais il n'en veut pas.
8. Il mange, mais il ne boit pas.
9. Il me salue, mais il ne se lève pas.
10. Il part, mais il ne dit pas au revoir.

E.

LE PROFESSEUR: Il boit, puis il se lève.

L'ÉTUDIANT: Il boit avant de se lever.

LE PROFESSEUR: Il pense, puis il parle.

L'ÉTUDIANT: Il pense avant de parler.

On emploie l'infinitif après *avant de*.

1. Il prend du sucre, puis il tourne.
2. Il se retourne, puis il ouvre la porte.
3. Il me regarde, puis il répond.
4. Il prend son journal, puis il le lit.
5. Il se dirige vers la porte, puis il sort.
6. Il me salue, puis il se lève.
7. Il dit au revoir, puis il part.
8. Il ouvre la porte, puis il sort.

F.

LE PROFESSEUR: Il boit, puis il se lève. (*He drinks, then he gets up.*)

L'ÉTUDIANT: Après avoir bu, il se lève. (*After drinking* [or *after having drunk*], *he gets up.*)

LE PROFESSEUR: Il se lève, puis il part. (*He gets up, then he leaves.*)

L'ÉTUDIANT: Après s'être levé, il part. (*After getting up* [or *after having gotten up*], *he leaves.*)

On emploie l'infinitif parfait après la préposition *après*. L'infinitif parfait est formé par l'infinitif de l'auxiliaire (*être* ou *avoir*) + le participe passé (**44**). Refaites l'Exercice E d'après le modèle ci-dessus.

G.

Quand les prépositions *sans* («without»), *avant de* («before»), et *au lieu de* («instead of») sont suivies d'un verbe, le verbe est à l'infinitif, tandis qu'en anglais il est au participe présent. Traduisez:

1. without looking
2. without getting up
3. before going out
4. before reading
5. instead of answering
6. instead of stopping

SUJET DE COMPOSITION

Décrivez le petit déjeuner chez vous et le départ pour le travail.

THEME D'IMITATION

I am not in a hurry (Question 1, p. 13) when I have (*prends*) my breakfast. I put (**17A**) coffee in my cup, I put sugar in the coffee, I take

my spoon and I stir (l. 8). I put some milk in my coffee and I drink it.
I like (13A) coffee with milk (l. 9), and I like a cigarette with my breakfast. But I don't like (13A) rain. Without speaking, I get up and I put
[on] my raincoat. My wife (*femme*) drinks her coffee without looking
at me. She doesn't like (13A) cigarettes. I put my ashes (l. 16) in the
cup and she doesn't like that (*ça*). She says, "The ashtray is useless
(*Etude de mots*, p. 6) if you (*on*) put the ashes in the cup." What [a]
woman! I say, "Anybody can make a mistake (ll. 23–24, p. 3)," and I
go out into the rain (l. 27).

PRONONCIATION

Accent

In English the accented syllable is louder and the accent can come on
any syllable: punctu*a*tion. In French it is longer, not louder, and comes
at the end of the word: ponctua*tion*. If the word forms part of a sense
group, the accent does not come until the end of the sense group: la
ponctuation fran*çaise*. Practice these sense groups using the same
rhythm that you use when you say *one, two, three, four, five* in
English.

REPEAT

il a fait des ronds   son manteau de pluie
la prononciation   la prononciation française
dans le cendrier

3

Le Chat et l'oiseau

Jacques Prévert

Un village écoute désolé°   *désolé* unhappy, mournful
Le chant d'un oiseau blessé°   *blessé* wounded
C'est le seul oiseau du village
Et c'est le seul chat du village
5 Qui l'a à moitié° dévoré   à *moitié* halfway
Et l'oiseau cesse de chanter
Le chat cesse de ronronner°   *ronronner* to purr
Et de se lécher le museau[1]
Et le village fait à l'oiseau
10 De merveilleuses funérailles
Et le chat qui est invité
Marche derrière le petit cercueil° de paille°   *le cercueil* coffin
       la paille straw
Où l'oiseau mort est allongé°   *allongé* stretched out
Porté par une petite fille
15 Qui n'arrête pas de pleurer
Si j'avais su que cela te fasse tant de peine[2]
Lui fit[3] le chat
Je l'aurais mangé tout entier°   *le . . . tout entier* all of him
Et puis je t'aurais raconté
20 Que je l'avais vu s'envoler[4]
S'envoler jusqu'au bout° du monde   *le bout* end

[1]*se lécher le museau*—to lick one's snout. *Museau* is used only for animals; cf. *paw* in English.
[2]*te fasse tant de peine*—would make you feel so bad. The subjunctive *fasse* is somewhat unusual here; the conditional *ferait* would be more common usage.
[3]*fit*—said. This is the *passé simple* of *faire*, which can be used instead of *dire* in narrative.
[4]*s'envoler*—to fly away. The root word *voler* means simply "to fly." Cf. *s'en aller* ("to go away") and *aller* ("to go").

Il ne faut jamais faire

les choses, à moitié

Là-bas où c'est tellement loin
Que jamais on n'en revient
Tu aurais eu moins de chagrin°   avoir du chagrin to grieve
²⁵ Simplement de la tristesse°   la tristesse sadness
Et des regrets
Il ne faut jamais faire
Les choses à moitié.

LE CONTENU

1. Pourquoi le village est-il désolé?
2. Qu'est-ce que le chat a fait à l'oiseau?
3. Combien de chats et d'oiseaux y a-t-il dans le village?
4. Que fait le chat après avoir à moitié dévoré l'oiseau?
5. Qui participe aux funérailles de l'oiseau?
6. Où l'oiseau est-il allongé?
7. Pourquoi la petite fille pleure-t-elle?
8. Qu'est-ce que le chat aurait fait s'il avait su que cela ferait tant de peine à la petite fille?
9. Quelle histoire lui aurait-il racontée?
10. Quelles émotions ce mensonge (*lie*) aurait-il produites?
11. Le chat regrette-t-il d'avoir mangé l'oiseau? Ou fait-il semblant de le regretter? Est-il hypocrite ou honnête?
12. Quelle est la morale que le chat tire de cette histoire?

LE SENS

1. Quelles sont les valeurs morales de ce petit village imaginaire? Y aime-t-on la vie, la beauté, la justice, la vengeance, les cérémonies, l'émotion? Est-ce un meilleur monde que celui où nous vivons?
2. Quelles sont les valeurs morales du chat?
3. Dans quel sens peut-on dire que le chat prend le proverbe «Il ne faut jamais faire les choses à moitié» littéralement?

ETUDE DE MOTS

1. Note that *cesser* and *arrêter* are followed by *de* + infinitive, rather than the infinitive alone. (68C).

cesser d'écrire	to stop writing
arrêter de pleurer	to stop crying

2. *faire de la peine à* («to cause sorrow»): *La mort d'un ami ou d'un animal que vous avez aimé vous fait de la peine.* Contrast with *faire mal* («to hurt physically»): *Ma jambe me fait mal.*

3. Conditional sentences (**28E**).

Si j'avais su ça, je l'aurais mangé.	If I had known that, I would have eaten it.
S'il avait eu faim, il aurait mangé.	If he had been hungry, he would have eaten.
S'il avait faim, il mangerait.	If he were hungry, he would eat.
S'il a faim, il mangera.	If he is hungry, he will eat.

EXERCICES

Partitive article (17, 18)

A.

LE PROFESSEUR: La peine. Cela lui fait.
L'ÉTUDIANT: Cela lui fait de la peine.

Quand un nom est employé au sens partitif il est précédé par l'article partitif *du, de la, de l'*, ou *des*. (**17A**)

LE PROFESSEUR: La peine. Tant.
L'ÉTUDIANT: Tant de peine.

L'article partitif est remplacé par ⟨*de*⟩ après une locution exprimant l'idée de quantité. (**18B**)

LE PROFESSEUR: Le café. Pas.
L'ÉTUDIANT: Pas de café.

L'article partitif est remplacé par ⟨*de*⟩ après un négatif. (**18A**)

LE PROFESSEUR: Les bonnes raisons. J'ai.
L'ÉTUDIANT: J'ai de bonnes raisons.

L'article partitif est remplacé par *de* devant un nom au pluriel précédé par un adjectif. (**18C**)

1. Les oiseaux. Un grand nombre.
2. Le café. Je bois.
3. Le lait. Une bouteille.
4. Les animaux. Pas.
5. Les merveilleuses funérailles. On lui fait.
6. Les jolis oiseaux. Il y a.
7. Les cuillers. Une douzaine.
8. Les cigarettes. Un paquet.
9. Le café. Jamais.
10. Le café sucré. Je bois.

☐

11. Le café. Une tasse.
12. Les cigarettes. J'achète. ·
13. Les amis. Beaucoup.
14. La pluie. Un peu.
15. Les funérailles. Combien.
16. Le chagrin. Plus.
17. Les choses. Une grande quantité.
18. Les regrets. J'ai.
19. La tristesse. Elle a.
20. La tristesse. Beaucoup.

Object pronouns (54–58)

B.

LE PROFESSEUR: Est-ce que les chats mangent *les oiseaux?*
L'ÉTUDIANT: Oui, ils les mangent.

Les est le pronom complément d'objet direct à la troisième personne du pluriel. N'oubliez pas de faire la liaison devant un verbe commençant par une voyelle.

1. Est-ce qu'il a mis *son chapeau et son imperméable?*
2. Est-ce qu'il aime *les jeux de mots?*
3. Est-ce qu'on salue *les généraux?*

☐

4. Dans ce village, est-ce qu'on aimait *les oiseaux?*
5. Est-ce qu'on avait invité *les habitants du village?*

C.

LE PROFESSEUR: Est-ce que le chat aurait mangé *l'oiseau?*
L'ÉTUDIANT: Oui, il l'aurait mangé.

Le et *la* (*l'* devant une voyelle ou un *h* muet) sont les pronoms compléments d'objet direct à la troisième personne du singulier.

1. Est-ce qu'il allume *sa cigarette!*
2. Est-ce que le chat a dévoré *l'oiseau!*
3. Est-ce qu'on a invité *le chat!*

☐

4. Est-ce qu'il salue *Marie!*
5. Est-ce qu'il sert *le café!*

D.

LE PROFESSEUR: Est-ce que la petite a eu *des chagrins!*
L'ÉTUDIANT: Oui, elle en a eu.

En est le pronom complément qui remplace un nom précédé par *de*. Il est invariable. N'oubliez pas de faire la liaison.

1. Est-ce que le monsieur a bu *du café!*
2. Est-ce qu'il y avait *du sucre!*
3. Est-ce qu'il a fait *des ronds!*

☐

4. Est-ce qu'il est sorti *de la maison!*
5. Est-ce que la petite aurait eu *de la peine!*
6. Est-ce qu'on revient *du bout du monde!*

Object pronouns (56)

E.

Traduisez. Distinguez entre les verbes qui prennent le complément d'objet indirect *lui* et ceux qui prennent le complément d'objet direct *la* (ou *l'*).

1. I like her.
2. I invite her.
3. I answer her.
4. I tell her.
5. I accompany her.
6. I show her the apartment.
7. I listen to her.
8. I speak to her.
9. I give her candy.
10. I offer her wine.

☐

Formation of adverbs (6)

F.

LE PROFESSEUR: La petite fille est jolie. Comment est-ce qu'elle sourit?
L'ÉTUDIANT: Elle sourit joliment.
LE PROFESSEUR: Sa voix est merveilleuse. Comment est-ce qu'elle chante?
L'ÉTUDIANT: Elle chante merveilleusement.

D'ordinaire on forme l'adverbe en ajoutant -*ment* au féminin de l'adjectif, ou au masculin si l'adjectif se termine par une voyelle au masculin.

1. L'oiseau est poli. Comment est-ce qu'il répond?
2. La leçon est facile. Comment est-ce qu'on la prépare?
3. La petite fille est folle. Comment est-ce qu'elle rit?
4. La dame est triste. Comment parle-t-elle?

☐

5. Ses protestations sont inutiles. Comment proteste-t-il?
6. Il a la voix dure. Comment répond-il?
7. Le chat est tranquille. Comment ronronne-t-il?
8. Ses excuses sont faibles. Comment s'excuse-t-il?

SUJET DE COMPOSITION

Décrivez les funérailles de l'oiseau. Quelle est la cause de sa mort? Qui est invité? Que font les invités?

THEME D'IMITATION

THE LITTLE GIRL: Have you (*tu*) seen the bird? He's not in his cage.
THE CAT: What bird?
THE LITTLE GIRL: What a question! After all, my bird is the only bird in the village. Stop licking your face (l. 8 and see **34**) and answer me.
THE CAT: Ah, the bird! I saw him yesterday (*hier*). He told me that he was going (See **40A**) to fly away to the end of the world. (l. 21) I asked him if the end of the world was (See **40B.2**) far away. He said,

"It's so far away that you never come back." (ll. 22–23) And he left. He doesn't do things halfway (l. 28), that (See **29**) bird. He didn't want to talk to you. If you had known (l. 16) that he was leaving (**40A**) you would have put him in his cage.

THE LITTLE GIRL: He didn't fly away! You ate him!

THE CAT (*quietly*): Yes, I did eat him. Now I have regrets. If I had known that you were going (**40A**) to cry, I wouldn't have eaten him.

PRONONCIATION

il, ille, **as in** *funérailles, paille, merveilleuse, cercueil*

The sound of *il* or *ille,* at the end of a word or before a suffix resembles the *y* in the English word *yes,* but the French sound is pronounced more distinctly and tensely. The *l* is not pronounced. (Major exceptions: *mille, ville, village, tranquille.*)

Practice adding this *y* sound to the vowels below. (Each of these vowels will be drilled separately in later lessons.)

REPEAT

a – pa	– paille		i – fi	– fille
– ma	– maille		fami	– famille
– a	– ail		bri	– brille
– trava	– travail			

ou – brou	– brouille		ui – cui	– cuiller
– mou	– mouille			
– fripou	– fripouille			
– Anou	– Anouilh			

eu – feu   – feuille   e – is pronounced *è* before *il* or *ille*
    – deu   – deuil   merveille   éveille
    – veu   – veuille   soleil   vieille

The *e* and *u* are inverted after *c*:
cercueil, cueille, accueil.

Spelling: il, ille, or *ill* as in the above examples. Before a vowel it may also be spelled *i* or *y* as in cendr*i*er, moit*i*é, ent*i*er, famil*i*er, ponc*i*tuation, prononc*i*ation, essa*y*er.

4

Le Cancre[1]
Jacques Prévert

Il dit non avec la tête
mais il dit oui avec le cœur
il dit oui à ce qu'il aime
il dit non au professeur
⁵ il est debout[2]
on le questionne
et tous les problèmes sont posés
soudain le fou rire le prend[3]
et il efface° tout   *effacer* to erase
¹⁰ les chiffres° et les mots   *le chiffre* figure; number
les dates et les noms
les phrases et les pièges°   *le piège* trap; trick question

et malgré° les menaces du maître°   *malgré* in spite of
sous les huées° des enfants prodiges[4] *le maître* primary-school teacher
                                           la huée hooting
¹⁵ avec des craies° de toutes les couleurs *la craie* chalk
sur le tableau noir du malheur
il dessine° le visage du bonheur.   *dessiner* to draw

LE CONTENU

1. Comment le cancre dit-il non?
2. Comment dit-il oui?

[1] *le cancre*—dunce, worst student in the class.
[2] In France, students stand up to answer the teacher's questions.
[3] *Le fou rire le prend*—He is overtaken by helpless laughter.
[4] *les enfants prodiges*—child prodigies. Here it refers to the "good students."

3. A quoi dit-il oui?
4. A qui dit-il non?
5. Pourquoi est-il debout?
6. Qu'est-ce qui le prend?
7. Que fait-il ensuite?
8. Qu'est-ce qu'il y avait au tableau?
9. Que fait le maître? Que font les bons élèves?
10. Quelles craies utilise-t-il?
11. Qu'est-ce qui symbolise le malheur pour le cancre?
12. Que fait-il après avoir tout effacé?

LE SENS

1. On peut retrouver dans ce petit poème l'expression oblique et rapide de quelques lieux communs (commonplaces) révolutionnaires. Quels mots ou quels vers suggèrent les idées suivantes:
   a. Les salles de classe sont tristes, répressives, et antidémocratiques.
   b. Le rire est une des meilleures armes contre la répression.
   c. Il faut oser dire non à l'autorité.
   d. Pour construire l'avenir il faut effacer le passé.
   e. Ceux qui profitent du système—les «bons élèves»—ont moins de cœur et de courage que les cancres.
   f. L'esprit révolutionnaire, plein de jeunesse et de gaieté, s'exprime dans les graffiti et dans l'improvisation.
2. Comment le cancre ressemble-t-il à l'oiseau dans *Quartier libre*?

ETUDE DE MOTS

Note the uses of *tout, tous,* and *toutes*:
1. As an indefinite, invariable pronoun, *tout* meaning "everything," and *tous* (s pronounced) meaning "all," "everyone."

Il efface tout.	He erases everything.
Tout est effacé.	Everything is erased.
Tous se moquent de lui.	Everyone makes fun of him.

2. As an adjective (the s of *tous* is not pronounced).

des craies de toutes les couleurs	chalks of all colors
tous les problèmes	all the problems

3. As an invariable adverb *tout* (*toute* before a feminine adjective beginning with a consonant or an aspirate *h*).

Ils sont tout seuls.	They are all alone.
Elle est toute seule.	She is all alone.
Je l'aurais mangé tout entier.	I would have eaten all of it.
tout près d'ici	right near here

EXERCICES

Relative pronouns (77B)

A.

LE PROFESSEUR: Le vieux monsieur tombe.
L'ÉTUDIANT: C'est le vieux monsieur qui tombe.
LE PROFESSEUR: La pluie tombe.
L'ÉTUDIANT: C'est la pluie qui tombe.

C'est

Le pronom relatif introduit une proposition subordonnée. Quand <u>il est</u> <u>le sujet</u> de cette proposition on emploie *qui.* Qui peut avoir pour antécédent un nom de personne ou un nom de chose.

1. Le poète m'amuse.
2. Son poème m'amuse.
3. Le commandant est imposant.
4. Son uniforme est imposant.

☐

5. Le maître fait peur à la classe.
6. Son visage fait peur à la classe.
7. Le cancre fait rire la classe.
8. Son dessin fait rire la classe.
9. La petite fille écoute.
10. Le village écoute.

B.

LE PROFESSEUR: J'aime le café.
L'ÉTUDIANT: C'est le café que j'aime.

LE PROFESSEUR: J'aime le militaire.
L'ÉTUDIANT: C'est le militaire que j'aime.

verb

Quand le pronom relatif est le complément direct de la proposition subordonnée on emploie que. *Que* peut avoir pour antécédent un nom de personne ou un nom de chose.

1. J'aime Marie.
2. J'aime sa façon de parler.
3. Je déteste le maître.

4. Je déteste la contrainte.
5. Je salue le commandant.
6. Je salue son uniforme.

□

7. J'admire le poète.
8. J'admire le poème.

9. Je regarde le cancre.
10. Je regarde le dessin.

Interrogative pronouns (46)

C.

LE PROFESSEUR: La pluie tombe.
L'ÉTUDIANT: Qu'est-ce qui tombe?
LE PROFESSEUR: Le vieux monsieur tombe.
L'ÉTUDIANT: Qui est-ce qui tombe?

Qu'
Qui

(Subject + qui)

Le pronom interrogatif distingue entre les noms de personne et les noms de chose. Quand le pronom interrogatif est le sujet de la phrase on emploie *qu'est-ce qui* pour les noms de chose et *qui est-ce qui* pour les noms de personne. (On peut employer *qui* au lieu de *qui est-ce qui* pour les noms de personne. Dans cet exercice employez *qui est-ce qui*. C'est la forme qu'on emploie le plus fréquemment dans la langue courante.)

Refaites l'Exercice A en suivant le modèle ci-dessus.

D.

LE PROFESSEUR: J'aime le café.
L'ÉTUDIANT: Qu'est-ce que j'aime?
LE PROFESSEUR: J'aime le cancre.
L'ÉTUDIANT: Qui est-ce que j'aime?

Qu'
Que   (verb) + que

Quand le pronom interrogatif est le complément d'objet de la phrase on emploie *qu'est-ce que* pour les noms de chose et *qui est-ce que* pour les noms de personne.

Refaites l'Exercice B en suivant le modèle ci-dessus.

Relative pronouns (77F)

E.

LE PROFESSEUR: Voilà *un visage* qui m'intéresse.
(*There's a face that interests me.*)

L'ÉTUDIANT: Voilà ce qui m'intéresse.
(*There's what interests me.*)

LE PROFESSEUR: On se moque de *la chose* qu'on ne comprend pas.
(*People make fun of the thing they don't understand.*)

L'ÉTUDIANT: On se moque de ce qu'on ne comprend pas.
(*People make fun of what they don't understand.*)

Quand le pronom relatif n'a pas d'antécédent on emploie *ce qui* s'il est le sujet de la proposition subordonnée, et *ce que* s'il en est le complément. Notez que le pronom relatif dans les phrases du professeur a un antécédent. Cet antécédent est remplacé par *ce* dans les réponses de l'étudiant.

1. Je cherche *le képi* que j'ai perdu.
2. C'est *le café* qui est bon dans ce restaurant.
3. Voilà *la remarque* qui lui a fait de la peine.
4. Apportez-vous *le vin* que j'ai commandé?

☐

5. Comprenez-vous *les poèmes* que je vous lis?
6. Parlez-moi de *la poésie* que vous aimez.
7. Il est malade à cause de *l'oiseau* qu'il a mangé.
8. Expliquez-moi *la chose* qui vous intéresse le plus dans ce livre.

Relative pronouns (77A)

F.

Traduisez. Notez que le pronom relatif est souvent omis en anglais quand il est complément. En français il est toujours exprimé.

1. the hat I put on
2. the bird he eats

3. the poems I read
4. the wine I drink

SUJET DE COMPOSITION

Le cancre rentre à la maison, et explique ce qu'il a fait à l'école ce jour-là, ce que le maître lui a dit, etc.

THEME D'IMITATION

The bird has stopped singing (l. 6, p. 19) and there is no happiness in the village. The little girl tells (**67B**) all the children what (**77F**) the cat has done. They feel sorry (l. 24, p. 24) The next day (*le lendemain*) there is a wonderful funeral (l. 10, p. 19). The little girl carries the coffin (**77A**) she has made for the bird and a dozen children (Ex. A, p. 23) walk behind her. But what interests them is (See **22D**) what the cat says when they question him (l. 6). He says (**77A**) there are lots of birds and lots of cats in the other villages. Their unhappiness flies away when he tells them that (See **30B**).

PRONONCIATION

a **as in** *a*nimal, ét*a*t, p*a*role

The French *a* has no English equivalent. The vowel sound in English clock is somewhat similar but the French *a* is pronounced further forward:

CONTRAST

English	French
clock	claque
lock	lac
dot	date
pot	patte

Some students tend to substitute the English "uh" sound for French *a*, especially in the unaccented syllables of cognates. Practice avoiding this in the following utterances. Give equal value to each *a*, counting a rhythm: 1–2–3–4.

REPEAT

la cavalcade	la banalité
la cathédrale	la catastrophe
la salade	madame
bagage	passage

Spelling: a or oi as in moi. Also, emme is usually pronounced amme as in femme, or évidemment.

There is also an *a* in French which is pronounced further back (often spelled *â* or *as*) but the distinction between the two *a*'s is not essential to understanding or to making oneself understood. You can hear the difference in such contrasts as these:

patte pâte   tache tâche

5
L'Addition
Jacques Prévert

LE CLIENT: Garçon, l'addition!°   *l'addition (f.)* bill

LE GARCON: Voilà. [*Il sort*[1] *son crayon et note.*] Vous avez . . . deux œufs[2] durs, un veau,[3] un petit pois, une asperge, un

5   fromage avec beurre, une amande verte,°   *une amande verte* an order of green almonds
un café filtre,[4] un téléphone.

LE CLIENT: Et puis des cigarettes!

LE GARCON: C'est ça même° . . . des ciga-   *c'est ça même* that's right
rettes . . . [*Il commence à compter.*] . . .

10   alors ça fait. . . .

LE CLIENT: N'insistez pas,° mon ami, c'est   *N'insistez pas* Don't go on; don't try
inutile, vous ne réussirez° jamais.   *réussir* to succeed

LE GARCON: ! ! !

LE CLIENT: On ne vous a donc pas appris à

15   l'école que c'est ma-thé-ma-ti-que-ment
impossible d'additionner des choses
d'espèce différente!

LE GARCON: ! ! !

LE CLIENT: [*Elevant la voix.*] Enfin, tout de

20   même,° de qui se moque-t-on? . . . Il faut   *tout de même* after all; anyhow
réellement être insensé° pour oser°   *insensé* mad
essayer de tenter[5] d'«additionner» un   *oser* to dare

---

[1]*il sort*—he takes out. *Sortir* is used as a transitive verb here (See 32D).
[2]The *f* which is pronounced in *un œuf* is silent in the plural.
[3]*un veau*—an order of veal; *un petit pois*—an order of peas; *une asperge*—an order of asparagus, and so on.
[4]*café filtre*—a cup of coffee with its own individual filter, permitting the customer to brew his own coffee.
[5]*essayer de tenter* ("to try to attempt")—a deliberate redundancy.

34

veau avec des cigarettes, des cigarettes
avec un café filtre, un café filtre avec une
25 amande verte et des œufs durs avec des
petits pois, des petits pois avec un téléphone, pourquoi pas un petit pois avec
un grand officier de la Légion d'honneur,[6]
pendant que vous y êtes!° [*Il se lève.*]

pendant que vous y êtes   while you're at it

30 Non, mon ami, croyez-moi, n'insistez
pas, ne vous fatiguez pas, ça ne donnerait
rien,° vous entendez, rien, absolument
rien . . . pas même le pourboire!°

ça ne donnerait rien   it would produce nothing, no results
le pourboire   tip

[*Et il sort en emportant le rond de ser-*
35 *viette° à titre gracieux.°*]

le rond de serviette   napkin ring
à titre gracieux   free of charge

LE CONTENU

1. Que fait le garçon quand le client lui demande l'addition?
2. Qu'est-ce qu'il a eu comme hors-d'œuvre? comme légumes (*vegetables*)? comme dessert?
3. Comment savons-nous qu'il faut payer pour utiliser le téléphone?
4. Qu'est-ce que le garçon a oublié?
5. Qu'est-ce que le client lui dit quand il commence à compter?
6. Selon le client, pourquoi est-ce que le garçon ne réussira jamais à faire l'addition?
7. Qu'est-ce qui indique que le client commence à se fâcher (*to get angry*)?
8. Quelle suggestion le client fait-il au garçon pour lui montrer l'absurdité de ses efforts?
9. D'ordinaire que laisse-t-on pour le garçon? Croyez-vous que le client respecte cette coutume?
10. Que fait-il quand il sort?
11. Quelle semble être l'étymologie du mot *pourboire*?

---

[6]*la Légion d'honneur*—the most famous honorary society in France, founded by Napoléon. People are named to it by the government. *Grand officier* is its next-to-highest rank.

LE SENS

1. En quoi la remarque du client est-elle illogique? Montrez comment elle dépend d'un emploi de l'article *un* (aux lignes 2 à 4) qu'on ne peut pas traduire littéralement en anglais.
2. Le poète se moque-t-il du conformisme ici comme dans les autres poèmes, ou s'agit-il simplement d'une fantaisie, d'une exploitation d'un illogisme (*illogicality*) amusant?

DIALOGUE

A. Le client demande l'addition.
B. Le garçon fait l'addition.
A. Le client lui dit qu'il fait une chose impossible.
B. Le garçon ne comprend pas.
A. Le client explique au garçon pourquoi son addition est impossible.

ETUDE DE MOTS

Note that *essayer* and *tenter* are followed by *de; réussir* and *commencer* are followed by *à* (68B, C).

Il commence à additionner.   He begins to add.
Il réussit à le faire.   He succeeds in doing it.
Il essaie de le faire.   He tries to do it.
Il tente de le faire.

EXERCICES

Relative pronouns (77B, D)

A.

LE PROFESSEUR: Il parle des livres. Voilà les livres. (*He's talking about books. There are the books.*)

L'ÉTUDIANT: Voilà les livres dont il parle. (*There are the books he's talking about.*)

LE PROFESSEUR: Il avait des livres. J'ai lu les livres. (*He had books. I've read the books.*)

L'ÉTUDIANT: J'ai lu les livres qu'il avait. (*I've read the books he had.*)

Dont remplace le pronom relatif précédé par la préposition *de*. Ne confondez pas la préposition *de* (qui se traduit *of, from, about*) avec le partitif (qui ne se traduit pas, ou ne se traduit que par *some*).

1. Je me moque du général. Voilà le général.
2. Nous parlons des problèmes. Je vais vous expliquer les problèmes.
3. Elle pose des questions. Ecoutez les questions.
4. Il revient du pays. Nommez le pays.
5. Il se sert du cendrier. Voilà le cendrier.

☐

6. Je prends des notes. Je relis les notes.
7. Je me souviens des notes. Voilà les notes.
8. Il prend des asperges. Regardez les asperges!
9. Il est sorti de la maison. Quelle est cette maison?
10. Il a besoin d'un livre. J'ai trouvé le livre.

B.

LE PROFESSEUR: Il efface le dessin de l'élève. Je connais l'élève.

L'ÉTUDIANT: Je connais l'élève dont il efface le dessin.

LE PROFESSEUR: Il dessine le visage du maître. Décrivez le maître.

L'ÉTUDIANT: Décrivez le maître dont il dessine le visage.

L'ordre des mots dans la proposition subordonnée introduite par *dont* est toujours sujet + verbe + complément.

1. J'ai trouvé le képi du militaire. Où est le militaire?
2. Je connais la mère de cette petite fille. Voilà la petite fille.
3. J'ai acheté la voiture de ce monsieur. Je ne connais pas le monsieur.
4. Nous ne savons pas la cause de ce désastre. C'est un désastre.

☐

5. Il a volé le pourboire du garçon. Allons trouver le garçon.
6. J'ai pris l'imperméable de ce monsieur. Evitons le monsieur.

7. Je connais la fin de cette histoire. C'est une histoire.

8. J'ai visité l'école de ce garçon. Voici le garçon.

C.

L'ordre des mots en français correspond non à la forme idiomatique *the girl whose mother I know*, mais à la forme *the girl of whom I know the mother*. Traduisez les phrases suivantes.

1. the soldier whose cap I found
2. the man whose car I bought
3. the boy whose school I visited

4. the disaster the cause of which we do not know
5. the story the end of which I know

REVISION DES VERBES

Present participle (74–75); Avoiding dependent clauses (20C)

D.

LE PROFESSEUR: *Quand on parle,* on apprend. *(When you speak, you learn.)*

L'ÉTUDIANT: On apprend en parlant. *(You learn by speaking.)*

LE PROFESSEUR: *Quand on sort,* on dit au revoir. *(When you go out, you say good-by.)*

L'ÉTUDIANT: On dit au revoir en sortant. *(You say good-by while going out.)*

Le participe présent exprime une action qui a lieu en même temps que l'action du verbe principal. Comme verbe il est invariable. Il est souvent précédé par *en*. *En* + participe présent peut exprimer la simultanéité *(while)* ou le moyen *(by)*. La racine du participe présent vient de la forme *nous* du présent: *nous sortons*. On ajoute la terminaison *-ant*: *sortant*. Vous retrouverez dans cet exercice plusieurs verbes de l'Exercice F, page 9, et en plus ceux-ci:

je descends—nous descendons
je dis—nous disons

je dors—nous dormons
je fais—nous faisons

1. *Quand on entre,* on dit bonjour.
2. *Quand on lit,* on apprend.

3. *Quand on dort,* on rêve.
4. *Quand on boit,* on devient ivre.

5. *Quand on prend le train, on* arrive bientôt.

6. *Quand on descend l'escalier,* on va vite.

7. *Quand on monte,* on va lentement.

8. *Quand on fait ses devoirs, on* fait des progrès.

9. *Quand on choisit,* on se limite.

10. *Quand on dit bonjour,* on se salue.

Imparfait (40)

E.
Mettez les phrases suivantes à l'imparfait. La racine de l'imparfait—comme celle du participe présent—vient de la forme *nous* du présent: *nous buvons.* Ajoutez les terminaisons, *-ais, -ais, -ait, -ions, -iez, -aient: je buvais, tu buvais, il buvait, nous buvions, vous buviez, ils buvaient.*

1. Il prend son crayon.
2. Il note.
3. Il lit l'addition.

4. Il finit son repas.
5. Il sort.
6. Il salue le commandant.

F.
LE PROFESSEUR: Il *met* son chapeau parce qu'il pleut.
L'ÉTUDIANT: Il a mis son chapeau parce qu'il pleuvait.

Lisez la narration suivante au passé en distinguant entre les actions qui doivent être exprimées par l'imparfait et les actions qui doivent être exprimées par le passé composé. L'imparfait exprime une action, un état, ou une condition habituelle et répétée. Il est souvent descriptif. Le passé composé exprime un fait ou une action qui a eu lieu et qui s'est achevé à un moment déterminé du passé. Si on suppose que le temps est indiqué par une ligne horizontale, on peut représenter l'imparfait par ...., pour indiquer qu'il s'agit d'une action dont ni le début ni la fin sont exprimés; et le passé composé par ———, pour indiquer qu'il s'agit d'une action qui a eu lieu à un moment déterminé du passé.

Jacques est un cancre. Voici ce qu'il fait d'habitude en classe: il arrive en retard, il dit non au professeur, il se moque des «enfants prodiges». Un jour le maître lui dit de se lever. Jacques se lève. Il va au tableau. Il fait sombre dans la salle de classe parce qu'il pleut dehors.

Jacques <u>prend</u> la craie, et, disant qu'il <u>n'y a pas</u> assez de couleurs dans la salle de classe, il <u>efface</u> tous les chiffres, et il <u>dessine</u> au tableau le visage du bonheur.

SUJET DE COMPOSITION

Vous êtes le garçon dans un restaurant. Vous décrivez vos clients bizarres: celui qui ne dit rien (cf. *Déjeuner du matin*), celui qui ne veut pas payer, celui qui vient au restaurant avec son chat, etc.

THEME D'IMITATION

Rappel: L'imparfait est indiqué par ⸺ le passé composé par —.

Jacques <u>was</u> not a good student (Question 9, p. 28) in school. The other students <u>used to make fun</u> of him. When he <u>went</u> to the board they <u>would break out into</u> helpless laughter (l. 8, p. 27).

After finishing school (Ex. F, p. 17) he <u>became</u> (*devenir*) [a] (see **16A**) waiter in a restaurant. When a customer <u>would ask for</u> (See **67A**) the bill, he <u>would take out</u> his pencil and <u>begin</u> counting (l. 9) but he <u>didn't know</u> [how to] add and he <u>would erase</u> everything. One day, a customer, raising his voice, <u>said</u> to him, "<u>Didn't they ever teach</u> you (l. 14) to add in school? You really have to be crazy to try (ll. 21–22) to be [a] waiter if you (*on*) don't know [how to] add." But when the waiter <u>said</u> "Excuse me," the customer <u>made</u> an unexpected answer (Question 12, p. 4): "You're excused. Anybody can make a mistake (ll. 23–24, p. 3)."

PRONONCIATION

an/en (**or** *am/em*), **as in** c**en**dre, m**an**teau, d**an**s, comm**an**d**an**t

The sound represented by this spelling is articulated like French *a* except that it is pronounced through the nose.

Non-nasal	Nasal
pas	pan
sa	cent
la	lent
ma	ment

Contrast English *dawn* with French *dans*. The vowels are similar but the French differs from the English in important ways: (1) Like all French vowels it is *pure*, that is, there is no change in its quality during its articulation. Such a change is called a glide and occurs in the vowel of English *dawn* and in many other English vowels; (2) It is much shorter than the English vowel; (3) The *n* is not pronounced.

CONTRAST

dawn	dans
pawn	pan
sawn	cent
lawn	lent

REPEAT

manteau	appartement	chambre
semble	étonnement	sortant
attendre	cendre	disant
commandant	prendre	partant

Spelling: an, en, am, and *em* represent this sound if the vowel (*a* or *e*) and the consonant (*m* or *n*) are in the same syllable.

6

L'Accent grave
Jacques Prévert

LE PROFESSEUR: Elève Hamlet!

L'ÉLEVE HAMLET: [*sursautant°*] ... Hein° ... Quoi . . . Pardon . . . Qu'est-ce qui se passe° . . . Qu'est-ce qu'il y a. . . .
5 Qu'est-ce que c'est? . . .

sursauter to start, jump
hein? huh?

se passer to happen, to take place

LE PROFESSEUR: [*mécontent*] Vous ne pouvez pas répondre «présent» comme tout le monde? Pas possible, vous êtes encore dans les nuages.°

le nuage cloud

10 L'ÉLEVE HAMLET: Etre ou ne pas être dans les nuages!

LE PROFESSEUR: Suffit.° Pas tant de mani-ères.° Et conjuguez-moi le verbe être, comme tout le monde, c'est tout ce que
15 je vous demande.

[ça] suffit that's enough
pas tant de manières stop showing off

L'ÉLEVE HAMLET: To be. . . .

LE PROFESSEUR: En français, s'il vous plaît, comme tout le monde.

L'ÉLEVE HAMLET: Bien, monsieur. [*Il con-*
20 *jugue:*]

 Je suis ou je ne suis pas
 Tu es ou tu n'es pas
 Il est ou il n'est pas
 Nous sommes ou nous ne sommes
25   pas . . .

LE PROFESSEUR: [*excessivement mécontent*]
 Mais c'est vous qui n'y êtes pas,[1] mon pauvre ami!

---

[1]*vous n'y êtes pas*—you're wrong. Literally, it means "you are not there"; cf. *j'y suis*—I've got it!

L'ÉLEVE HAMLET: C'est exact, monsieur le
³⁰   professeur,
     Je suis «où» je ne suis pas²
     Et, dans le fond,° hein, à la réflexion,   *dans le fond* fundamentally
     Etre «où» ne pas être
     C'est peut-être aussi la question.

LE CONTENU

1. Quel est le vers le plus célèbre de la tragédie *Hamlet*?
2. Qu'est-ce qui montre que l'élève Hamlet n'écoute pas en classe?
3. Comment répond-il?
4. Où est-il selon le professeur?
5. Comment le professeur voudrait-il qu'Hamlet réponde?
6. Quelle remarque désobligeante fait-il à l'élève Hamlet?
7. Comment Hamlet conjugue-t-il le verbe *être*?
8. Qu'est-ce que le professeur lui dit?
9. Est-ce qu'Hamlet croit que le professeur a raison?
10. Où est l'élève Hamlet? Où voudrait-il être, probablement? Comment peut-on être où l'on n'est pas?

LE SENS

1. Expliquez le titre de *l'Accent grave*.
2. Faites le contraste entre le sens littéral et le sens idiomatique des expressions du professeur:
   a. Vous êtes dans les nuages.
   b. En français, comme tout le monde.
   c. Vous n'y êtes pas.
   Quel rôle ce contraste joue-t-il dans le poème?
3. Quelle est votre opinion personnelle des poèmes de Prévert? En aimez-vous l'imagination, la gaieté, la tendresse, leur façon de se moquer du conformisme? Trouvez-vous au contraire qu'ils voient tout en blanc et noir, qu'ils sont superficiels, sentimentaux, et conventionnels?

---

²*Je suis «ou» je ne suis pas*—I am where I am not, i.e., my mind is not here; I am not thinking of what we are doing.

DIALOGUE

A. Le professeur appelle l'élève Hamlet.

B. L'élève se réveille en sursaut (*with a start*).

A. Le professeur exprime son mécontentement et lui dit de conjuguer le verbe *être*.

B. L'élève commence à conjuguer au positif et au négatif.

A. Le professeur lui dit qu'il n'y est pas.

B. L'élève est d'accord.

ETUDE DE MOTS

1. *Vous n'y êtes pas du tout.*   You're all wrong.
   C'est à la page 18. Vous y êtes?   It's on page 18. Have you got the place?

   Vous comprenez enfin un problème difficile. Vous dites: Ah! J'y suis!   I've got it!

2. Dependent clauses modifying *tout* are introduced by the relative pronouns *ce que* or *ce qui*.
   C'est tout ce que je vous demande.   That's all I ask you.
   Voilà tout ce que je sais.   That's all I know.
   Il se moque de tout ce qui symbolise la contrainte.   He makes fun of everything that stands for constraint.
   Il mange tout ce qui lui semble bon.   He eats everything that seems good to him.

3. *Conjuguez-moi le verbe* être.   Conjugate the verb *to be*.
   The *moi* is added and should usually not be translated. (*Vous* may be used in the same way.)
   Regardez-moi ça!   Look at that!
   Il vous prend une craie, et il vous dessine un visage au tableau!   He takes up a piece of chalk, and he draws a face on the board!
   Goûtez-moi ce vin.   Taste this wine.

EXERCICES

Relative pronouns (77C)

A.

LE PROFESSEUR: Remarquez le crayon. Il note avec [un crayon].
L'ÉTUDIANT: Remarquez le crayon avec lequel il note.
LE PROFESSEUR: Qui est ce monsieur? Il parle à [un monsieur].
L'ÉTUDIANT: Qui est ce monsieur à qui il parle?

Après une préposition on emploie le pronom relatif *lequel* (*laquelle,
lesquels, lesquelles*) pour les noms de chose, et le pronom relatif *qui*
pour les noms de personne. (On peut aussi employer *lequel* pour les
noms de personne, mais dans cet exercice employez *qui*.)

1. Voilà la fourchette. Il mange avec [une fourchette].
2. Voici la table. Il s'appuie sur [la table].
3. Où est le tableau? Il dessine sur [le tableau].
4. Quelle est la couleur du crayon? Il note avec [le crayon].
5. J'ai dit bonjour à la petite fille. Il parlait avec [la petite fille].
6. Il y a beaucoup de cancres. Il se fâche contre [les cancres].

☐

7. Il regarde la cuiller. Il tourne avec [la cuiller].
8. Il y a un seul maître. Il travaille pour [le maître].
9. Il a acheté les craies. Il dessine avec [les craies].
10. Voilà les ronds de serviette. Il joue avec [les ronds de serviette].
11. On lui a volé le pourboire. Il travaille pour [le pourboire].
12. On entend des huées. Il continue malgré [les huées].
13. Sa femme lui a donné le cendrier. Il a mis les cendres dans [le
    cendrier].
14. Il y a une petite fille. Il est porté par [la petite fille].
15. J'admire la tasse. Il a mis le lait dans [la tasse].

Relative pronouns (77C and D)

B.

LE PROFESSEUR: Quel est le problème? On pense à [ce problème].
L'ÉTUDIANT: Quel est le problème auquel on pense?

LE PROFESSEUR: J'ai étudié ces problèmes. On parle [de ces problèmes].
L'ÉTUDIANT: J'ai étudié ces problèmes dont on parle.

Distinguez entre *dont* qui remplace *de* + pronom relatif et *lequel* qui est employé après une préposition pour les noms de chose. Notez la contraction de *à* + *lequel*: *auquel, à laquelle, auxquels, auxquelles*.

1. J'ai lu ce livre. On parle [de ce livre].
2. Quel est ce livre? On s'intéresse à [ce livre].
3. Il a un accent. On se moque [de cet accent].
4. Il a un accent. On s'habitue à [cet accent].
5. Parlez-moi de cette maladie. On a peur [de cette maladie].
6. Il avait une maladie. On ne pense jamais à [cette maladie].

☐

7. Ce sont des dessins. On se souvient [de ces dessins].
8. Connaissez-vous ces dessins? On fait allusion à [ces dessins].
9. Il fait des promesses. On se méfie [de ces promesses].
10. Quelles sont ces promesses? On songe à [ces promesses].
11. Quelle est la question? On a peur [de cette question].
12. Répétez la question. On a répondu à [cette question].

Interrogative pronouns (46); Relative pronouns (77F)

C.

LE PROFESSEUR: Je pense au poète.
L'ÉTUDIANT: A qui est-ce que vous pensez? (*ou*, A qui pensez-vous?)
LE PROFESSEUR: Je pense au poème.
L'ÉTUDIANT: A quoi est-ce que vous pensez? (*ou*, A quoi pensez-vous?)

Le pronom interrogatif après une préposition est *qui est-ce que* pour les noms de personne et *quoi est-ce que* pour les noms de chose, quand il n'y a pas d'inversion du verbe.

1. Je pense au commandant.
2. Je pense à son képi.
3. J'ai peur du maître.
4. J'ai peur de ses menaces.

5. Je réponds au client.
6. Je réponds à ses questions.
7. Je dis oui au professeur.
☐

8. Je lis avec les autres étudiants.
9. Je dessine avec la craie.
10. Je pars avec Marie.
11. Je pars avec le rond de ser-
    viette.

12. J'ai besoin de clients honnêtes.
13. J'ai besoin d'une douzaine de
    ronds de serviette.

D.

Complétez les phrases suivantes en employant la forme convenable
d'un de ces pronoms:

qu'est-ce qui	*pronom interrogatif, sujet*
qu'est-ce que	*pronom interrogatif, complément*
ce qui	*pronom relatif, sujet*
ce que	*pronom relatif, complément*

Notez que chacun de ces pronoms est exprimé en anglais par *what*. Il
faut donc faire attention de ne pas les confondre.

1. ⎯⎯ tombe?   (*What is falling?*)
2. Dites-moi ⎯⎯ tombe.   (*Tell me what is falling.*)
3. ⎯⎯ vous avez dit?   (*What did you say?*)
4. Je n'ai pas entendu ⎯⎯ vous
   avez dit.   (*I didn't hear what you said.*)
5. Je vais vous dire ⎯⎯
   m'intéresse.   (*I will tell you what interests me.*)
6. ⎯⎯ le cancre efface?   (*What does the dunce erase?*)
7. ⎯⎯ fait rire la classe?   (*What makes the class laugh?*)
8. Il dit oui à ⎯⎯ il aime.   (*He says yes to what he likes.*)
9. Je dis non à ⎯⎯ je déteste.   (*I say no to what I hate.*)
10. Savez-vous ⎯⎯ m'étonne?   (*Do you know what surprises me?*)

E.

LE PROFESSEUR: Je lis un livre. [Ce livre] vous intéresserait.
L'ÉTUDIANT: Je lis un livre qui vous intéresserait.
LE PROFESSEUR: Je lis un livre. Vous devriez lire [ce livre.]
L'ÉTUDIANT: Je lis un livre que vous devriez lire.
LE PROFESSEUR: Je lis un livre. On a beaucoup parlé [de ce livre.]
L'ÉTUDIANT: Je lis un livre dont on a beaucoup parlé.

LE PROFESSEUR: Je lis un livre. J'ai beaucoup d'admiration pour [ce livre.]
L'ÉTUDIANT: Je lis un livre pour lequel j'ai beaucoup d'admiration.

En suivant les modèles ci-dessus joignez ces phrases par les pronoms
relatifs *qui, que, dont,* ou *lequel.*

1. Je connais un restaurant. [Le restaurant] est près d'ici.
2. C'est un restaurant. Vous serez ravi [de ce restaurant].
3. Connaissez-vous le restaurant? Je fais allusion à [ce restaurant].
4. Oui, je connais le restaurant. Vous parlez [de ce restaurant].
5. C'est un restaurant. Les touristes ne fréquentent pas [ce restaurant].
6. Voilà un argument. On ne saurait résister à [cet argument].
7. Commandez le veau. Je vous ai parlé [de ce veau].
8. C'est un plat. Je trouve [ce plat] délicieux.
9. La cuisine est un art. Je m'intéresse à [cet art].
10. Goûtez-moi les asperges. J'ai commandé [ces asperges].
11. Regardez-moi l'addition. Le garçon apporte [l'addition].
12. Ah, ça c'est un repas! Je me souviendrai [de ce repas].

SUJET DE COMPOSITION

Vous êtes un élève dans la même classe que l'élève Hamlet. Décrivez
Hamlet et le professeur à un ami, et dites-lui ce qui se passe en classe.

THEME D'IMITATION

Hamlet is not the dunce of the class, but he never knows what is
going on (ll. 3–4) at school. He is always in the clouds. The professor
asks him to conjugate the verb *to be* like everybody else. That is all he
asks. But Hamlet does not answer like everybody else. To be or not to
be is the question for Hamlet, and the professor tells him that he is all
wrong (*Etude de mots* 1). The professor is terribly angry. He raises
his voice (l. 19, p. 34) and he says, "Didn't they ever teach you (l. 14,
p. 34) to (68B) conjugate in school?" He takes out his pencil (l. 2, p. 34)
and writes [down]: *Zéro.*

PRONONCIATION

Closed *o*

Contrast French *beau* with English *bow*. The contrast clearly illustrates a major difference between English and French vowels. The English is long and has a glide. The French is short, pure, requires more muscular tension, and has a rapid cutoff.

CONTRAST

English	*French*
owe	au
foe	faut
know	nos
blow	tableau

REPEAT

l'oiseau; les mots; chapeau; manteau; museau; les choses; oser

Be careful to pronounce closed *o* correctly in cognates, where force of habit sometimes produces the English rather than the French sound.

REPEAT

cause; pause; auto; autographe; applaudir

Spelling: The sound is called closed *o* and may be spelled ô, *eau, au,* or *o.* The spellings ô, *eau,* and, in most cases, *au* represent this sound and no other sound. *O* more often represents open *o,* but can also represent closed *o* in final syllable not followed by an audible consonant (*nos, mots*) or followed by *s* (*rose*).

Review Lesson I
Review of Lessons 1-6

Each review lesson reviews the new vocabulary and idioms of the previous five or six lessons, and offers one example of each of the grammar points covered. To review, cover the right-hand column with a sheet of paper, write the answer on it, check and correct it. Mark and restudy the items you miss. In the vocabulary and idiom section, the numbers in parentheses indicate the lesson in which the word or expression occurs. In the grammar section, the boldface numbers refer to the appendix. Study the rules for the items you miss.

Vocabulary and Idioms

TRANSLATE:

1. You're all wrong. (6) — Vous n'y êtes pas du tout.
2. I've got it! (6) — J'y suis!
3. It wouldn't do any good, produce any result. (5) — Ça ne donnerait rien.
4. Don't put on airs. (6) — Pas tant de manières.
5. He likes puns. (1) — Il aime les jeux de mots.
6. You're joking! (1) — Vous vous moquez!
7. It's no good trying! (1 and 5) — C'est inutile! (1) N'insistez pas! (5)

REPLACE THE EXPRESSIONS IN ITALICS BY A SYNONYM.

1. *avoir du succès* (5) — réussir
2. *parler plus fort* (5) — élever la voix
3. *ce que l'on donne au garçon* (5) — le pourboire
4. Prenez-le *sans payer*. (5) — à titre gracieux

5. Qu'est-ce qui *a lieu*? (6)   se passe
6. *Quoi?* (6)   Hein?
                                          Qu'est-ce qu'il y a?
                                          Qu'est-ce-que c'est?
7. [*C'est*] *assez.* (6)   [Ça] suffit.
8. Le professeur est *fâché.* (6)   mécontent
9. *En réalité*, voilà la question.   Dans le fond
      (6)
10. *Quand on y pense*, voilà la   A la réflexion
      question. (6)
11. *les nombres* (4)   les chiffres
12. *en dépit de* ses menaces (4)   malgré
13. *le professeur dans une école*   le maître
      primaire (4)
14. *ce qu'on emploie pour écrire*   la craie
      au tableau (4)
15. *la face* (4)   le visage
16. *ce qu'un chat fait quand il est*   il ronronne
      content (3)
17. *le visage d'un animal* (3)   le museau
18. Après la mort, *les cérémonies*   les funérailles
      d'enterrement (3)
19. *un coffre où l'on met le corps*   un cercueil
      d'un mort (3)
20. Je ne veux pas vous *rendre*   faire de la peine
      triste. (3)
21. C'est *si* loin. (3)   tellement
22. *le chapeau d'un militaire* (1)   le képi
23. Tout le monde peut *tomber*   se tromper
      dans l'erreur. (1)
24. *passer la langue sur* quelque   lécher
      chose (3)
25. Il l'a *à demi* dévoré. (3)   à moitié
26. *le contraire de la liberté* (1)   la contrainte
27. *les cris de désapprobation*   les huées
      poussés contre quelqu'un (4)
28. un style *simple et sans orne-*   familier
      ments (1)
29. *la question difficile et rusée*   le piège
      (4)

30. l'oiseau est *étendu* sur le cer-   allongé
    cueil de paille. (3)
31. Je l'ai *rencontré*. (*Il venait de*   croisé
    la direction opposée.) (1)
32. *fou* (5)   insensé
33. la petite fille est *triste*. (3)   désolée
34. *le mauvais élève* (4)   le cancre
35. *la totalité du village* (3)   le village tout entier
36. une question *à laquelle* on ne   inattendue
    s'attendait pas (1)
37. je n'*ai pas le courage de* .. (5)   n'ose pas ...
38. votre remarque m'a *blessé* (3)   fait de la peine
39. Aïe! Je me suis *blessé* (3)   fait mal
40. *la mélancolie* (3)   la tristesse

ANSWER BRIEFLY THE FOLLOWING QUESTIONS.

1. De quoi est fait le cercueil de   Il est fait de paille.
   l'oiseau? (3)
2. Dans quoi est-ce qu'on verse   dans une tasse
   le café? (2)
3. Avec quoi est-ce qu'on tourne?   avec une cuiller
   (2)
4. Avec quoi est-ce qu'on fait des   avec la fumée
   ronds? (2)
5. Qu'est-ce qu'on met dans le   les cendres
   cendrier? (2)
6. Que fait l'oiseau si on laisse   Il s'envole.
   la cage ouverte? (3)
7. Que fait le cancre avant de   Il efface tout.
   dessiner le visage du bon-
   heur? (4)
8. Pourquoi met-on une cuiller   pour tourner
   dans la tasse? (2)
9. Que fait le cancre avec la   Il dessine (le visage du bonheur).
   craie? (4)
10. Avec quoi est-ce qu'on fait   avec des œufs
    une omelette? (5)
11. Où met-on sa serviette après   dans le rond de serviette
    le repas? (2)
12. Qu'est-ce qu'on met quand il   un imperméable
    pleut? (2)

vous dites

GRAMMAR

1. Verbs (72 and 63)

Give the *je* form and *nous* form of the *présent* and the *nous* form
of the *passé composé.* Every verb reviewed in Lessons 1 through
6 is included in this section.

inviter	j'invite, nous invitons, nous avons invité
choisir	je choisis, nous choisissons, nous avons choisi
répondre	je réponds, nous répondons, nous avons répondu
boire	je bois, nous buvons, nous avons bu
dire	je dis, nous disons, nous avons dit
dormir	je dors, nous dormons, nous avons dormi
faire	je fais, nous faisons, nous avons fait
lire	je lis, nous lisons, nous avons lu
mettre	je mets, nous mettons, nous avons mis
offrir	j'offre, nous offrons, nous avons offert
partir	je pars, nous partons, nous sommes partis
pouvoir	je peux, nous pouvons, nous avons pu
prendre	je prends, nous prenons, nous avons pris
se lever	je me lève, nous nous levons, nous nous sommes levés
servir	je sers, nous servons, nous avons servi
vouloir	je veux, nous voulons, nous avons voulu
Give the present participle of any of the above for example, *lire*	nous lisons lis-ant

Give the *imparfait* of any of the above

for example, *boire*

nous buvons, buv-ais, -ais, -ait, -ions, -iez, -aient

Give the *vous* form of *dire* and *faire*

vous dites, vous faites

2. Infinitive; Present participle

He speaks without getting up.	Il parle sans se lever. (**43.C**)
He speaks before getting up.	Il parle avant de se lever. (**43.C**)
He speaks instead of getting up.	Il parle au lieu de se lever. (**43.C**)
He speaks after getting up.	Il parle après s'être levé. (**44**)
He speaks while getting up.	Il parle en se levant. (**75A**)
He learns by speaking.	Il apprend en parlant. (**75A**)

3. Imparfait (40); Passé composé

He put on his raincoat because it was raining.	Il a mis son imperméable parce qu'il pleuvait. (**40**)

4. Object pronouns

I speak it.	Je le parle. (**55**)
I invite her.	Je l'invite. (**31A**)
I answer her.	Je lui réponds. (**56**)
He drank some of it.	Il en a bu. (**58B**)
He went out of there.	Il en est sorti. (**58A**)
Take it.	Prenez-le. (**59C**)
Don't take it.	Ne le prenez pas. (**59C**)

5. Articles

Wine is good.	Le vin est bon. (**13A**)
a cup of coffee	une tasse de café (**18B**)

There is coffee in that cup.	Il y a du café dans cette tasse. (17A)
no coffee	pas de café (18A)
He has good students.	Il a de bons élèves. (18C)

6. Relative pronouns

Here is the book I like.	Voici le livre que j'aime. (77A and B)
Here is the book that interests me.	Voici le livre qui m'intéresse. (77B)
Here is the book I am talking about.	Voici le livre dont je parle. (77D)
Here is the book I write in.	Voici le livre dans lequel j'écris. (77C)
Here is what I like.	Voici ce que j'aime. (77F)
Here is what interests me.	Voici ce qui m'intéresse. (77F)
Here is what I am talking about.	Voici ce dont je parle. (77F)

7. Interrogative pronouns

Who is important?	Qui est important? or Qui est-ce qui est important? (46A.1)
What is important?	Qu'est-ce qui est important? (46B.1)
Whom do you like?	Qui est-ce que vous aimez? (46A.2)
What do you like?	Qu'est-ce que vous aimez? (46B.2)
Whom are you afraid of?	De qui est-ce que vous avez peur? (46A.2)
What are you afraid of?	De quoi est-ce que vous avez peur? (46B.3)

8. Formation of adverbs

Adjective	*Adverb*
merveilleux	merveilleusement (6A)
poli	poliment (6B)

7

A louer meublé [I]
Gabriel d'Hervilliez

A louer° *meublé°* est une comédie gaie
de Gabriel d'Hervilliez. Deux voleurs, Jojo
et Dédé, ont pénétré dans une villa pour la
cambrioler.° Jojo a peur, mais Dédé se
⁵ moque de lui.

JOJO: [*S'épongeant° le front.°*] Ce que j'ai
    peur!°
DÉDÉ: Tu me fais rigoler.° . . . Tu n'as donc
    pas lu l'écriteau?°
¹⁰ JOJO: Quel écriteau?
DÉDÉ: «Villa meublée à louer. . . . S'adresser
    à° M. Tubeuf, 78, Grande-Rue. . . .»
JOJO: Et après?°
DÉDÉ: [*Essayant patiemment° de se faire*
¹⁵   *comprendre.*] La villa est meublée. . . . Elle
    est à louer. . . . Le propriétaire s'appelle
    Tubeuf.
JOJO: Je m'en fiche.°
DÉDÉ: Moi aussi. Mais il a la gentillesse°
²⁰   de nous prévenir° qu'il n'habite pas ici.
JOJO: Ce n'est pas un métier° pour moi!
DÉDÉ: Alors . . . il fallait° rester chez ton
    notaire.°
JOJO: Je ne pouvais pas y rester et emporter
²⁵   la caisse.°
DÉDÉ: Evidemment!°

à louer for rent
meublé furnished

cambrioler to ransack; burgle

éponger to mop
le front brow
ce que j'ai peur I'm terribly frightened
rigoler to laugh (colloq.)
un écriteau sign

s'adresser à apply to

et après? so what?

patiemment patiently

je m'en fiche I don't give a darn
la gentillesse courtesy
prévenir to warn
le métier trade, line of work
il fallait (here) you should have
le notaire notary

la caisse cash-box
évidemment obviously

JOJO: Mais je n'ai pas le cœur à l'ouvrage.¹

DÉDÉ: Alors . . . qu'est-ce que tu veux faire? . . . . Travailler?

³⁰ JOJO: [*Scandalisé.*] Oh! non. . . .

DÉDÉ: Eh bien, si tu ne veux pas travailler . . . au boulot.²

JOJO: [*Sans enthousiasme.*] Au boulot!

DÉDÉ: [*Se lève, puis s'arrête devant une*
³⁵ *photographie qu'il voit sur la table.*] Tu as vu la gueule° du vieux? Ça doit être le propriétaire!

la gueule face, mug (colloq.)

JOJO: Le citoyen Tubeuf. Il n'a pas l'air commode.° . . .

commode (here) easy to get along with

⁴⁰ DÉDÉ: Allons voir les chambres. Faisons le tour du propriétaire.³

JOJO: Quel métier!

[*A ce moment on entend un coup de sonnette!*°]

un coup de sonnette a ring of the doorbell

LE CONTENU

1. Pourquoi Dédé et Jojo sont-ils entrés dans la villa?
2. Qu'est-ce qui montre que Jojo a peur?
3. Pourquoi Dédé n'a-t-il pas peur?
4. Quels mots lit-on sur l'écriteau?
5. Pourquoi est-ce que l'écriteau rassure Dédé?
6. Qu'est-ce que Jojo aurait dû (*should have*) faire s'il n'aimait pas son métier?
7. Où travaillait-il avant de devenir voleur? Pourquoi ne pouvait-il pas y rester?
8. Avec quelle attitude contemple-t-il le cambriolage de cette villa?

---

¹*Je n'ai pas le cœur à l'ouvrage*—My heart's not in my work, i.e., I don't feel like being a robber.

²*au boulot*—let's get to work (slang), i.e., let's start robbing the villa.

³*Faisons le tour du propriétaire*—This is what the host says when he is showing guests around: "Let me show you around the house." Used here ironically. *Le tour* ("tour") should not be confused with *la tour* ("tower").

9. Quelle alternative Dédé lui suggère-t-il?
10. Qu'est-ce qui scandalise Jojo?
11. Qu'est-ce que Dédé voit sur la table?
12. Quelle remarque Jojo fait-il à propos de la photographie?
13. Qu'est-ce que Jojo et Dédé vont faire?
14. Pourquoi s'arrêtent-ils?

LE SENS

1. Dans la comédie gaie—on peut aussi l'appeler la farce—on voit assez souvent les aventures d'une paire de copains (*pals*) qui sont toujours ensemble, mais qui ne se ressemblent pas. Quels sont les contrastes entre Dédé et Jojo? Pourriez-vous nommer une paire d'acteurs comiques—Laurel et Hardy, par exemple—à qui vous donneriez ces deux rôles?
2. Le paradoxe et l'illogisme sont des éléments fondamentaux dans la farce. Comment se manifestent-ils dans cette scène?

DIALOGUE

A. Jojo lit l'écriteau à Dédé.
B. Dédé est content. Il explique à Jojo pourquoi ils vont pouvoir cambrioler la villa tranquillement.
A. Jojo dit qu'il n'aime pas son métier.
B. Dédé lui demande pourquoi il n'est pas resté chez son notaire.
A. Jojo explique pourquoi.
B. Dédé lui dit de se mettre au travail.

ETUDE DE MOTS

1. *Ce que j'ai peur!* These expressions all mean "How
   Comme j'ai peur!   frightened I am!"
   Que j'ai peur!
   Ce qu'il fait froid! How cold it is!
   Ce que je suis fatigué! How tired I am!

2. *le tour du propriétaire*   *literally,* the owner's trip around the house

   le tour du monde   trip around the world

EXERCICES

Adverbs (6C)

A.

LE PROFESSEUR: patient
L'ÉTUDIANT: Il parle patiemment.
LE PROFESSEUR: différent.
L'ÉTUDIANT: Il parle différemment.

Les adjectifs qui se terminent en *-ant* et *-ent* forment des adverbes qui se terminent en *-amment* et *-emment.* (Notez que *-emme* se prononce comme *-amme.*)

1. constant
2. courant
3. intelligent

4. élégant
5. insolent
6. innocent

Possessive adjectives (65)

B.

LE PROFESSEUR: La caisse est à lui.
L'ÉTUDIANT: C'est sa caisse.
LE PROFESSEUR: Ces livres sont à moi.
L'ÉTUDIANT: Ce sont mes livres.

L'adjectif possessif s'accorde avec le nom auquel il se rapporte, mais il n'indique pas le genre du possesseur. Il n'y a donc aucune distinction en français entre *his* et *her*. Dans cet exercice les phrases du professeur emploient *à* + pronom disjonctif pour exprimer la possession. Les réponses de l'étudiant emploient l'adjectif possessif. N'oubliez pas de dire *Ce sont* devant les noms au pluriel. La liste suivante présente les adjectifs possessifs:

mon	ma (mon + voyelle ou *h* muet) mes	notre	nos
ton	ta (ton + voyelle ou *h* muet) tes	votre	vos
son	sa (son + voyelle ou *h* muet) ses	leur	leurs

1. La caisse est à elle.
2. La villa est à lui.
3. La villa est à eux.
4. Les petits pois sont à moi.
5. Les cigarettes sont à vous.
6. Les cigarettes sont à lui.
7. Le chapeau est à elle.
8. Les enfants sont à eux.
9. Le village est à nous.
10. L'imperméable est à toi.
11. Les asperges sont à toi.
12. Les œufs durs sont à nous.

Interrogative pronouns (47B)

C.

LE PROFESSEUR: Quel chat a mangé l'oiseau?
L'ÉTUDIANT: Lequel a mangé l'oiseau?
LE PROFESSEUR: De quel village est-ce qu'il s'agit?
L'ÉTUDIANT: Duquel est-ce qu'il s'agit?

Le pronom interrogatif *lequel* correspond à l'anglais *which one*. Contraction avec *à: auquel, à laquelle, auxquels, auxquelles*; avec *de: duquel, de laquelle, desquels, desquelles*. Dans cet exercice les phrases du professeur emploient l'adjectif interrogatif *quel* + nom. Dans les réponses de l'étudiant le pronom interrogatif *lequel* remplace *quel* + nom.

1. Quel oiseau a été blessé?
2. Quel élève est le cancre de la classe?
3. Quels problèmes sont les plus faciles?
4. Quelle tragédie est-ce que l'élève préfère?
5. A quelle tragédie est-ce qu'il fait allusion?
6. A quel vers est-ce qu'il fait allusion?

□

7. De quelle classe est-ce qu'il a peur?
8. De quel maître est-ce qu'il se moque?
9. De quelles craies est-ce qu'il se sert?
10. De quelles dates est-ce qu'il se souvient?
11. Par quelle porte est-ce qu'il sort?

REVISION DES VERBES

Familiar form (34)

D.

LE PROFESSEUR: Vous vous levez? Dépêchez-vous! Je pars avec vous.
L'ÉTUDIANT: Tu te lèves? Dépêche-toi! Je pars avec toi.
En tutoyant quelqu'un, faites attention d'employer non seulement le pronom sujet *tu* et la forme convenable du verbe, mais aussi les autres formes de la deuxième personne du singulier: le pronom complément *te* (ou *t'*), le pronom disjonctif *toi*, et les adjectifs possessifs *ton, ta, tes.*

Vous avez déjà repassé tous les verbes de cet exercice sauf (*except*):

> j'écris—nous écrivons
> je viens—nous venons
> je vis—nous vivons

1. Vous n'avez donc pas lu l'écriteau?
2. Vous me faites rigoler.
3. Qu'est-ce que vous voulez faire?
4. Vous avez vu votre propriétaire?
5. Vous buvez votre vin?
6. Vous partez avec vos amis?
7. Vous mettez votre imperméable?
8. Vous voulez votre café maintenant?
9. Vous écrivez à votre mère?
10. Vous savez votre leçon?

☐

11. Vous lisez vos livres?
12. Vous vivez avec vos parents?
13. Vous vous endormez.
14. Vous vous moquez du monde.
15. Reposez-vous.
16. Allez vous reposer tout de suite!
17. Couchez-vous!
18. Vous vous couchez, n'est-ce pas?
19. Vous venez?

SUJET DE COMPOSITION

Dédé explique à Jojo toutes les raisons pour lesquelles il ne faut pas avoir peur. Si Tubeuf vient ils diront qu'ils veulent louer la villa, etc.

THEME D'IMITATION

Jojo is a robber. He does his job without enthusiasm. Before, he used to work in a notary's office, (ll. 21–22) but he didn't have his heart in his work. (l. 27) When he saw the notary for the first time (*fois*) he was frightened (**40D**) because the notary didn't seem too easy to get along with (ll. 39–40). One day, without having the courtesy to warn him (l. 20), Jojo left. The notary said, "I don't care (l. 18). Fundamentally (l. 32, p. 43), I have never liked that Jojo. Now that he has left, I am content." But he got excessively angry (Question 7, p. 35) when he learned what Jojo had taken [with him] (l. 24): the cashbox.

PRONONCIATION

on (**or** *om*)

The sound usually represented by these spellings is articulated like closed *o* except it is pronounced through the nose.

CONTRAST

Non-nasal	Nasal
nos	non
faut	fond
veau	vont
peau	pont
sot	sont
beau	bon
côte	compte

It is important to distinguish between the nasal vowel represented by *en* (or *an*) and the nasal vowel represented by *on*.

CONTRAST

an-en	on	an-en	on
sans	son	emportait	on portait
rang	rond	devant	devons
lent	long	allant	allons
tremper	tromper	beaucoup demandent	beaucoup de monde
en	ont	répandre	répondre
tant	ton		

Spelling: On or *om* represent this sound if the *o* and the *n* (or *m*) are in the same syllable, as in *bon* or *comprendre*.

8

A louer meublé [II]

Gabriel d'Hervilliez

Jojo est terrorisé quand il entend le coup
de sonnette. On entend une voix de dehors:

PRENTOUT: Est-ce que la villa est louée? [*Un
silence.*] Peut-on visiter la villa?
5 JOJO: [*La voix éteinte.*[1]] Pas aujourd'hui.
DÉDÉ: [*Plus calme.*] Visiter la villa! Pourquoi pas? Je vais ouvrir, le temps de
prendre les clés.[2] [*A Jojo.*] De la tenue![3]
. . . du sangfroid![4] . . . du naturel![5]
10 Qu'est-ce qu'on risque?
JOJO: [*Très simplement.*] La prison!
[*Dédé fait entrer monsieur et madame
Prentout.*]
PRENTOUT: La villa n'est pas louée, j'espère?
15 DÉDÉ: [*Vivement.°*] Pas encore.

vivement quickly

PRENTOUT: Ah! tant mieux. Ce pays plaît
beaucoup à ma femme . . . et, mon
Dieu!° nous avons pensé. . . .

Mon Dieu! (here, a simple interjec-
tion) so . . . ; well . . . [Also means
"heavens!"]

HORTENSE: [*Regardant son mari, impéra-
20 tive:°*] Si les conditions° nous conviennent. . . .

impératif imperious
les conditions (here) the price

PRENTOUT: . . . Si les conditions nous conviennent . . . qu'il ne serait pas désagréable de passer nos vacances ici.

---

[1]*la voix éteinte*—in a faint, toneless voice. (*Eteindre* means "to extinguish, to put out.")
[2]*Le temps de prendre les clefs*—Just a moment while I go get the keys.
[3]*De la tenue*—Behave yourself. (*La tenue*—behavior.)
[4]*du sang-froid*—Keep cool. (*Le sang-froid*—nerve; courage.)
[5]*du naturel*—Act natural. (*Le naturel*—naturalness.)

25 HORTENSE: Voulez-vous nous faire visiter?°   *faire visiter*   to show around

DÉDÉ: Avec plaisir!

HORTENSE: [*A Jojo.*] Combien avez-vous de chambres?

JOJO: [*Pris de court.*]° Combien?   *pris de court*   taken aback

30 DÉDÉ: [*Venant à son secours.*°] Vous allez   *le secours*   help; rescue
vous rendre compte.° . . . Rien ne vaut°   *se rendre compte*   to find out
une bonne visite.   *rien ne vaut*   nothing is as good as

HORTENSE: Vous avez l'eau, le gaz, . . .
l'électricité?

35 DÉDÉ: [*Qui n'en sait rien°* lui-même.] Vous   *il n'en sait rien*   he has no idea
verrez. Je ne veux rien vous dire. Il ne
faut pas influencer l'amateur.°   *l'amateur (m)*   (here) customer

HORTENSE: Nous allons jeter un coup d'œil
général.[6]

40 DÉDÉ: C'est cela. Vous n'avez pas besoin de
guide et, seuls, vous pourrez mieux
échanger vos impressions. Nous vous
attendons.[7]

LE CONTENU

1. Pourquoi Jojo est-il terrorisé?
2. Où est Prentout? Quelle question pose-t-il?
3. Comment Jojo répond-il?
4. Comment Dédé répond-il? Que dit-il à Jojo d'avoir?
5. Pourquoi les Prentout[1] s'intéressent-ils à cette villa?
   [1]No s because proper names are invariable.
6. Qu'est-ce qui donne l'impression que Prentout est un mari timide?
7. Qu'est-ce qu'Hortense demande à Dédé et à Jojo de faire?
8. Pourquoi Jojo est-il pris de court?
9. Comment Dédé vient-il à son secours?
10. Quelles autres questions Hortense pose-t-elle?
11. Pourquoi Dédé ne peut-il pas y répondre?
12. Quelle raison donne-t-il pour ne pas répondre à ses questions?

[6]*Nous allons jeter un coup d'œil général*—We'll take a look around. *Un coup d'œil* means "a glance."
[7]*Nous vous attendons*—We'll wait for you.

13. Qu'est-ce qu'Hortense et son mari vont faire?
14. Quel avantage trouveront-ils, selon Dédé, à être seuls?

LE SENS

Il n'y a aucune pénétration psychologique dans une farce. On y rencontre toujours les mêmes types simplifiés et exagérés. Ces généralisations s'appliquent-elles aux couples Hortense-Prentout et Dédé-Jojo? La situation serait-elle moins comique s'il y avait un seul client et un seul cambrioleur?

DIALOGUE

A. Prentout demande si on peut visiter.
B. Dédé répond affirmativement et lui demande d'attendre une minute.
A. Prentout explique pourquoi lui et sa femme s'intéressent à la villa.
B. Dédé demande s'ils veulent visiter.
A. Prentout dit oui, et demande des détails sur la villa.
B. Dédé trouve une réponse qui cache son ignorance.

ETUDE DE MOTS

1. *jeter un coup d'œil* — to take a look at; to glance at
   Jetez un coup d'œil sur ce livre. — Have a look at this book.
   Je ne l'ai pas lu, mais j'y ai jeté un coup d'œil. — I haven't read it, but I've glanced at it.
   Dédé jette un coup d'œil à Jojo. — Déde glances at Jojo.

2. *Vous allez vous rendre compte.* — You'll find out.
   Je ne m'en rendais pas compte. — I didn't realize that.
   Vous rendez-vous compte de l'heure qu'il est? — Do you realize what time it is?

Visitez le pays; c'est la meilleure façon de se rendre compte de ce qui se passe là-bas.	Visit the country; it is the best way of finding out what's happening over there.

EXERCICES

Interrogatives (45A.3, B)

A.

LE PROFESSEUR: Pourquoi est-ce qu'il n'est pas parti?
L'ÉTUDIANT: Pourquoi n'est-il pas parti?

On peut poser une question ayant pour sujet *ce, on, tu, il, elle, nous, vous, ils,* ou *elles* en plaçant le sujet après le verbe. Dans cet exercice les questions du professeur emploient la locution *est-ce que.* Les questions de l'étudiant omettent la locution *est-ce que* et placent le sujet après le verbe. N'oubliez pas de faire la liaison.

1. Est-ce qu'elle est louée?
2. Est-ce qu'on peut visiter?
3. Pourquoi est-ce qu'on ne peut pas visiter?
4. Comment est-ce qu'ils ont pénétré dans la villa?
5. Pourquoi est-ce qu'il n'a pas peur?
6. Où est-ce qu'il travaillait?

☐

7. Quelle remarque est-ce qu'il a faite?
8. A qui est-ce qu'ils vont louer la villa?
9. Qui est-ce qu'ils ont vu à la porte?
10. Quelles questions est-ce qu'elle a posées?
11. Qu'est-ce qu'elle leur demande?
12. Qu'est-ce qu'ils vont faire?

B.

LE PROFESSEUR: Pourquoi est-ce que Dédé est parti?
L'ÉTUDIANT: Pourquoi Dédé est-il parti?

LE PROFESSEUR: Est-ce que Jojo a peur?
L'ÉTUDIANT: Jojo a-t-il peur?

On peut poser une question ayant un nom pour sujet en plaçant le nom avant le verbe, et en le reprenant après le verbe par le pronom personnel convenable. Dans cet exercice les questions du professeur emploient la locution *est-ce que*. Les questions de l'étudiant omettent la locution *est-ce que* et reprennent le sujet après le verbe par le pronom personnel convenable.

1. Est-ce que la villa est louée?
2. Est-ce que les Prentout peuvent visiter?
3. Pourquoi est-ce que les Prentout ne peuvent pas visiter?
4. Comment est-ce que les cambrioleurs ont pénétré dans la villa?

□

5. Pourquoi est-ce que Dédé n'a pas peur?
6. Quelle remarque est-ce que Dédé a faite?
7. A qui est-ce que les cambrioleurs vont louer la villa?
8. Qui est-ce que les voleurs ont vu à la porte?
9. Quelles questions est-ce que la dame leur a posées?

Negatives (48A, C); Personal pronouns (54)

C.

LE PROFESSEUR: *Les Prentout* ont-ils apporté *leurs bagages?*
L'ÉTUDIANT: Non, ils ne les ont pas apportés.
LE PROFESSEUR: *Jojo* a-t-il entendu *ce bruit?*
L'ÉTUDIANT: Non, il ne l'a pas entendu.

Répondez en employant la locution négative indiquée et en substituant des pronoms aux mots en italique. Notez que *ne* précède le pronom complément qui précède le verbe et que *pas, jamais,* et *plus* se placent après l'auxiliaire et avant le participe passé dans les temps composés.

ne . . . pas
1. *Dédé* a-t-il peur?
2. *Jojo* a-t-il lu *l'écriteau?*
3. *Dédé* a-t-il emporté *la caisse?*

☐

4. *Jojo* a-t-il trouvé *les clefs?*
5. *Dédé* a-t-il visité *les chambres?*

ne . . . jamais
 1. *Les Prentout* ont-ils loué *cette villa?*
 2. *Les cambrioleurs* ont-ils visité *la villa?*
 3. *Dédé* a-t-il rencontré M. *Tubeuf?*

☐

4. *Les cambrioleurs* ont-ils travaillé ensemble?
5. *Jojo* s'est-il repenti?

ne . . . plus
 1. *Jojo* a-t-il *la caisse?*
 2. M. *Tubeuf* habite-t-il *la villa?*
 3. *Les cambrioleurs* regardent-ils *la photographie?*

☐

4. *Jojo* suit-il *le même métier?*
5. Entend-on *le coup de sonnette?*

D.
LE PROFESSEUR: Qu'est-ce que vous avez vu?
L'ÉTUDIANT: Je n'ai rien vu.
LE PROFESSEUR: Qui est-ce que vous avez vu?
L'ÉTUDIANT: Je n'ai vu personne.

Rien se place après l'auxiliaire et avant le participe passé dans les temps composés. *Personne* se place après le participe passé.

1. Qu'est-ce que vous avez dit?
2. Qu'est-ce que vous avez fait?
3. Qui est-ce que vous avez rencontré?
4. Qu'est-ce que vous avez lu?
5. Qu'est-ce que vous avez compris?

☐

6. Qui est-ce que vous avez attendu?
7. Qui est-ce que vous avez entendu?
8. Qu'est-ce que vous avez bu?
9. Qui est-ce que vous avez invité?
10. Qu'est-ce que vous avez su?

REVISION DES VERBES

Past participle (63B.1., 2.)

E.

LE PROFESSEUR: Je ne vois personne.
L'ÉTUDIANT: Je n'ai vu personne.
LE PROFESSEUR: Je n'apprends rien.
L'ÉTUDIANT: Je n'ai rien appris.

Vous avez déjà repassé dans Review Lesson I, tous les participes passés dans l'exercice suivant sauf:

comprendre—compris   connaître—connu
savoir—su

1. Je ne dis rien.
2. Je n'invite personne.
3. Je ne fais rien.
4. Je ne bois rien.
5. Je ne connais personne.
6. Je ne sais rien.
7. Je comprends rien.
8. Je n'entends personne.
9. Je n'attends personne.
10. Je ne lis rien.

SUJET DE COMPOSITION

Votre famille a loué une villa pour l'été. Décrivez la villa en utilisant le vocabulaire de la leçon: le gaz, l'eau, le propriétaire, etc.

THEME D'IMITATION

Prentout, wiping his brow (l. 6, p. 56), says to himself (See **76C**), "How hot it is! (*Etude de mots*, p. 58) I think (**77A**) it would be disagreeable to spend our vacation here (l. 24). But my wife likes this region very much (ll. 16–17), and, if we find a villa and if the price is right (ll. 20–21), I know that she is going to rent it. If I had known (l. 16, p. 19) that she wanted to rent a villa! I didn't realize it (*Etude de mots* 2). Heavens, there's a sign: Villa for Rent. Well, let's visit it (**9**), if it isn't rented. It looks comfortable. We can have a look around (ll. 38–39), and if she likes it, we'll rent it."

PRONONCIATION

Releasing the final consonant

French syllables end with the mouth open. Even when the last sound in a word is a consonant, the word ends with the mouth open, because the consonant is released, not held. In English *aim* the release at the end of the consonant is weak and scarcely audible. One could say that the word ends with the mouth closed. In French *aime* the release is very audible. There is something like a whispered *uh* after the *m*. This should not actually be made into a syllable, however.

CONTRAST

English	French	English	French
facile	facile	constraint	contrainte
poem	poème	cigarette	cigarette
coot	écoute	sonnet	sonnette
seen	dessine		

REPEAT

tête; parte; moque; sac; soupe; coupe; arrête; écoute

9

A louer meublé [III]
Gabriel d'Hervilliez

Monsieur et madame Prentout ont décidé
de louer la villa si les conditions leur conviennent.

HORTENSE: Alors . . . quelles seraient vos
5   conditions?
DÉDÉ: [*Embarrassé.*] Ah! voilà. . . . Nos con-
   ditions? . . .
   [*Dédé et Jojo se regardent, indécis.°*]   *indécis* **undecided**
PRENTOUT: Vous aurez de bons loca-
10   taires.° . . .   *le locataire* **tenant**
HORTENSE: Soigneux.° . . .   *soigneux* **careful**
PRENTOUT: Tranquilles. . . .
HORTENSE: Honnêtes. . . .
DÉDÉ: C'est ce que nous cherchons avant
15   tout! . . .
HORTENSE: Alors . . . de ce côté.[1] . . vous
   pouvez être tranquilles. Mon mari est
   commissaire de police. . . .
   [*Jojo sent ses jambes se dérober° sous lui.*   *se dérober* (here) **to give way**
   Dédé le rattrape° par le col de son ves-   *rattraper* (here) **to grab**
20   *ton.°*]   *le col de son veston* **his coat-collar**
DÉDÉ: [*La gorge sèche.°*] Ah! Monsieur est   *la gorge sèche* **with a dry throat**
   commissaire de police. . . .
JOJO: [*S'éponge fébrilement° le front.*] Ah,   *fébrilement* **feverishly**
   pour une garantie. . . .

---

[1]*de ce côté*—in that respect. Literally, it means "on that side."

25 DÉDÉ: ... C'est une garantie![2]...

HORTENSE: Est-ce vous qui avez fait construire la villa?

DÉDÉ: [*Pris à l'improviste.°*] Oh! non . . .
c'est notre père.

30 HORTENSE: Votre père est probablement . . .
ce vieux monsieur. . . . Pardon! . . . ce
monsieur?

[*Elle montre la photographie.*]

DÉDÉ: Oui, madame.

35 HORTENSE: Il est très bien,° monsieur votre
père. Vous lui ressemblez.

DÉDÉ ET JOJO: [*Ensemble.*] On nous l'a toujours dit.

HORTENSE: Mais il n'a pas l'air commode!

40 JOJO: [*S'épongeant.*] N'est-ce pas?

PRENTOUT: Mais alors c'est lui le propriétaire?

DÉDÉ: [*Vivement.*] Oh! non.

PRENTOUT: Comment cela?

45 DÉDÉ: Il est mort . . . l'an dernier.

PRENTOUT: Oh! pardon.

DÉDÉ: Alors . . . vous comprenez . . . revoir
cette maison où notre pauvre père a
vécu.[3] . . . C'est plus fort que nous[4] . . .

50 l'émotion est trop forte . . .

JOJO: [*S'épongeant.*] Oh! oui, trop forte. . . .
Je ne peux pas y rester. Il faut que je
m'en aille!

[*Il se lève et marche vers la porte.*]

55 DÉDÉ: [*Le rattrapant au passage.[5]*] Aussi,[6]
nous ne venons que de temps en temps
. . . pour aérer° un peu.

JOJO: Et nous avons décidé de la louer.

PRENTOUT: Voilà qui tombe à merveille.[7]

60 [*Les Prentout décident de prendre la villa.*]

à l'improviste unexpectedly

il est très bien he is a fine-looking
man

aérer to air out

---

[2]*Pour une garantie . . . c'est une garantie!*—For a guarantee, that's a guarantee, all right!
[3]*Vécu* is the past participle of *vivre.*
[4]*C'est plus fort que nous*—It's more than we can bear.
[5]*le rattrapant au passage*—grabbing him as he goes by.
[6]At the beginning of a sentence or a clause, *aussi* means "and so" or "therefore."
[7]*Voilà qui tombe à merveille*—What a happy coincidence.

LE CONTENU

1. Quelle a été la décision des Prentout?
2. Quelle promesse font-ils à Dédé et à Jojo?
3. Quelle est la profession de Prentout?
4. Quelle est la réaction de Jojo quand il apprend cette nouvelle?
5. Qu'est-ce qui montre que même Dédé a un peu peur maintenant?
6. Quelle supposition Hortense fait-elle quand elle voit la photographie?
7. Quelle remarque fait-elle après avoir regardé la photographie de Tubeuf?
8. Comment Dédé et Jojo y répondent-ils?
9. Quelle supposition Prentout fait-il au sujet de Tubeuf?
10. Quelle raison Dédé donne-t-il pour vouloir louer la maison?
11. L'émotion est trop forte pour Jojo aussi. Que fait-il? Quelle est en effet l'émotion qu'il ressent (*feels*)?
12. Que fait Dédé quand Jojo se dirige vers la porte?
13. Selon Dédé, quand et pourquoi Dédé et Jojo viennent-ils à la villa?

LE SENS

Appliquez ces principes généraux de la farce à cette scène:
1. L'auteur met ses personnages dans des situations de plus en plus difficiles, ce qui les oblige à trouver des solutions de plus en plus compliquées.
2. Les personnages emploient machinalement des phrases conventionnelles qui, dans les circonstances, ont un effet risible (*laughable*).

DIALOGUE

A. Hortense fait un compliment à Dédé sur la photographie de son père et remarque la ressemblance.
B. Dédé répond poliment.
A. Hortense demande s'il est le propriétaire.
B. Dédé explique pourquoi il ne l'est plus, et pourquoi la villa est à louer.

ETUDE DE MOTS

1. *Vous pouvez être tranquilles.*
   Soyez tranquilles. — Both mean: Don't worry.
   Comme ça vous serez tran- — That way you won't have to worry.
   quilles.

2. *Monsieur votre père* — (polite way of referring to a person's father)

   Je travaillais pour madame — I used to work for your mother.
   votre mère.
   Voilà monsieur le maire. — There's the mayor.

3. *C'est plus fort que moi.* — I can't help it.
   C'est plus fort que moi, je dé- — I can't help it, I hate that guy.
   teste ce type-là.
   C'est plus fort que moi, il faut — I can't help laughing.
   que je rie.

4. *tomber à merveille, tomber* — to come or occur at the right time
   bien, tomber juste
   tomber mal — to come or occur at the wrong time
   A. *Je voudrais voir un match* — I would like to see a football game.
   de football.
   B. *Vous tombez bien, c'est* — You came on the right day, today
   aujourd'hui samedi. — is Saturday.
   A. *J'arrive à Paris le dix.* — I get to Paris on the tenth.
   B. *Moi aussi. Ça tombe bien,* — Me too! What a happy coinci-
   n'est-ce pas? — dence!
   A. *Je suis venu voir Marie.* — I came to see Marie.
   B *Vous tombez mal. Elle* — You came at the wrong time. She
   vient de sortir. — just left.

EXERCICES

Negatives (48A, B, C); Partitive *de* (18A)

A.

LE PROFESSEUR: Est-ce que *Jojo* a encore de l'argent?
L'ÉTUDIANT: Non, il n'a plus d'argent.

LE PROFESSEUR: Est-ce que *Jojo* a souvent de la chance?
L'ÉTUDIANT: Non, il n'a jamais de chance.

Ne . . . jamais et *ne . . . plus* sont des locutions négatives. Lorsqu'elles sont suivies du partitif il faut donc employer *de* (ou *d'*) au lieu de *du*, *de la*, *des*, ou *de l'*. Répondez avec la locution négative indiquée, et en substituant un pronom au nom sujet.

ne . . . jamais
1. Est-ce que *Jojo* a souvent du sang-froid?
2. Est-ce que *Jojo* a souvent de la tenue?
3. Est-ce que *le client* mange souvent des asperges?

☐

4. Est-ce que *les Prentout* prennent souvent des photographies?
5. Est-ce que *Prentout* pose souvent des questions?

ne . . . plus
1. Est-ce qu'il reste encore du veau?
2. Est-ce que *cette vieille villa* attire encore des locataires?
3. Est-ce que *le commissaire* arrête encore des cambrioleurs?

☐

4. Est-ce qu'il y a encore des villas à louer dans la région?
5. Est-ce qu'il y a encore du fromage?

B.

LE PROFESSEUR: Moi, je ne prends jamais de vin.
L'ÉTUDIANT: Moi, je ne prends que du vin. C'est tout ce que je prends.

Ne . . . que n'est pas une locution négative. Elle n'exprime pas la négation mais seulement la restriction. Lorsqu'elle est suivie du partitif il faut donc employer *du*, *de la*, *des*, ou *de l'*. Suivez le modèle; ajoutez *C'est tout ce que je* + verbe à chacune de vos réponses.

1. Moi, je ne lis jamais de poésies.

2. Moi, je ne mange jamais d'asperges.

3. Moi, je ne fume jamais de cigarettes.

4. Moi, je n'ai jamais de chagrins.

☐

5. Moi, je ne bois jamais de café.
6. Moi, je n'écris jamais de compositions.

7. Moi, je ne prends jamais de fromage.

C.

LE PROFESSEUR: Qu'est-ce qui terrorise Dédé?
L'ÉTUDIANT: Rien ne le terrorise.
LE PROFESSEUR: Qui entend le coup de sonnette?
L'ÉTUDIANT: Personne ne l'entend.

Ne précède le verbe dans toutes les phrases négatives. Faites bien attention de ne pas omettre le *ne*. Observez la différence entre la structure française et la structure anglaise:

Nobody comes.	Personne *ne* vient.
Nothing happens.	Rien *n'*arrive.

1. Qui fait peur à Dédé?
2. Qu'est-ce qui fait peur à Dédé?
3. Qui plaît à Hortense?
4. Qu'est-ce qui plaît à Hortense?
5. Qui influence l'amateur?

6. Qu'est-ce qui influence l'amateur?
7. Qui donne confiance à Jojo?
8. Qu'est-ce qui donne confiance à Jojo?

☐

9. Qui étonne les deux voleurs?
10. Qu'est-ce qui scandalise Dédé?
11. Qui intéresse Jojo?
12. Qu'est-ce qui étonne les deux voleurs?

13. Qui prévient les Prentout?
14. Qu'est-ce qui intéresse Jojo?
15. Qui explique la situation?
16. Qu'est-ce qui explique la situation?

Definite article (13C)

D.

LE PROFESSEUR: Le client élève ———.
L'ÉTUDIANT: Le client élève la voix.

D'ordinaire les noms désignant les parties du corps sont précédés par l'article défini. (On emploie souvent l'adjectif possessif, cependant, pour éviter l'ambiguïté ou pour marquer l'idée de possession.) Complétez les phrases suivantes par un mot convenable désignant une partie du corps et précédé par un article défini.

1. Le militaire est sorti avec l'oiseau sur ———.
2. Le chat se lèche ———.
3. Le cancre dit oui avec ———.
4. Le cancre dit non avec ———.
5. Jojo est nerveux; il s'éponge ———.
6. Jojo n'a pas ——— à l'ouvrage.

☐

7. Si vous savez la réponse, levez ———.
8. Si vous voulez goûter quelque chose de bon, ouvrez ———.
9. Si vous ne voulez pas le voir, fermez ———.
10. Avant de manger on devrait se laver ———.
11. Après avoir mangé on devrait se brosser ———.

E.

LE PROFESSEUR: Ses yeux sont bleus.
L'ÉTUDIANT: Il a les yeux bleus.

La structure de la phrase de l'étudiant est employée fréquemment. Apprenez-la. Notez que dans cette structure l'adjectif suit toujours le nom.

1. Ses cheveux sont blonds.
2. Ses mains sont propres.
3. Son nez est rouge.
4. Sa gorge est sèche.
5. Sa bouche est ouverte.

F.

LE PROFESSEUR: Il lèche son museau.
L'ÉTUDIANT: Il se lèche le museau.
LE PROFESSEUR: Je lave ses mains.
L'ÉTUDIANT: Je lui lave les mains.

La structure de la phrase de l'étudiant est employée fréquemment. Apprenez-la. Notez que toute ambiguïté est évitée par l'emploi du pronom complément d'objet indirect (*se, lui,* etc.):

He washes his hands.	Il se lave les mains.
I wash his hands.	Je lui lave les mains.

1. Il éponge son front.
2. Il gratte sa tête.
3. Il brosse ses dents.
4. Il bouche ses oreilles.

5. Je serre sa main.
6. Je brosse ses cheveux.
7. Je réchauffe ses pieds.
8. J'ouvre ses yeux.

SUJET DE COMPOSITION

Prentout et Hortense sont seuls. Prentout dit à sa femme pourquoi il se méfie de (*mistrusts*) Dédé et de Jojo, mais sa femme lui dit qu'il a tort. Elle insiste pour qu'ils louent la villa.

THÈME D'IMITATION

I don't like to rent our villa. It's my father's house you know. He had it built (ll. 26–27) when we were young, and we used to spend our vacation there. But last year (*l'année dernière*) I decided to rent it and here is what happened (l. 4, p. 42): my first tenant were two thieves! What I was looking for above all (ll. 14–15) was (**22D**) good tenants, and they seemed very careful. It is true that when I told them I was a (**16A**) police commissioner (ll. 17–18) the little [one] said, "I must go away (ll. 52–53)." His legs gave way under him and the other caught him by his coat collar (ll. 19–20). But I thought they were kidding (l. 8, p. 56). Anyone can make a mistake.

PRONONCIATION

Denasalization

A nasal vowel as in *bon* becomes an oral vowel (denasalizes) in the feminine because of the syllabification: *bo-nne*. English speakers often mispronounce such words because they anticipate the nasal consonant -*n*. Practice the contrast between nasal and denasalized vowels in the words below. Pronounce the denasalized vowel distinctly: *bo* (open *o*) as if it were a separate syllable then add the consonant: *-nne* followed by a release.

CONTRAST

la question	il questio-nne	il comprend	ils compre-nnent
le soupçon	il soupço-nne	an	A-nne
le frisson	il frisso-nne	paysan	paysa-nne
l'addition	il additio-nne	Jean	Jea-nne
le pardon	ils pardo-nnent	persan	persa-ne

10

A louer·meublé [IV]
Gabriel d'Hervilliez

Dédé et Jojo se font payer mille francs de loyer° d'avance. Prentout les emmènera à la gare dans son automobile, mais ils veulent aussi emporter quelques «souvenirs». Ils
⁵ sortent, puis reparaissent, les bras encombrés° de paquets, de pendules,° etc.

le loyer rent

les bras encombrés with their arms loaded
la pendule clock

PRENTOUT: [*Levant les bras au ciel en les voyant.*] Mais vous déménagez¹ toutes les pendules!
¹⁰ DÉDÉ: Ça . . . ce sont des souvenirs. . . .
HORTENSE: Vous avez le culte° des souvenirs.
DÉDÉ: [*Noblement.*] C'est notre faiblesse.°
HORTENSE: Je suis tout à fait comme vous.
¹⁵ PRENTOUT: Vous avez de la chance que j'ai mon auto.
HORTENSE: Et vous allez à Châteauroux?
DÉDÉ: Oui, madame. Nous avons un train à quatre heures dix-huit.
²⁰ PRENTOUT: Il est quatre heures. Nous avons juste le temps.
JOJO: C'est vrai! Filons.° . . .
PRENTOUT: Eh bien . . . en voiture.° La voiture de ces messieurs est prête.²

Vous avez le culte de You worship, you adore

la faiblesse weakness

filer to hurry along (colloq.)
en voiture all aboard

¹*déménager*—to move out; may be either transitive or intransitive.
²*La voiture de ces messieurs est prête*—The gentlemen's car awaits.

81

²⁵ DÉDÉ: Si on m'avait dit que je voyagerais
. . . aujourd'hui . . . en invité!° . . . dans
l'auto du commissaire . . . je ne l'aurais
pas cru.

en invité   as a guest

HORTENSE: C'est l'imprévu° de la vie!

l'imprévu (m.)   the unforeseen

³⁰ PRENTOUT: [*Se précipitant° pour les sou-
lager° un peu.*] Je vais vous aider à déménager tout cela!

se précipiter   to rush forward
soulager   to relieve, help

DÉDÉ: Monsieur le commissaire est trop
gentil! S'il voulait seulement se charger
³⁵ de° la pendule qui est sur la cheminée.°

se charger de   to take care of
la cheminée   mantelpiece, fireplace

PRENTOUT: [*Prenant avec précaution la
lourde pendule du salon.*] Mais avec
plaisir!

JOJO: [*A part,° à Dédé:*] Tu l'emportes aussi?

à part   aside

⁴⁰ DÉDÉ: Bien entendu . . . la pendule de papa!

JOJO: [*S'inclinant.°*] Au revoir, madame.

s'incliner   to bow

HORTENSE: [*Gracieuse et souriante.*] Au revoir, messieurs. . . . Au revoir. . . . Et à
bientôt, j'espère. . . . Vous serez toujours
⁴⁵ les bienvenus° ici.

être le bienvenu   to be a welcome
  visitor

JOJO: Merci, madame . . . merci . . . mais
nous n'abuserons° pas. . . .
[*Prentout est sorti. On l'entend crier d'en
bas° En voiture . . . en voiture! . . .*]

abuser   to abuse, take unfair advantage of

d'en bas   from below

⁵⁰ JOJO ET DÉDÉ: [*Se hâtant à leur tour.°*]
Voilà, monsieur le commissaire. . . .
Voilà!

à leur tour   in (their) turn

HORTENSE: [*A son mari:*] Tu ne seras pas
longtemps parti?

⁵⁵ VOIX DE PRENTOUT: La gare est à deux
cents mètres . . . j'en ai pour° cinq
minutes.

j'en ai pour . . .   it will take me . . .

HORTENSE: Je t'attends! Au revoir, messieurs.

VOIX DE DÉDÉ ET DE JOJO: Au revoir, ma-
⁶⁰ dame . . . au revoir! . . . . A bientôt!

LE CONTENU

1. Que fera Prentout pour les aider? Pourquoi ne partent-ils pas tout de suite?
2. Décrivez Dédé et Jojo quand ils reparaissent.
3. Que fait Prentout quand il les voit et que dit-il?
4. Combien de temps Dédé et Jojo ont-ils avant le départ de leur train?
5. Que dit Prentout pour imiter un chauffeur?
6. Quelle réflexion sur l'imprévu de la vie Dédé fait-il?
7. Que fait Prentout pour les aider?
8. Qu'est-ce que Dédé lui demande de faire?
9. Pourquoi le fait-il avec précaution?
10. Quelle invitation Hortense leur fait-elle?
11. Comment Jojo répond-il?
12. Qu'est-ce qu'Hortense dit à son mari?

LE SENS

1. Dans le théâtre il y a souvent un personnage qui construit un piège (*trap*) et une victime qui tombe dedans. Souvent la victime aide son adversaire dans la construction du piège. Est-ce le cas dans *A Louer Meublé*?
2. Dédé et Jojo auraient pu se contenter des mille francs. Expliquez pourquoi l'auteur a préféré leur faire emporter des «souvenirs».

DIALOGUE

A. Dédé dit l'heure du départ du train à Prentout.
B. Prentout lui dit qu'il faudra se dépêcher. Il invite Dédé et Jojo à monter dans sa voiture.
A. Dédé fait une réflexion sur l'imprévu de la vie.
B. Prentout dit qu'il va les aider à déménager.
A. Dédé répond poliment et lui indique un objet à emporter.
B. Prentout dit au revoir à sa femme en lui promettant qu'il sera bientôt de retour.

ETUDE DE MOTS

1. *Ils se font payer.* — They get (someone) to pay them (i.e., they get paid).

   Il se fait raser. — He gets (someone) to shave him (i.e., he gets shaved).

   Il se fait gronder. — Someone scolds him (i.e., he gets scolded).

   Il s'est fait blesser. — Someone wounded him (i.e., he got wounded).

2. *emmener quelqu'un* — to take someone (with you)
   emporter quelque chose — to take something (with you)
   Prentout emmène Dédé à la gare. — Prentout takes Dédé to the station.

   Tu emportes la pendule? — Are you taking the clock (with you)?

3. *se charger de* — to take care of; look after; be in charge of

   Qui va se charger de la caisse? — Who's going to take care of the cashbox?

   Je m'en charge. — I'll take care of it.
   Chargez-vous-en, voulez-vous? — Take care of it, will you?
   Quelle charge! — What a load; a responsibility!

EXERCICES

Faire + **infinitive (33)**

A.

LE PROFESSEUR: Est-ce que *le propriétaire* construit *la villa* lui-même?
L'ÉTUDIANT: Non, il la fait construire.
LE PROFESSEUR: Est-ce que *le client* sert *le vin* lui-même?
L'ÉTUDIANT: Non, il le fait servir.

Faire suivi de l'infinitif signifie *to have something done, to make some-one do something*. Suivez le modèle, en substituant des pronoms au sujet et au complément. Notez l'ordre des mots: pronom(s) complément(s) + *faire* + infinitif.

1. Est-ce que *le maître* conjugue *le verbe* lui-même?
2. Est-ce que *le maître* récite *le poème* lui-même?
3. Est-ce que *le monsieur* prépare *le déjeuner* lui-même?
4. Est-ce que *le monsieur* fait *le café* lui-même?
5. Est-ce que *le client* apporte *les cigarettes* lui-même?

B.

LE PROFESSEUR: Est-ce que *le propriétaire* construit *la villa* lui-même?
L'ÉTUDIANT: Non, il se la fait construire.

Refaites l'Exercice A en suivant le modèle ci-dessus. Le pronom *se* signifie *for himself, to himself.*

C.

LE PROFESSEUR: Est-ce qu'on vous a construit cette villa?
L'ÉTUDIANT: Oui, je me suis fait construire cette villa.

Puisque *faire* est un verbe pronominal dans la réponse de l'étudiant, il faut le conjuguer avec l'auxiliaire *être.* Commencez chaque réponse par: Oui, je me suis fait. . . .

1. Est-ce qu'on vous a grondé?
2. Est-ce qu'on vous a rasé?
3. Est-ce qu'on vous a montré l'appartement?
4. Est-ce qu'on vous a payé?
5. Est-ce qu'on vous a coupé les cheveux?
6. Est-ce qu'on vous a ciré les souliers?

REVISION DES VERBES

Verbs not ending in -*er* (72D.4)

D.

LE PROFESSEUR: Nous apprenons le métier.
L'ÉTUDIANT: Ils disent qu'ils apprennent le métier.
LE PROFESSEUR: Nous faisons notre métier.
L'ÉTUDIANT: Ils disent qu'ils font leur métier.

Revoyez les verbes irréguliers qui n'ont pas la même racine à la troisième personne du pluriel qu'à la première et à la seconde personne du pluriel:

Stem for subjunctive ↓

j'appartiens	nous appartenons	ils appartiennent
je bois	nous buvons	ils boivent
je dois	nous devons	ils doivent
je meurs	nous mourons	ils meurent
je peux	nous pouvons	ils peuvent
je prends	nous prenons	ils prennent
je reçois	nous recevons	ils reçoivent
je viens	nous venons	ils viennent
je veux	nous voulons	ils veulent

1. Nous mourons de peur.
2. Nous devons cambrioler la villa.
3. Nous voulons la cambrioler.
4. Nous pouvons la cambrioler.
5. Nous venons aérer un peu.

☐

6. Nous recevons les locataires.
7. Nous prenons un verre avec eux.
8. Nous buvons du cognac.
9. Nous prenons des précautions.
10. Nous appartenons à une bande de voleurs.

E.

LE PROFESSEUR: Nous apprenons le métier.
L'ÉTUDIANT: Moi aussi, j'apprends le métier.

Refaites l'Exercice D en suivant le modèle ci-dessus.

Pluperfect (64)

F.

LE PROFESSEUR: L'élève est arrivé à l'école à neuf heures du matin. Est-ce qu'il s'est brossé les dents à l'école?
L'ÉTUDIANT: Non. Il s'était déjà brossé les dents.
LE PROFESSEUR: Est-ce qu'il a appris la leçon à l'école?
L'ÉTUDIANT: Non. Il avait déjà appris la leçon.

Le plus-que-parfait (imparfait de l'auxiliaire *être* ou *avoir* + participe passé) exprime une action qui a eu lieu avant une autre action dans le passé.

1. Est-ce qu'il s'est éveillé à l'école?
2. Est-ce qu'il a bu son café à l'école?
3. Est-ce qu'il a mangé à l'école?
4. Est-ce qu'il s'est lavé à l'école?
5. Est-ce qu'il a fait ses devoirs à l'école?
6. Est-ce qu'il a lu la leçon à l'école?

SUJET DE COMPOSITION

Vous avez eu des invités (*guests*) chez vous pour le week-end. Racontez leur départ, vos adieux. Vous les emmenez à la gare.

THEME D'IMITATION

We rented a villa last year. There were a lot of things we wanted to take [with us] when we moved out (l. 8). We didn't know (*connaître*) anyone in the region but we had some luck (l. 15): the owner came to take us to the railroad station in his car (l. 16).

When he saw us, he threw his hands up in the air (l. 7). We were waiting in front of the villa [with] our arms full of packages, souvenirs, etc. (ll. 5–6). He said, "If someone had told me (l. 25) that you had so many things, I never would have believed it (ll. 27–28)." But he was[1] very nice (l. 34). He said, "I'll take care of everything (ll. 34–35)," and that is what he did. If all landlords were like him (l. 36, p. 72)!

PRONONCIATION

in (**or** *im*)

Contrast English *sank* with French *cinq*. The sounds are quite similar but there is no glide in French.

[1]*He was* est traduit le plus souvent par *il était* mais ici il est traduit par le passé composé puisqu'il s'agit d'une action achevée: *He was very nice* a le sens de *he did a nice thing.*

Contrast the French *an* (or *en*) with French *in*. The tongue is further forward, the lips further apart in *in*.

CONTRAST   *cent*
            sans   *cinq*

an-en	*in*
sang	saint
attendre	atteindre
cendre	ceindre
emporter	importer
cent mètres	cinq mètres
descends	dessin
pendre	*peindre*

Note that if the vowel and the consonant (*n* or *m*) do not belong to the same syllable they do not represent a nasal sound. Contrast nasal and non-nasal. Be sure to pronounce the vowel distinctly then, add the consonant:

CONTRAST

Nasal	*Non-nasal*
dessin	dessine
citoyen	citoyenne
vain	vaine
pain	peine
lin	laine
chagrin	chagrine

Spelling: in as in *vin, im* as in *imprévu.* The sound is also frequently spelled *ain* as in *vain* and *aim* as in *faim,* and occasionally may also be *ein* as in *plein.* It may also be spelled *yn* as in *synthèse* or *ym* as in *sympathie. Ien* as in *rien* and *yen* as in *citoyen* represent the *in* sound preceded by the *y* sound drilled in Lesson 3.

11

A louer meublé [V]
Gabriel d'Hervilliez

Quelques moments après le départ de monsieur Prentout, de Dédé, et de Jojo, monsieur Tubeuf entre dans sa villa. Il est tout étonné d'y voir Hortense.

⁵ TUBEUF: [*Rudement.*] Qu'est-ce que vous fichez ici?°

Qu'est-ce que vous fichez ici? What are you doing here? (colloq.)

HORTENSE: [*Choquée.*] Oh!

TUBEUF: Qu'est-ce que vous fichez chez moi?

¹⁰ HORTENSE: Chez vous? Vous êtes ivre,° mon bonhomme!

ivre drunk

TUBEUF: Comment . . . je suis ivre?

HORTENSE: Je suis ici chez moi.

TUBEUF: Chez vous?

¹⁵ HORTENSE: Dans une villa que nous venons de° louer. . . .

venir de . . . to have just . . .

TUBEUF: [*Les yeux ronds.*] Que vous venez de louer?? A qui?¹

HORTENSE: Aux propriétaires.

²⁰ TUBEUF: Au propriétaire?

HORTENSE: Ces messieurs Tubeuf.² . . .

TUBEUF: Ces messieurs Tubeuf! Qu'est-ce que c'est que cette histoire?° Il n'y a ici qu'un Tubeuf . . . et c'est moi.

Qu'est-ce que c'est que cette histoire? What's this all about?

---

¹*A qui?*—From whom? *Louer à* means both "to rent *to*" and "to rent *from*."
²Proper names are invariable.

Ah! mon Dieu!

²⁵ HORTENSE: Vous prétendez° être le proprié-   *prétendre* to claim; allege
taire de cette villa?

TUBEUF: Oui, madame.

HORTENSE: Vous tombez mal, monsieur!

TUBEUF: Pourquoi?

³⁰ HORTENSE: Parce que les véritables proprié-   *sortent d'ici* have just left
taires de cette villa sortent d'ici.° [*A ce
moment les yeux d'Hortense tombent sur
la photographie.*] Ah! mon Dieu! . . . .

TUBEUF: Quoi donc?

³⁵ HORTENSE: Le portrait!

TUBEUF: Eh bien?

HORTENSE: Il vous ressemble!

TUBEUF: C'est assez normal. C'est moi qui
ai posé. . . .

⁴⁰ HORTENSE: Mais alors, les autres, qui
étaient-ils?

TUBEUF: Ça! . . . Je ne sais pas.

HORTENSE: Que faisaient-ils ici?

TUBEUF: Je me le demande!°   *se demander* to wonder

⁴⁵ HORTENSE: Ils ont dit qu'ils venaient
chercher quelques souvenirs.

TUBEUF: [*Sans comprendre.*] Des souvenirs?

HORTENSE: [*Montrant la cheminée.*] La pendule!

⁵⁰ TUBEUF: [*Regardant la cheminée vide.*°] La   *vide* empty
pendule! . . . Ma pendule! . . . Où est ma
pendule?

HORTENSE: Ils l'ont emportée!

TUBEUF: [*Levant les bras au ciel.*] Mais on
⁵⁵   m'a cambriolé!

LE CONTENU

1. Quand Tubeuf entre-t-il dans sa villa?
2. Pourquoi est-il étonné?
3. Que dit-il à Hortense?
4. Quelle est la réponse d'Hortense?
5. Où prétend-elle être?

6. Selon Hortense, qui sont les propriétaires? Que vient-elle de faire?
7. Quelle expression de Tubeuf exprime son étonnement?
8. Selon lui, combien de Tubeuf y a-t-il?
9. Pourquoi Hortense lui dit-elle qu'il tombe mal?
10. Qu'est-ce qui étonne Hortense?
11. Pourquoi Tubeuf trouve-t-il la ressemblance normale?
12. Qu'est-ce qu'Hortense et Tubeuf commencent à se demander?
13. Quelle découverte Tubeuf fait-il enfin? Comment la fait-il?

LE SENS

1. Dans le théâtre comique le nom d'un personnage a souvent une valeur symbolique. Quelle semble être la signification des noms dans *A Louer Meublé?*
2. Les accessoires («*props*») jouent un rôle important dans la farce. Discutez les accessoires dans *A Louer Meublé*. Lequel est indispensable?

DIALOGUE

A. Hortense est étonnée quand elle voit la photographie. Elle remarque la ressemblance.
B. Tubeuf explique pourquoi il ressemble à la photographie.
A. Hortense lui demande qui étaient les autres et ce qu'ils faisaient.
B. Tubeuf n'en sait rien.
A. Hortense lui dit ce qu'ils venaient chercher.
B. Tubeuf se rend compte qu'on l'a cambriolé.

ETUDE DE MOTS

Avoiding the passive (21B)

On *m'a cambriolé!*	I've been robbed!
On *a emporté les pendules.*	The clocks have been taken away.
On *a loué la villa.*	The villa has been rented.
On *a ouvert les fenêtres.*	The windows have been opened.

EXERCICES

Stressed pronouns (79)

A.

LE PROFESSEUR: Je suis le propriétaire. (*I am the owner.*)

L'ÉTUDIANT: C'est moi qui suis le propriétaire. (I'm *the one who is the owner.*)

LE PROFESSEUR: Ils vont partir. (*They are going to leave.*)

L'ÉTUDIANT: Ce sont eux qui vont partir. (They *are the ones who are going to leave.*)

Pour accentuer un pronom personnel utilisez *C'est* (ou *Ce sont*) + pronom disjonctif. Notez qu'il est préférable d'utiliser *ce sont* devant *eux* ou *elles*, mais que *c'est* est obligatoire devant *nous* et *vous*. Repassez les pronoms disjonctifs:

moi	nous
toi	vous
lui, elle	eux, elles

1. Vous avez cambriolé ma villa?
2. Vous êtes entrés par la fenêtre?
3. Vous avez sonné?
4. Nous sommes entrés.
5. Nous avons ouvert les fenêtres.
6. Nous avons loué la villa.
7. Ils ont cambriolé la villa!
8. Ils ont emporté les pendules!
9. Ils se sont fait conduire à la gare!
10. Elle est responsable.
11. Elle les a pris pour les propriétaires.

☐

12. Elle a voulu louer la villa.
13. Il a parlé le premier.
14. Il a payé mille francs.
15. Il sera couvert de ridicule.
16. Tu as insisté.
17. Tu as voulu la louer.
18. Tu es responsable.
19. Je suis le propriétaire.
20. J'ai posé.
21. J'ai acheté toutes ces pendules.

REVISION DES VERBES

Imparfait (**40**)

B.
Mettez ce passage au passé. Puisqu'il s'agit d'actions répétées ou habituelles sans délimitation de durée, employez l'imparfait. Notez que les terminaisons de l'imparfait s'ajoutent au radical de la forme *nous* du présent. Vous avez déjà repassé les verbes réguliers en *-er*, *-ir*, et *-re* et les verbes irréguliers dans cet exercice, sauf:

> je m'assieds—nous nous asseyons
> je bats—nous battons
> je connais—nous connaissons
> je crains—nous craignons
> je déplais—nous déplaisons
> je mens—nous mentons
> je me plains—nous nous plaignons
> je vaux—nous valons

1. Dédé est un très mauvais élève.
2. Il se rend rarement en classe.
3. Il s'y bat avec les autres élèves.
4. Il ne répond jamais.
5. Le plus souvent il dort.
6. Il sort sans permission.
7. Il ne finit jamais son travail.
8. Il lit peu.
9. Il écrit encore moins.
10. Il dit qu'il comprend mais il ment.

□

11. Il ne fait pas ses devoirs.
12. Il déplaît à tout le monde.
13. Il ne connaît personne.
14. Il s'assied au fond de la classe.
15. On le craint.
16. Tout le monde se plaint de lui.
17. Mais il sait qu'il vaut mieux que les autres.
18. Il a un métier.
19. Il est déjà voleur.

C.
Mettez ce passage au passé. Employez le passé composé pour les actions achevées qui ont eu lieu à un moment déterminé, l'imparfait pour les

conditions, les états, les actions interrompues ou inachevées, et le plus-
que-parfait (l'imparfait de l'auxiliaire + le participe passé) pour les
événements qui ont eu lieu avant l'action du passage. Notez que dans
cet exercice les imparfaits et les passés composés ne sont plus indiqués
par les signes —— et. ....

1. Tubeuf *entre* dans sa villa.
2. Il *est* étonné d'y voir Hortense.
3. Il lui *demande* ce qu'elle *fait*,
4. et elle lui *dit* qu'il *est* ivre,
5. qu'elle *est* chez elle,
6. dans une villa qu'elle *a louée* aux messieurs Tubeuf.
7. Tubeuf lui *répond*
8. qu'il n'y *a* qu'un Tubeuf,
9. et que *c'est* lui.
10. Elle lui *dit* qu'il *tombe* mal.
11. Mais soudain ses yeux *tombent* sur la photographie
12. et elle *remarque* que le portrait
13. *ressemble* à Tubeuf.
14. Celui-ci *dit* que *c'est* normal,
15. puisque *c'est* lui
16. qui *a posé.*
17. Quand Tubeuf *voit* la cheminée,
18. il *se rend* compte
19. qu'on *a cambriolé* sa villa.

SUJET DE COMPOSITION

Dédé et Jojo sont dans le train. Dédé explique à Jojo ce qui arrivera
probablement quand Tubeuf trouvera Hortense dans la villa.

THEME D'IMITATION

Chief (*Etude de mots* 2, p. 74), I have been robbed (*Etude de mots*).
All my clocks have been taken away (*Etude de mots*) and there are two
persons here in my villa who claim (l. 25) that they have just rented it

(ll. 17–18) from the real owners (ll. 30–31). When I found the door open I wondered (l. 44) what was going on, but I was completely surprised (l. 4) when a woman, who had obviously entered (67B) the house during my absence, told me I was drunk and that she was in her own home (l. 13). Her husband claims to be a (16A) chief of police. You really have to be crazy to (ll. 20–22, p. 34) believe a story like that. Can. you come to the villa? I'll be waiting for you (l. 58, p. 82).

PRONONCIATION

Contrast English *key* with French *qui*. The French is short, clipped, pure and requires more muscular tension. The English has a glide, and is much longer.

i

CONTRAST

English	French
me	mis
dee	dit
see	si
mean	mine

Some students tend to substitute the English "uh" sound for French *i*, especially in the unaccented syllables of cognates. Practice avoiding this in the following utterances. Give equal value to each *i*. Keep an even counting rhythm: 1–2–3–4

REPEAT

l'Italie; il imagine; la timidité; l'avidité; le cri primitif

Spelling: i, î, or y

u

The French *u* has no counterpart in English. The position is approximately that of French *i*, but the lips are rounded.

CONTRAST

vie	vu
pli	plu
lit	lu
fit	fut
bile	bulle

REPEAT

suffit; je conjugue; huée; c'est plus sûr; du sucre; museau;
en voiture; la pendule; le culte

Spelling: u is the only spelling for this sound. One important exception: the vowel in the past participle of *avoir* and in other forms of
avoir derived from it is spelled *eu* but pronounced *u*.

12

A louer meublé [VI]

Gabriel d'Hervilliez

Prentout revient de la gare tout joyeux,
mais quand il se rend compte que monsieur
Tubeuf est le véritable propriétaire il est
affolé.°

affolé panic-stricken

⁵ TUBEUF: C'est vous qui avez transporté mes
pendules à la gare?

PRENTOUT: [*Reculant° prudemment.*] C'est
ça qui est effrayant!

reculer to withdraw; step backwards

HORTENSE: Tu peux le dire!¹

¹⁰ TUBEUF: [*En fureur.*] Que la police n'arrête
pas les voleurs . . . passe encore!° Mais
qu'elle les aide à cambrioler les villas . . .
ça c'est un comble!°

passe encore I can put up with that

un comble the last straw

HORTENSE: Mon mari a cru qu'ils étaient
¹⁵ les propriétaires. . . .

TUBEUF: Ça ne se passera pas ainsi.² . . .
Vous allez m'accompagner chez le maire.

HORTENSE: [*A son mari.*] Ah! Tu travailles
bien!°

tu travailles bien! you've done a
fine job!

²⁰ PRENTOUT: [*Timidement.*] Mais c'est
toi! . . .

HORTENSE: Comment . . . c'est moi?

PRENTOUT: Pouvais-je me douter?°

se douter to suspect

TUBEUF: Quand on est commissaire de

---

¹*Tu peux le dire!*—You can say *that* again!
²*Ça ne se passera pas ainsi*—You're not going to get away with this.

²⁵ police on devrait savoir discerner une
fripouille³ d'un honnête homme. . . .

HORTENSE: [*Dégageant° sa responsabilité.⁴*]   dégager to free; disengage
Qu'on prenne un innocent pour un
coupable° . . . c'est normal! Mais le con-   (le) coupable guilty (person)
³⁰ traire! . . . Non! C'est trop bête.°   bête stupid

PRENTOUT: [*Pour s'excuser.*] Mais, ma chérie
. . . je suis en vacances. . . .

TUBEUF: Moi, dans toute cette histoire je
ne vois qu'une chose! Vous avez prêté° la   prêter to lend
³⁵ main au cambriolage de ma maison . . .
et je vais déposer une plainte!°   déposer une plainte to prefer a
charge, lodge a complaint

PRENTOUT: Vous ne ferez pas cela!

HORTENSE: Tu vois Alfred, dans quel pétrin⁵
tu nous mets.

⁴⁰ PRENTOUT: Je vais être couvert de ridicule
. . . suspecté, peut-être! Je connais la
police! Je suis déshonoré.

A la fin Prentout est obligé de louer la
villa à quatre mille francs par an, et de
⁴⁵ rembourser le prix des «souvenirs» que
Dédé et Jojo ont emportés. La comédie se
termine sur cette exclamation:

PRENTOUT: Quatre mille francs!

HORTENSE: Quatre mille francs! ! !

⁵⁰ PRENTOUT: Et la sauce.⁶

LE CONTENU

1. Pourquoi est-ce que Prentout est affolé?
2. Comment s'est-il fait le complice (*the accomplice*) des voleurs?
3. Que fait-il quand Tubeuf lui parle?
4. Pourquoi est-ce que Tubeuf est encore plus furieux contre Prentout
   qu'il ne le serait contre un autre?

³*la fripouille*—the knave. This noun is feminine even when it refers to a man.
⁴*Dégageant sa responsabilité*—absolving herself from any responsibility.
⁵*dans le pétrin*—in a fix, in the soup. This colloquial phrase means literally "in the kneading trough."
⁶C'est-à-dire les querelles interminables avec sa femme qui vont suivre.

5. Comment Hortense essaye-t-elle d'excuser son mari?
6. Quelle menace Tubeuf fait-il?
7. Selon Tubeuf, qu'est-ce qu'un commissaire de police devrait savoir?
8. Quelle attitude Hortense prend-elle maintenant envers Prentout? Que dit-il pour se défendre?
9. Si vous étiez accusé, voudriez-vous Hortense comme juge? Pourquoi pas?
10. Dans toute cette histoire Tubeuf ne voit qu'une seule chose. Qu'est-ce que c'est?
11. Que fera-t-il?
12. Quelle accusation Hortense fait-elle contre son mari?
13. De quoi Prentout se lamente-t-il?
14. Qu'est-ce que les Prentout sont obligés de faire à la fin?
15. Comment se termine la comédie? Quel est le sens des mots «Et la sauce!»?

LE SENS

1. Les personnages dans une farce sont si peu compliqués que souvent ils n'ont qu'un seul trait: timidité, avarice, violence, stupidité, etc. Dans quelle mesure cela est-il vrai des personnages d'*A Louer Meublé*? Comment la pièce changerait-elle si les personnages étaient plus profonds, plus développés?
2. Le commissaire de police—«le représentant de l'ordre»—est ridiculisé dans *A Louer Meublé*. Le serait-il de la même façon dans une comédie américaine? Cet irrespect est-il typique de la comédie en général, ou vous paraît-il spécifiquement français?

DIALOGUE

A. Tubeuf demande à Prentout si c'est lui qui a transporté les cambrioleurs à la gare.
B. Prentout lui explique comment cela s'est passé.
A. Tubeuf l'accuse d'avoir prêté la main au cambriolage et lui fait des menaces.
B. Prentout lui demande d'avoir pitié. Il explique ce qui arrivera quand la police apprendra ce qui s'est passé.

A. Tubeuf lui suggère de louer la villa.

B. Prentout accepte en protestant contre le prix excessif.

ETUDE DE MOTS

1. *Ça, c'est un comble!*   That's the limit! (*ça* is for emphasis)

   Ça, c'est incroyable!   That's incredible!

   Ça, c'est trop bête!   That's too stupid for words!

   Ça, c'est une villa!   That's *some* villa!

   Ça, c'est un commissaire de police?   *That's* a police commissioner?

2. *Pouvais-je me douter?*   Could I suspect it (i.e., have any way of knowing that it was so)?

   Moi, je m'en doutais.   I thought so.

   Qui aurait pu s'en douter?   Who would have ever suspected it?

   Je ne me doutais de rien.   I had no idea of what was going on. I suspected nothing.

EXERCICES

Negatives (48C)

A.

LE PROFESSEUR: De quoi vous êtes-vous moqué?

L'ÉTUDIANT: Je ne me suis moqué de rien.

LE PROFESSEUR: Qui se moque de moi?

L'ÉTUDIANT: Personne ne se moque de vous.

Revoyez l'emploi de *ne . . . rien* et de *ne . . . personne*. Notez que *rien* et *personne* peuvent suivre une préposition.

1. A qui vous êtes-vous adressé?   4. Avec qui êtes-vous sorti?
2. De quoi vous êtes-vous méfié?   5. Qui avez-vous vu?
3. Qui se méfie de vous?   6. Qu'est-ce que vous avez fait?

☐

7. Qu'est-ce que vous avez dit?
8. Qui est-ce que vous avez invité?
9. De quoi avez-vous parlé?

10. Qu'est-ce qui vous a surpris?
11. Qui vous a invité?
12. Qu'est-ce qui vous a plu?

Negatives (48A)

B.

LE PROFESSEUR: Avez-vous souvent récité en classe?
L'ÉTUDIANT: Non, je n'ai jamais récité en classe.

1. Etes-vous souvent allé en France?
2. Avez-vous souvent reçu les Prentout?

3. Avez-vous souvent visité cette villa?
4. Alliez-vous souvent au cinéma à l'âge de dix ans?

☐

5. Auriez-vous dit ça?
6. Avez-vous prétendu être le propriétaire?

7. Avez-vous souvent voyagé dans l'auto du commissaire?

C.

LE PROFESSEUR: Avez-vous souvent récité en classe?
L'ÉTUDIANT: Jamais je n'ai récité en classe.

Refaites l'Exercice B d'après le modèle ci-dessus. On place *jamais* en tête de la phrase quand on veut le mettre en valeur (*emphasize*).

Negatives (50)

D.

LE PROFESSEUR: Peut-on visiter la villa *aujourd'hui?*
L'ÉTUDIANT: Non. Pas aujourd'hui.
LE PROFESSEUR: Est-ce à *Jojo* qu'Hortense s'adresse?
L'ÉTUDIANT: Non. Pas à Jojo.

Quand on emploie une locution négative dans une phrase incomplète il est obligatoire d'omettre le *ne*. Suivez le modèle. La négation doit porter sur les mots en italique. Notez que si le mot est précédé d'une préposition il faut répéter la préposition dans la réponse.

1. Est-ce que la villa est ouverte *aujourd'hui*?
2. Est-ce que la villa plaît à *M. Prentout*?
3. Est-il *entièrement* d'accord avec sa femme?
4. Est-il *tout à fait* content?

☐

5. Demande-t-il le prix *à Dédé*?
6. A-t-il peur de *Jojo*?
7. Est-ce que les deux voleurs prennent *l'autobus*?
8. Est-ce que Prentout sera *vraiment* déshonoré?

E.

LE PROFESSEUR: De quoi vous êtes-vous moqué?
L'ÉTUDIANT: De rien.
LE PROFESSEUR: Qui se moque de moi?
L'ÉTUDIANT: Personne.

On emploie aussi *personne, rien,* et *jamais* dans des phrases incomplètes en omettant le *ne*. S'il y a une préposition répétez-la. Refaites les Exercices A et B d'après le modèle ci-dessus.

REVISION DES VERBES

Future (35A, B)

F.

LE PROFESSEUR: Vous êtes toujours les bienvenus.
L'ÉTUDIANT: Vous serez toujours les bienvenus.

L'infinitif forme la racine du futur: parler, finir, répondre. Les terminaisons sont: *-ai -as -a, -ons, -ez, -ont.* Repassez les futurs irréguliers. Il y en a dix-huit en tout, dont douze sont utilisés dans cet exercice:

aller—j'irai
avoir—j'aurai
être—je serai
envoyer—j'enverrai
falloir—il faudra
faire—je ferai

pouvoir—je pourrai
savoir—je saurai
valoir—je vaudrai
venir—je viendrai
voir—je verrai
vouloir—je voudrai

1. Le train part bientôt.
2. Vous avez juste le temps.
3. Il faut venir nous voir.
4. Vous venez, n'est-ce pas?
5. On vous voit bientôt.
6. Vous n'oubliez pas?
7. Nous vous envoyons une carte postale.
8. Vous voulez bien venir?
9. Vous pouvez compter sur nous.
10. Vous allez loin?
11. Vous faites un long voyage?
12. Vous savez retrouver le chemin (find the way back)?
13. Il vaut mieux nous téléphoner.
14. Mais nous sommes en retard!

SUJET DE COMPOSITION

Supposez que Tubeuf dépose sa plainte. Vous êtes journaliste. Vous écrivez un article intitulé: *Commissaire de police accusé de cambriolage.*

THEME D'IMITATION

I didn't help them (See **68B**) rob the house. After all, could I tell (l. 22) that they were robbers? It's not easy (See **69C**) to tell a crook from an honest man (ll. 25–26). I am the one (Ex. A, p. 93) who took them (See **11B**) to the station, but I'm not guilty. Go [ahead and] file a complaint (l. 36) if you want to. There's only one thing I see in this whole business (ll. 33–34): you want to rent me this villa for four thousand francs a year. Well, that's not the way things are going to happen (l. 16). In spite of your threats (l. 13, p. 27), I'm not afraid. Let's go to the mayor's [office] (l. 17). We'll see what he will say.

PRONONCIATION

ou

Contrast English *coo* with French *coup*. The French vowel, as usual, is shorter, more clipped, and is produced with more muscular tension.

CONTRAST

English	French
to	tout
boo	bout
sue	sous

REPEAT

louer; boulot; où; amour; ouvrage; tour; couleur; debout; fripouille; souvenir

Contrast French *ou* and French *u*. The lips are rounded for both vowels, but for *u* the tongue is forward.

CONTRAST

ou	*u*
tout	tu
vous	vu
pour	pur
bout	bu
sous	su
court	cure
fou	fut

Spelling: ou (or *où*) is the only spelling for this sound.

Review Lesson II
Review of Lessons 7-12

VOCABULARY AND IDIOMS

TRANSLATE:

1. I can't help it. (9) C'est plus fort que moi.
2. What's this business all about? (11) Qu'est-ce que c'est que cette histoire?
3. You can say that again! (12) Tu peux le dire!
4. That's the limit! (12) Ça, c'est un comble!
5. to prefer a charge (12) déposer une plainte
6. They get paid (i.e., they get someone to pay them). (10) Ils se font payer.
7. I've been robbed! (11) On m'a cambriolé!
8. so what? (7) et après?

REPLACE THE EXPRESSIONS IN ITALICS BY A SYNONYM.

1. *rire* (colloq.) (7) rigoler
2. *au travail* (colloq.) (7) au boulot
3. *le visage* (colloq.) (7) la gueule
4. *dépêchons-nous hâtons-nous* (colloq.) (10) filons
5. *Comme* j'ai peur! (7) ce que
6. *Regardez* ce livre. (8) jetez un coup d'œil sur
7. *voler ce qu'il y a dans* une villa (7) cambrioler
8. *informer à l'avance* (7) prévenir
9. *le courage* (8) le sang-froid
10. pris *de court* (9) à l'improviste
11. venant à son *aide* (8) secours

106

12. Rien *n'est aussi utile qu'*une   ne vaut
    bonne visite. (8)

13. Il *n'en a aucune idée.* (8)   n'en sait rien

14. *la personne qui loue une mai-*   le locataire
    son (9)

15. *comme quelqu'un qui a la*   fébrilement
    fièvre (9)

16. les bras *pleins* de paquets (10)   encombrés

17. *sous l'influence de l'alcool*   ivre
    (11)

18. une villa que nous *avons*   venons de louer
    louée tout récemment (11)

19. Vous avez *aidé* au cambrio-   prêté la main
    lage! (12)

20. Je *ne trouve aucun plaisir à*   n'ai pas le cœur à l'ouvrage.
    mon travail. (7)

21. Allez vous *renseigner.* (8)   rendre compte

22. *Ne vous inquiétez pas.* (9)   Soyez tranquille(s).

23. Vous *venez au bon moment.*   tombez bien
    (9)

24. *Montez dans la voiture!* (10)   En voiture!

25. *J'en serai responsable.* (10)   Je m'en charge.

26. *Nous sommes toujours con-*   Il est toujours le bienvenu.
    tents de l'accueillir. (10)

27. *Cette affaire m'occupera pen-*   J'en ai pour cinq minutes.
    dant cinq minutes. (10)

28. Je *ne m'en soucie pas.* (7) (col- m'en fiche
    loq.)

29. On avait écrit sur *le placard:*   l'écriteau
    A Louer Meublé. (7)

30. Quelle était *l'occupation* de   le métier
    Dédé? (7)

31. Tubeuf n'est pas un homme   commode
    facile à vivre. (7)

32. *Le comportement* de Dédé est   la tenue
    abominable. (8)

33. Dédé est un homme *qui hésite.*   indécis
    (9)

34. Ils seront des locataires *atten-* soigneux
    tifs aux soins du ménage. (9)

35. Je suis effrayé. Mes jambes *s'écroulent.* se dérobent

36. Jojo est *terrorisé.* (12) affolé

37. Prentout a aidé les voleurs; c'est ça qui *lui fait peur.* (12) est effrayant

38. Il aurait dû *le soupçonner.* (12) s'en douter

39. D'après Hortense, Prentout les a mis dans *une situation très embarrassante.* (12) le pétrin

40. Dans la vie il ne faut pas oublier l'importance de *l'élé-ment qu'on ne saurait prévoir.* (10) l'imprévu

41. Prentout s'élance pour les *aider.* (10) soulager

42. Vous *affirmez* que vous êtes propriétaire. (11) prétendez

43. Mais alors, qui étaient ces deux jeunes hommes? *C'est la question que je me pose.* (11) Je me le demande.

44. la voix *à peine audible* (8) éteinte

45. *rapidement* (8) vivement

46. Quel serait *le loyer?* (8) les conditions

47. *la petite horloge* qu'on met souvent sur la cheminée (10) la pendule

48. *changer de domicile* (10) déménager

49. *la personne que l'hôte ac-cueille* (10) l'invité

50. *s'élancer* (10) se précipiter

51. tout le monde *sauf* lui (10) à part

52. *le contraire de plein* (11) vide

53. Cela, *à la rigueur, je l'accepte,* mais . . . (12) passe encore

54. C'est vraiment trop *stupide!* (12) bête

55. *un homme malhonnête, sans scrupules* (12) une fripouille

ANSWER BRIEFLY THE FOLLOWING QUESTIONS.

1. Selon Dédé, pourquoi doivent- pour aérer
   ils encore venir de temps en
   temps à la villa? (8)
2. Par quoi Dédé rattrape-t-il Jojo   par le col de son veston
   quand celui-ci sent ses jambes
   se dérober sous lui? (8)
3. Où se trouvait la lourde pen-   sur la cheminée
   dule que Prentout a emportée?
   (10)
4. Dans quelle direction Prentout   Il recule.
   se dirige-t-il quand il entend
   les menaces de Tubeuf? (12)
5. Quel geste poli les cambrio-   Ils s'inclinent.
   leurs font-ils quand ils disent
   au revoir à Hortense? (10)

NEW GRAMMAR

1. Verbs

Give the *je* and *nous* forms of the present of the following verbs, and
also the *ils* form of the verbs with an asterisk.

appartenir*	j'appartiens, nous appartenons, ils appartiennent
asseoir	je m'assieds, nous nous asseyons
battre	je bats, nous battons
boire*	je bois, nous buvons, ils boivent
connaître	je connais, nous connaissons
craindre	je crains, nous craignons
déplaire	je déplais, nous déplaisons
devoir*	je dois, nous devons, ils doivent
écrire	j'écris, nous écrivons
mentir	je mens, nous mentons
se plaindre	je me plains, nous nous plaignons
pouvoir*	je peux, nous pouvons, ils peuvent
prendre*	je prends, nous prenons, ils prennent

recevoir*	je reçois, nous recevons, ils reçoi-vent
tenir*	je tiens, nous tenons, ils tiennent
valoir	je vaux, nous valons
venir*	je viens, nous venons, ils viennent
vivre	je vis, nous vivons
vouloir*	je veux, nous voulons, ils veulent

2. Pluperfect (64)

I had spoken.	J'avais parlé.
I had got up.	Je m'étais levé.
I had left.	J'étais parti.

3. Future (35A, B)

Review the twelve irregular futures listed on page 104.

4. *Faire* + infinitive

He had the villa built.	Il a fait construire la villa. (33A)
He had the villa built for himself.	Il s'est fait construire la villa. (76B)
He had it built.	Il l'a fait construire. (33B)

5. Familiar form (34)

| You remember. | Tu te rappelles. |
| Your brother is coming with you. | Ton frère vient avec toi. |

6. Possessive adjectives (65)

my book, my books	mon livre, mes livres
my daughter, my daughters	ma fille, mes filles
my pupil (f.), my pupils (f.)	mon élève, mes élèves
his villa, her villa	sa villa, sa villa
his friends, her friends	ses amis, ses amis

our friend, our friends	notre ami, nos amis
your friend, your friends	votre ami, vos amis
your friend, your friends	ton ami, tes amis
their villa, their villas	leur villa, leurs villas

7. Interrogative pronoun *lequel* (47B)

Which of these boys do you know?	Lequel de ces garçons connaissez-vous?

8. Interrogative word order

When are they going to leave?	Quand vont-ils partir? (45A.3)
Are the Prentouts going to leave?	Les Prentout vont-ils partir? (45B)

9. Stressed pronouns (79); Agreement (10)

I am the one who rang.	C'est moi qui ai sonné.
He is the one who rang.	C'est lui qui a sonné.
She is the one who rang.	C'est elle qui a sonné.
We are the ones who rang.	C'est nous qui avons sonné.
You are the ones who rang.	C'est vous qui avez sonné.
They are the ones who rang.	Ce sont eux qui ont sonné.

10. Adverbs (6C)

adjective	*adverb*
évident	évidemment
élégant	élégamment

11. Negatives

They are not afraid.	Ils n'ont pas peur. (48A)
They are never afraid.	Ils n'ont jamais peur. (48A)
They aren't afraid any more.	Ils n'ont plus peur. (48A)
They aren't afraid of anyone.	Ils n'ont peur de personne. (48C)

They aren't afraid of anything.   Ils n'ont peur de rien. (48C)
I didn't hear anyone.   Je n'ai entendu personne. (48C)
I didn't hear anything.   Je n'ai rien entendu. (48C)
Nothing frightens Dédé.   Rien ne fait peur à Dédé. (48C)
Nobody frightens Dédé.   Personne ne fait peur à Dédé. (48C)

12. Definite article (13C)

He raises his hand.   Il lève la main. (Ex. D, p. 76)
He washes his hands.   Il se lave les mains. (Ex. F, p. 77)
I wash his hands.   Je lui lave les mains. (Ex. F, p. 77)
His nose is red.   Il a le nez rouge. (Ex. E, p. 77)

REVIEW GRAMMAR

Points of grammar from previous review lessons that were drilled again in the chapters covered by the current review lesson are listed under Review Grammar. For points covered extensively, the reference given in parentheses is to the review lesson in which they were first reviewed. For single points of grammar, such as the partitive *de* after negatives, or *le, la, les* as direct object pronouns, the reference is to the Grammatical Appendix.

1. Verbs (Review Lesson I)
2. *Imparfait* (Review Lesson I)
3. Direct object pronouns (55)
4. The partitive *de* (18A)

13

Ondine [I]
Jean Giraudoux

Ondine est une pièce de Jean Giraudoux, tirée° d'une vieille légende germanique qui raconte l'amour d'une ondine° et d'un chevalier.°

     ⁵ Ondine a quinze ans. Elle n'a ni père ni mère; un vieux pêcheur° et sa femme l'ont adoptée.

    Voici le début de la pièce:

    [ACTE PREMIER: *Une cabane de pêcheurs.*
¹⁰ *Orage*° *au dehors. Le vieil Auguste. La vieille Eugénie.*]

AUGUSTE: [*A la fenêtre.*] Que peut-elle bien faire encore au dehors dans ce noir!°

EUGÉNIE: Pourquoi t'inquiéter?° Elle voit
¹⁵ dans la nuit.

AUGUSTE: Par cet orage!

EUGÉNIE: Comme si tu ne savais plus que la pluie ne la mouille° pas!

AUGUSTE: Nous sommes trop faibles avec
²⁵ elle, Eugénie. Une fille de quinze ans ne doit pas courir les forêts° à pareille heure.° Je vais lui parler sérieusement.

EUGÉNIE: Est-ce qu'elle ne m'aide pas dans le ménage?°

³⁰ AUGUSTE: Il y a beaucoup à dire là-dessus.¹

tirer to draw

une ondine water-sprite
le chevalier knight

le pêcheur fisherman

un orage storm

dans le noir in the dark
s'inquiéter to worry

mouiller to wet

courir les forêts to go running around in the forest
à pareille heure at such an hour

le ménage housework

---

¹*Il y a beaucoup à dire là-dessus*—I'm not so sure about that.

113

EUGÉNIE: Que prétends-tu encore? Elle ne
lave pas les assiettes?° Elle ne cire° pas
les souliers?

une assiette plate
cirer to wax ; polish

AUGUSTE: Justement. Je n'en sais rien.

35 EUGÉNIE: Elle n'est pas propre, cette assiette?

AUGUSTE: Ce n'est pas la question. Je te dis
que je ne l'ai jamais vue ni laver ni cirer.
. . . Toi non plus.° . . .

toi non plus neither have you

40 EUGÉNIE: Elle préfère travailler dehors. . . .

AUGUSTE: Oui, oui! Mais qu'il y ait² trois
assiettes ou douze, un soulier° ou trois
paires, cela dure le même temps. Une
minute à peine,° et elle revient. Le tor-
45 chon° n'a pas servi, le cirage° est intact.
Mais tout est net, mais tout brille.° . . .

le soulier shoe

à peine hardly

le torchon dishrag
le cirage shoe polish
briller to shine

LE CONTENU

1. Où Giraudoux a-t-il trouvé le sujet de cette pièce?
2. Qu'est-ce qu'elle raconte?
3. Qui est Ondine?
4. Qui sont Auguste et Eugénie?
5. Où se passe l'action? Quel temps fait-il?
6. Qu'est-ce qu'Auguste se demande?
7. Pourquoi Eugénie n'est-elle pas inquiète?
8. Selon Auguste, comment Eugénie et lui ont-ils échoué (*failed*) dans leur devoir?
9. Qu'est-ce qu'Auguste va faire?
10. Que dit Eugénie pour défendre Ondine?
11. Auguste trouve-t-il que c'est un bon argument?
12. Comment est-ce qu'Ondine aide dans le ménage, selon Eugénie?
13. Qu'est-ce qu'elle montre à Auguste pour prouver qu'Ondine l'a aidée?
14. Quelle objection Auguste fait-il encore?
15. Comment Eugénie y répond-elle?
16. Quels arguments Auguste trouve-t-il encore?

²*qu'il y ait*—whether there are.

LE SENS

Comment les remarques générales suivantes sur Giraudoux s'appliquent-elles au début d'*Ondine* en particulier?

1. Les pièces de Giraudoux évoquent un monde de fantaisie et de rêve d'où, cependant, les humbles réalités de la vie de tous les jours ne sont pas exclues.
2. Giraudoux utilise fréquemment le thème du paradis terrestre où règne une propreté et un ordre parfaits.

DIALOGUE

A. Auguste explique à Eugénie pourquoi il est fâché contre Ondine.
B. Eugénie la défend en lui demandant si Ondine ne l'aide pas dans le ménage.
A. Auguste exprime des doutes à ce sujet.
B. Eugénie mentionne les assiettes qu'elle lave, les souliers qu'elle cire.
A. Auguste dit qu'il ne l'a jamais vue faire ces choses-là.
B. Eugénie dit que c'est parce qu'elle préfère travailler dehors, et qu'il ne devrait pas s'inquiéter.

ETUDE DE MOTS

1. *qu'il y ait trois assiettes ou douze* — whether there are three plates or twelve

qu'il fasse beau, qu'il fasse mauvais — rain or shine

Qu'il vienne ou non, cela m'est indifférent. — I don't care whether he comes or not.

Qu'on y aille seul ou bien avec d'autres personnes, on est sûr de s'amuser. — Whether you go alone or with others, you are sure to have a good time.

Qu'on prenne son temps ou qu'on se hâte, on finit toujours par arriver. — Whether you hurry or take your time, you get there sooner or later.

2. *faire le ménage*   do the housework
   un jeune ménage   a young couple
   la ménagère   the housekeeper
   déménager   to move (out)
   emménager   to move (in)

EXERCICES

Negatives (48D)

A.

LE PROFESSEUR: Elle n'a pas de père. Elle n'a pas de mère.
L'ÉTUDIANT: Elle n'a ni père ni mère.

Ni . . . ni . . . (neither . . . nor . . .) précèdent les mots qu'ils modifient. Après *ni . . . ni . . .* on omet l'article partitif. *Ne* précède le verbe. *Pas* est omis.

1. Elle n'a pas de torchon. Elle n'a pas de cirage.
2. Elle n'a pas de frères. Elle n'a pas de sœurs.
3. Je ne veux pas d'asperges. Je ne veux pas de haricots.

☐

4. Il ne boit pas de café. Il ne boit pas de thé.
5. Vous n'emportez pas de paquets? Vous n'emportez pas de pendules?

B.

LE PROFESSEUR: Le vieil Auguste ne la comprend pas. La vieille Eugénie ne la comprend pas.
L'ÉTUDIANT: Ni le vieil Auguste ni la vieille Eugénie ne la comprennent.

1. Les assiettes ne sont pas propres. Les souliers ne sont pas propres.
2. Le lac ne la mouille pas. La pluie ne la mouille pas.
3. Les orages ne lui font pas peur. Les forêts ne lui font pas peur.
4. Le cirage n'a pas servi. Le torchon n'a pas servi.

C.

LE PROFESSEUR: Je ne l'ai jamais vue laver. Je ne l'ai jamais vue cirer.
L'ÉTUDIANT: Je ne l'ai jamais vue ni laver ni cirer.
LE PROFESSEUR: Elle n'a pas obéi à Auguste. Elle n'a pas obéi à Eugénie.
L'ÉTUDIANT: Elle n'a obéi ni à Auguste ni à Eugénie.

1. Je ne l'ai jamais vue pleurer. Je ne l'ai jamais vue rire.
2. Je ne l'ai jamais vue se coucher. Je ne l'ai jamais vue se lever.
3. Nous ne pouvons pas avancer. Nous ne pouvons pas reculer.

□

4. Elle n'a pas lavé. Elle n'a pas ciré.
5. Elle ne s'est pas cachée dans la forêt. Elle ne s'est pas cachée dans le lac.
6. Je ne le trouve pas bon. Je ne le trouve pas mauvais.

Articles (13B)

D.

LE PROFESSEUR: Eugénie est vieille.
L'ÉTUDIANT: On l'appelle la vieille Eugénie.
LE PROFESSEUR: Fabrice est jeune.
L'ÉTUDIANT: On l'appelle le jeune Fabrice.

L'article défini s'emploie devant un adjectif qui précède un nom propre.

1. Ondine est jolie.
2. Hortense est belle.
3. Charles est grand.

4. Jojo est gros.
5. Toto est petit.
6. Fabrice est gentil.

□

Adjectives (1–2)

E.

LE PROFESSEUR: Ce petit bâtiment (cabane).
L'ÉTUDIANT: Cette petite cabane.

Dans cet exercice on substitue un nom féminin au nom masculin; les deux mots modifiant le nom changent de forme au féminin.

1. ce beau chevalier (ondine)
2. un bon pêcheur (ménagère)
3. ce poisson délicieux (truite)
4. un livre français (pièce)
5. ce conte allemand (légende)
6. son vieux père (mère)
7. le lourd bureau (pendule)
8. mon fils adoptif (fille)
9. ce langage familier (expression)
10. le tableau rond (table)
11. son fou rire (imprudence)
12. le professeur mécontent (cliente)
13. son sang-froid parfait (tenue)

F.

Dans cet exercice on substitue un nom féminin au nom masculin; au moins un des mots modifiant le nom est prononcé ou écrit de la même façon au masculin qu'au féminin. (Pour l'emploi de *cet, cette* voir **29A**; pour *mon, ton, son* voir **65**.)

1. cet écriteau blanc (villa)
2. cet enfant terrible (femme)
3. cet orage formidable (tempête)
4. cet intérêt vif (réponse)
5. son verre plein (assiette)
6. son sentiment trop fort (émotion)
7. son haricot vert (amande)
8. son ennui visible (inquiétude)
9. son sourire gracieux (attitude)
10. mon cher Auguste (Eugénie)
11. le bel Auguste (Eugénie)
12. le vieil Auguste (Eugénie)
13. un torchon net (table)
14. un état normal (situation)

G.

Dans cet exercice on substitue un nom masculin au nom féminin; au moins un des mots modifiant le nom change de forme au masculin.

1. cette belle ondine (chevalier)
2. cette bonne ménagère (pêcheur)
3. cette truite délicieuse (poisson)
4. cette pièce française (livre)
5. cette légende allemande (conte)
6. sa vieille mère (père)
7. son assiette pleine (verre)
8. ma chère Eugénie (Auguste)
9. ma fille adoptive (fils)
10. cette lourde pendule (bureau)

□

11. cette expression familière (langage)
12. la table ronde (tableau)
13. sa folle imprudence (rire)
14. son attitude gracieuse (sourire)
15. cette cliente mécontente (professeur)
16. son émotion trop forte (sentiment)
17. sa tenue parfaite (sang-froid)
18. cette villa blanche (écriteau)
19. son amande verte (haricot)

SUJET DE COMPOSITION

Vous êtes une jeune fille comme les autres. Expliquez la différence entre votre vie et celle d'une ondine. Qu'est-ce qui vous arrive quand vous faites le ménage, quand vous sortez la nuit, etc.?

THEME D'IMITATION

In legends there are often people (*des gens*) like old Auguste and old Eugénie (ll. 10–11). They have a hut in the forest. The man works in the forest, or he is a fisherman; the woman does the housework, washes the dishes, shines the shoes. They are honest, quiet, careful (ll. 11–13, p. 71). Everything is spotless in the hut; everything shines (l. 46). But they have a son or a daughter who doesn't look like them (See **67C** and **56**). It (**22B**) is a boy or a girl they have adopted. In this legend it is an ondine who loves rain and storms and who is always outside. The old fisherman worries (l. 14). He says he is going to have a serious talk with her (l. 27).

PRONONCIATION

Open o

Contrast the open o in French *bonne* with English *bun*. The sounds are quite similar but the tongue is farther back in the French vowel.

CONTRAST

English	French
mutt	motte
mud	mode
cud	code
sun	sonne

REPEAT

voleur	emportent	commode
homme	sonnette	comme
sorte	moque	téléphone

Note that open *o* is always followed by a pronounced consonant. It contrasts with closed *o* which is often (but not always) the final sound in a word. (See Lesson 6.)

CONTRAST

Closed *o*	Open *o*
nos	notre
hôte	hotte
sot	sotte
mot	moque
beau	bol

Be careful to pronounce open *o* correctly in cognates, where force of habit sometimes produces the English rather than the French sound.

REPEAT

à la mode; le télescope; l'antilope; le téléphone; je développe; le code

Spelling: *o* in most words; *au* in a few words: Paul, Maurice

14

Ondine [II]

Jean Giraudoux

Soudain un chevalier se présente à la porte de la cabane.

LE CHEVALIER: Je me suis permis de mettre mon cheval dans votre grange.° Le *la grange* barn
5 cheval, comme chacun° sait, est la part *chacun* everyone
la plus importante du chevalier. . . . Je peux m'asseoir?

AUGUSTE: Vous êtes chez vous, seigneur.° *le seigneur* lord

LE CHEVALIER: Quel orage! Depuis midi,
10 l'eau me ruisselle° dans le cou.¹ C'est ce *ruisseler* to run; trickle
que nous craignons le plus en armure,° *l'armure (f.)* armor
nous autres, chevaliers. . . . La pluie. . . .
La pluie, et une puce.° *la puce* flea

Le chevalier s'assied. Eugénie va dans la
15 cuisine lui préparer une truite au bleu.² Ondine entre.

ONDINE: [*De la porte où elle est restée immobile.*] Comme vous êtes beau!

AUGUSTE: Que dis-tu, petite effrontée?° *effronté* impudent
20 ONDINE: Je dis: comme il est beau!

¹*l'eau me ruisselle dans le cou*—water has been streaming down my neck.
²*Truite au bleu*—trout cooked alive in boiling water; said to preserve the delicacy of the flavor better than any other cooking method, and therefore prized by gourmets.

AUGUSTE: C'est notre fille, seigneur. Elle
n'a pas d'usage.³

ONDINE: Je dis que je suis bien heureuse
de savoir que les hommes sont aussi
²⁵ beaux. . . . Mon cœur n'en bat plus.⁴ . . .

AUGUSTE: Vas-tu te taire!°   *se taire* to be quiet

ONDINE: J'en frissonne!°   *frissonner* to shiver

AUGUSTE: Elle a quinze ans, chevalier,
Excusez-la. . . .

³⁰ ONDINE: Je savais bien qu'il devait y avoir
une raison pour être fille. La raison est
que les hommes sont aussi beaux. . . .

AUGUSTE: Tu ennuies° notre hôte.⁵ . . .   *ennuyer* to bore; bother

ONDINE: Je ne l'ennuie pas du tout. . . . Je
³⁵ lui plais. . . . Vois comme il me regarde.
. . . Comment t'appelles-tu?

AUGUSTE: On ne tutoie° pas un seigneur,   *tutoyer* to say *tu* to
pauvre enfant!

LE CHEVALIER: Je m'appelle Hans. . . .

⁴⁰ [*Eugénie revient avec son plat.*⁶]

LE CONTENU

1. Qui voit-on à la porte?
2. Qu'est-ce que le chevalier s'est permis de faire?
3. Que dit-il au sujet du cheval?
4. Que dit Auguste pour lui indiquer qu'il est le bienvenu chez eux?
5. Pourquoi le chevalier n'aime-t-il pas l'orage?
6. Les chevaliers, que pensent-ils de la pluie et des puces? Pourquoi?
7. Que fait Eugénie?
8. Que fait Ondine quand elle voit le chevalier? Que dit-elle?
9. Que dit Auguste à Ondine? Et au chevalier?
10. Quel effet la vue du chevalier a-t-elle sur Ondine?
11. Quel âge a-t-elle? Semble-t-elle avoir vu beaucoup d'hommes?

³*avoir de l'usage*—to know the ways of society; to be well-bred.
⁴*Mon cœur n'en bat plus*—It makes my heart stop beating.
⁵Here, *hôte* means "guest." It may also mean "host."
⁶*le plat*—dish (contents of). Do not confuse with *assiette*, which means "dish" in the
sense of "container."

12. Elle dit qu'elle a découvert quelque chose. Qu'est-ce qu'elle a découvert?
13. Comment sait-elle qu'elle n'ennuie pas le chevalier?
14. Pourquoi ne devrait-elle pas lui dire «comment t'appelles-tu?»
15. Comment s'appelle-t-il?

LE SENS

1. Caractérisez le chevalier. Comparez-le au personnage convention-nel dans les légendes, «the knight in shining armor.»
2. Ondine et Hans semblent-ils appartenir à deux mondes différents? Comment leur expérience de la pluie diffère-t-elle? Quelle significa-tion y voyez-vous?

DIALOGUE

A. Ondine dit à Hans qu'il est beau.
B. Auguste dit à Hans que c'est leur fille et qu'elle n'a pas d'usage.
A. Ondine dit qu'elle est heureuse de savoir que les hommes sont beaux et explique l'effet que cela a sur elle.
B. Auguste dit à Hans quel âge elle a, et lui demande de l'excuser.
A. Ondine dit qu'elle a trouvé la raison pour être fille, et explique quelle est cette raison.
B. Auguste lui dit de se taire.

ETUDE DE MOTS

1. *nous autres chevaliers* — we knights
   nous autres Américains — we Americans
   vous autres Français — you French
   nous autres étudiants — we students
   vous autres professeurs — you professors
2. *J'en frissonne.* — It makes me tremble. *En* sometimes means "because of it," referring to no definite ante-cedent.

J'en ai la chair de poule.	It gives me goose pimples.
Ils trouvent un chevalier à la porte; ils en sont tout étonnés.	They find a knight at the door; they are quite astonished by this.
Mon cœur n'en bat plus.	It makes my heart stop beating.

EXERCICES

Comparative and superlative forms (26)

A.

LE PROFESSEUR: Ondine et Eugénie: Ondine + belle.
L'ÉTUDIANT: Ondine est plus belle qu'Eugénie.
LE PROFESSEUR: Eugénie − jolie.
L'ÉTUDIANT: Eugénie est moins jolie qu'Ondine
LE PROFESSEUR: Ondine = grande.
L'ÉTUDIANT: Ondine est aussi grande qu'Eugénie.

1. Ondine = intelligente
2. Ondine − âgée

3. Eugénie + sage
4. Eugénie + sérieuse

☐

5. Eugénie = charmante
6. Ondine − polie

7. Ondine − vieille
8. Eugénie + sympathique

B.

LE PROFESSEUR: Ondine, Eugénie et Auguste. Ondine + belle.
L'ÉTUDIANT: Ondine est la plus belle.
LE PROFESSEUR: Auguste − sentimental.
L'ÉTUDIANT: Auguste est le moins sentimental.

1. Ondine − sérieuse
2. Eugénie + vieille

3. Auguste + inquiet

☐

4. Ondine + indépendante
5. Auguste − commode

6. Ondine + difficile à comprendre

C.

LE PROFESSEUR: La truite au bleu est un *plat*.
L'ÉTUDIANT: La truite au bleu est un bon plat.
LE PROFESSEUR: Le chevalier est *servi*.
L'ÉTUDIANT: Le chevalier est bien servi.

Bon est un adjectif. Les adjectifs modifient les noms. *Bien* est un adverbe. Les adverbes modifient les verbes, les adjectifs, ou les autres adverbes. Le mot à modifier dans cet exercice est en italique. L'adverbe suit le verbe, mais précède le participe passé.

1. Celle-ci est une *villa*.
2. Elle est *construite*.

3. *J'aime* cette villa.
4. Celle-ci est une *pièce*.

□

5. Giraudoux *écrit*.
6. La pièce est *écrite*.

7. Si nous étions dans un *restaurant* on nous servirait un *vin*.
8. Nous *mangerions*.

D.

LE PROFESSEUR: La truite au bleu est un *plat*.
L'ÉTUDIANT: La truite au bleu est un meilleur plat.
LE PROFESSEUR: Le chevalier est *servi*.
L'ÉTUDIANT: Le chevalier est mieux servi.

Le comparatif de *bon* est *meilleur*; le comparatif de *bien* est *mieux*. Puisque la traduction des deux mots est la même (*better*), il faut faire attention de ne pas les confondre. Refaites l'Exercice C en suivant le modèle ci-dessus.

E.

LE PROFESSEUR: La truite au bleu est un *plat*.
L'ÉTUDIANT: La truite au bleu est le meilleur plat.
LE PROFESSEUR: Le chevalier est *servi*.
L'ÉTUDIANT: Le chevalier est le mieux servi.

Le superlatif de *bon* est *le meilleur*; le superlatif de *bien* est *le mieux*. Refaites l'Exercice C en suivant le modèle ci-dessus.

REVISION DES VERBES

Infinitive (42)

F.

LE PROFESSEUR: Il y a une raison. (*There is a reason.*)
L'ÉTUDIANT: Il doit y avoir une raison. (*There must be a reason.*)

Commencez chaque phrase par: Il doit (*ou* Elle doit) + infinitif.
Les infinitifs repassés dans cet exercice sont:

s'appeler	être
s'asseoir	plaire
avoir	revenir
ennuyer	savoir

1. Il est beau.
2. Il s'assied.
3. Elle a quinze ans.
4. Elle l'ennuie.
5. Mais non, elle lui plaît.
6. Il s'appelle Hans.
7. Elle revient.
8. Il y a une truite sur l'assiette.
9. Il le sait.

Present of verbs not ending in -er (72D)

G.

LE PROFESSEUR: Je m'assieds.
L'ÉTUDIANT: Vous vous asseyez? Tant mieux! (*ou* Tant pis!)

Vous avez déjà repassé dans Review Lesson II, tous les verbes de cet exercice sauf:

je me sens—vous vous sentez
je sors—vous sortez
je me tais—vous vous taisez

1. Je vis dans la forêt.
2. Je nage comme un poisson.
3. Je me tais.
4. Je crains la pluie.
5. Je me plains du temps.
6. Je m'ennuie.
7. Je prépare une truite.
8. Je prends l'assiette.
9. Je sers la truite.
10. Je me sens mieux.
11. Je dois sortir.
12. Je sors.
13. Mais je reviens.

SUJET DE COMPOSITION

Auguste parle sérieusement à Ondine. Il lui dit ce qu'il faut dire et ce qu'il ne faut pas dire quand on rencontre un chevalier, et lui donne d'autres conseils.

THEME D'IMITATION

Auguste is astonished (l. 4, p. 89) by what Ondine says to the knight. He tells her to keep quiet (l. 26) and asks (67B) the knight to excuse her. But, as everyone knows (l. 5), when you (on) say to a man, "How handsome you are!" (l. 18) you are not boring him. Ondine is only fifteen years old, she has no familiarity with the ways of society (l. 22), but she knows that when she addresses a lord in the familiar form (l. 37), she isn't boring him. Giraudoux liked the situation in which a young girl says to a man "How handsome you are!" He comes back to it (57) in L'Apollon de Bellac.

PRONONCIATION

Ou + **vowel**

The letters *ou* + vowel form a single syllable. The *ou* represents a sound similar to English *w* but the change of articulatory position from the *w* to the vowel following is much more rapid in French.

REPEAT

louer; jouer; Louis; oui; ouest

The spelling *oi* represents the *w* sound followed by the sound which is usually represented by *a*.

REPEAT

toi; moi; bois; soir; voir; tutoie; savoir

The spelling *oin* represents the *w* sound followed by nasal *in*.

REPEAT

loin; moins; coin; point

u + **vowel**

The letter *u* + vowel forms a single syllable. The articulatory position is the same as for final *u* or *u* + consonant, but just as in *ou* + vowel, the change of position to the vowel following is very rapid.

CONTRAST *u* WITH *u* + VOWEL.

nu	nuage
tu	tué
su	suer

The spelling *ui* represents *u* followed by *i* (*i* is the vowel which most frequently follows *u*).

CONTRAST *u* WITH *ui*.

lu	lui
nu	nuit
su	suis

CONTRAST *ou* + VOWEL WITH *u* + VOWEL.

Louis	lui
bouée	buée
nouage	nuage

REPEAT

truite; fruit; ennuie; cuire; pluie; cuiller; huit; ensuite; ruisselle
Spelling: As indicated, but note that *u* after *g* simply indicates that the *g* is hard. Like the *u* following *q* it does indicate a sound itself. Thus *gué* and *gai* are homonyms.

15

Ondine [III]

Jean Giraudoux

EUGÉNIE: Voici votre truite au bleu, seigneur. Mangez-la. Cela vous vaudra
mieux° que d'écouter notre folle.° . . .

cela vous vaudra mieux it will be better for you
la folle crazy girl

ONDINE: Sa truite au bleu!

5 LE CHEVALIER: Elle est magnifique!

ONDINE: Tu as osé° faire une truite au bleu,
mère! . . .

oser to dare

EUGÉNIE: Tais-toi. En tout cas, elle est
cuite.° . . .

cuit cooked

10 ONDINE: O ma truite chérie, toi qui depuis
ta naissance° nageais° vers l'eau froide!

la naissance birth
nager to swim

AUGUSTE: Tu ne vas pas pleurer pour une
truite!

ONDINE: Ils se disent mes parents. . . . Et ils
15 t'ont prise. . . . Et ils t'ont jetée vive dans
l'eau qui bout!¹

LE CHEVALIER: C'est moi qui l'ai demandé,
petite fille.

ONDINE: Vous? J'aurais dû m'en douter. . . .
20 A vous regarder de près tout se devine.°
. . . Vous êtes une bête° n'est-ce pas?

tout se devine it's all so obvious
deviner to guess
la bête beast

EUGÉNIE: Excusez-nous, seigneur!

ONDINE: Vous ne comprenez rien à rien,²
n'est-ce pas? C'est cela la chevalerie, c'est
25 cela le courage! . . . Vous cherchez des

¹This is the third-person singular, present-tense form of *bouillir* ("to boil").
²*ne rien comprendre à rien*—not to understand a thing.

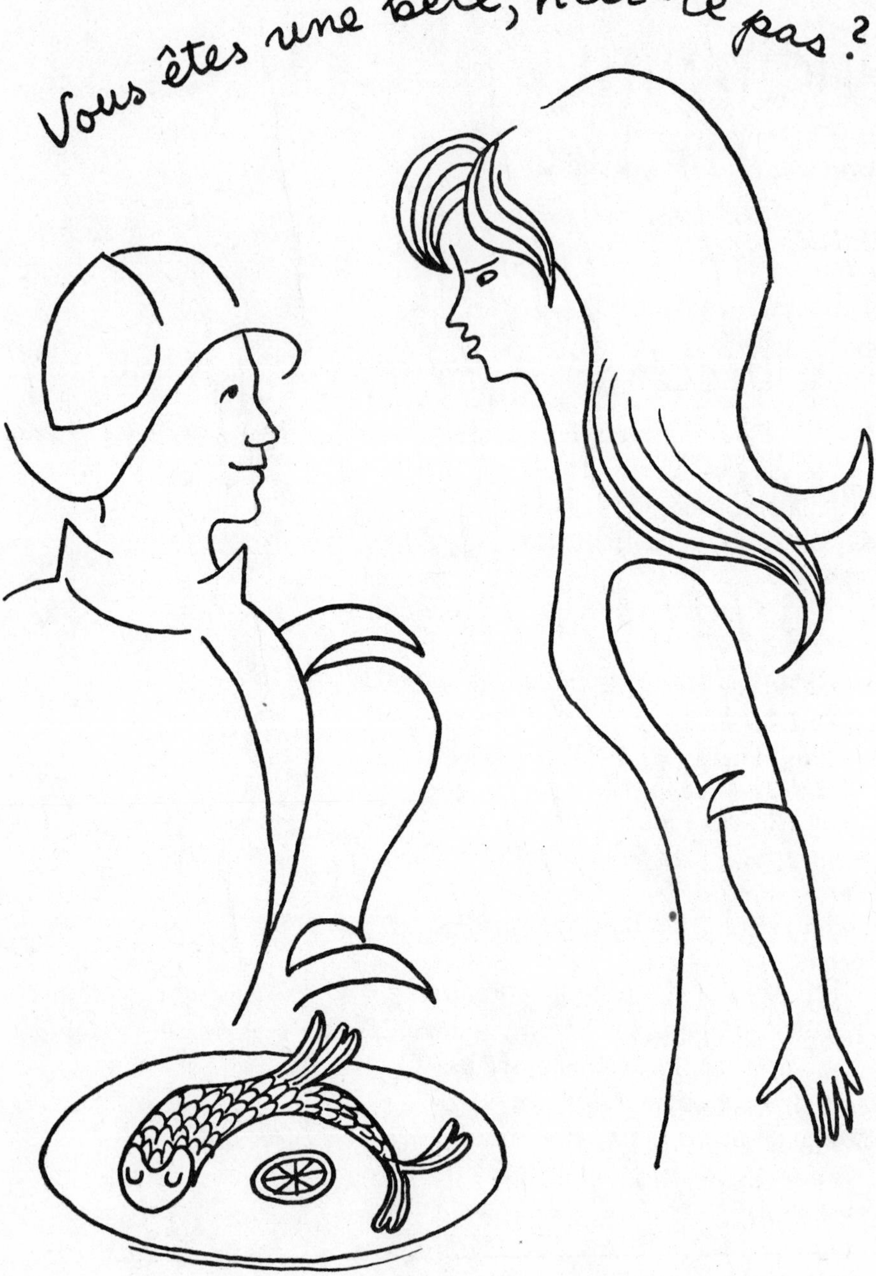
Vous êtes une bête, n'est-ce pas?

géants qui n'existent point,° et si un petit **ne ...point** not at all
être vivant saute dans l'eau claire, vous
le faites cuire au bleu!
  LE CHEVALIER: Et je le mange, mon enfant!
80 Et je le trouve succulent!
  ONDINE: Vous allez voir comme il est suc-
    culent. . . . [*Elle jette la truite par la
    fenêtre.*] Mangez-le maintenant. . . .
    Adieu. . . .
35 EUGÉNIE: Où t'en vas-tu° encore, petite! **s'en aller** to go away
  ONDINE: Il y a là, dehors, quelqu'un qui
    déteste les hommes et veut me dire ce
    qu'il sait d'eux. . . . Toujours j'ai bouché° **boucher** to stop up
    mes oreilles, j'avais mon idée.[3] . . . C'est
40 fini, je l'écoute. . . .

LE CONTENU

1. Que dit Eugénie au chevalier au sujet de la truite?
2. Et que dit Ondine à sa mère adoptive?
3. De qui Ondine a-t-elle pitié?
4. Que dit Eugénie à Ondine pour la persuader d'accepter le fait accompli?
5. Selon Ondine, que faisait la truite depuis sa naissance?
6. Et comment la truite est-elle morte?
7. A qui Ondine en veut-elle[4] d'abord?
8. Qu'est-ce qu'ils ont fait de la truite?
9. Que dit le chevalier?
10. Comment Ondine lui répond-elle?
11. De quelle manière son opinion du chevalier a-t-elle changé?
12. Quelle opinion a-t-elle de sa chevalerie et de son courage?
13. Que dit-elle des géants qu'il cherche?
14. Selon Ondine, que font les chevaliers quand ils trouvent «un petit être vivant»?
15. Que fait Ondine pour punir le chevalier?
16. Qui va-t-elle retrouver dehors?

[3]*avoir son idée*—to have one's own idea.
[4]*en vouloir à* to be angry at

17. Qu'est-ce que cette personne va lui dire?
18. Pourquoi ne l'a-t-elle pas écoutée jusqu'à maintenant?

LE SENS

Discutez le rapport entre l'ondine et les humains. S'agit-il d'un conflit entre la civilisation et la nature? Lesquels des aspects suivants de ce conflit peut-on y retrouver?

a. Du côté de la civilisation et de la société: bon sens, gloire, plaisir gastronomique, cruauté, et illusions de l'homme.
b. Du côté de la nature: beauté, vivacité, pureté, innocence, acceptation de l'instinct, et refus de la connaissance qui corrompt (*corrupts*).

DIALOGUE

A. Eugénie apporte la truite au bleu à Hans et lui dit de la manger.
B. Ondine fait des reproches à sa mère.
A. Eugénie lui dit de se taire et explique pourquoi il est trop tard pour se lamenter.
B. Ondine parle à la truite. Elle lui dit pourquoi elle l'admire.

ETUDE DE MOTS

Imparfait (40B.3)

1. *Il nageait depuis sa naissance (mais maintenant il est mort).* He *had been swimming* since his birth (but now he is dead).

   Il nage depuis sa naissance. He *has been swimming* since his birth.

Je travaillais depuis septembre.	I had been working since September.
Il était fatigué parce que depuis le matin il traversait la forêt.	He was tired because he had been crossing the forest since morning.
2. *A vous regarder tout se devine.*	It's all so obvious now that I look at you.
A le voir, je comprends pourquoi vous ne l'aimez pas.	Now that I see him, I understand why you don't like him.
3. *Elle fait cuire la truite.*	She cooks the trout. (transitive)
La truite cuit.	The trout is cooking. (intransitive)
Elle fait la cuisine.	She cooks (i.e., does the cooking).
Similarly: *L'eau bout.*	The water boils. (intransitive)
Elle fait bouillir la truite.	She boils the trout. (transitive)

EXERCICES

A.

Répétez ces phrases en modifiant les mots en italique par l'adverbe *mal*, ou par l'adjectif *mauvais*, selon le cas.

1. C'est un *élève*.
2. Il *parle*.
3. Il a honte de ses *compositions.*
4. Il est *préparé.*

☐

5. Il *répond.*
6. C'est un *exemple* pour les autres.

B.

Répétez ces phrases en modifiant les mots en italique par l'adverbe *peu*, ou par l'adjectif *petit*, selon le cas. (Notez la différence entre *peu*, qui veut dire «little» «seldom», et *un peu*, qui veut dire «a little», «some».)

1. C'est une *pièce*.
2. Elle est *connue*.
3. On la *lit*.
4. Elle a eu un *succès*.

☐

5. Les *enfants* l'ont applaudie.
6. Les grandes personnes l'ont *appréciée.*

REVISION DES VERBES

Past participle (63); *Etre* verbs (32A, B)

C.

LE PROFESSEUR: Ils voient un chevalier.
L'ÉTUDIANT: Ils ont vu un chevalier.

Vous avez déjà repassé dans Review Lesson I, le passé composé des verbes réguliers en *-er*, *-ir*, et *-re* et de tous les verbes irréguliers dans l'exercice suivant sauf:

> s'asseoir—je me suis assis
> ouvrir—j'ai ouvert
> plaire—j'ai plu
> revenir—je suis revenu
> suivre—j'ai suivi
> voir—j'ai vu

1. Ondine part.
2. Auguste et Eugénie s'inquiètent.
3. On ne la voit jamais ni laver ni cirer.
4. Le torchon ne sert pas.
5. Le chevalier entre.
6. Il s'assied.
7. Ondine reste immobile.
8. Eugénie va dans la cuisine.
9. Ondine plaît au chevalier.
10. Elle le tutoie.
11. Eugénie ose faire une truite au bleu.
12. Ondine prend la truite.
13. Et elle la jette dans l'eau.
14. Hans ne comprend rien.
15. Ondine ouvre la porte.
16. Elle sort.
17. Le chevalier ne dit rien.
18. Il ne la suit pas.
19. Mais à la fin elle revient.

Pluperfect (64)

D.

LE PROFESSEUR: Ils voient un chevalier.
L'ÉTUDIANT: Ils avaient vu un chevalier.

Mettez les phrases de l'Exercice C au plus-que-parfait. Le plus-que-parfait indique un fait qui a eu lieu avant un autre fait passé. N'oubliez pas que certains verbes prennent l'auxiliaire *être*.

Use of present (73B)

E.

On emploie le présent pour exprimer une action qui a commencé dans le passé et qui continue dans le présent. Traduisez chacune des phrases suivantes en commençant votre phrase par «Depuis huit heures . . .». (Les mêmes verbes se trouvent dans l'Exercice G de la Leçon 14.)

1. I have been complaining.
2. I have been bored.
3. I have been preparing a trout.
4. I have been quiet.
5. I have been feeling better.
6. I have been swimming.

Imparfait **(40B.3)**

F.

On emploie l'imparfait pour exprimer une action qui a commencé dans le passé et qui a continué jusqu'au moment où un autre fait s'est produit. Traduisez chacune des phrases suivantes en commençant votre phrase par «Depuis huit heures».

1. I had been complaining.
2. I had been bored.
3. I had been preparing a trout.
4. I had been quiet.
5. I had been feeling better.
6. I had been swimming.

SUJET DE COMPOSITION

Ondine explique pourquoi elle aime les truites et pourquoi elle s'est mise en colère contre ses parents adoptifs et contre le chevalier.

THEME D'IMITATION

We have a difficult job (l. 21, p. 56), we fishermen (l. 12, p. 121). In this job you have to have your heart in your work (l. 27, p. 57). Rain or shine (*Etude de mots*, p. 115), we go out, and when I go out in the rain the water trickles down my neck (l. 10, p. 121) and the rain gets me wet (l. 18, p. 113). It gives me the shivers (l. 27, p. 122). I don't like to be outside at night either (l. 13, p. 113). What I fear most are the storms (l. 10, p. 113). But my wife tells me I bore her when I tell her that fishermen have a difficult job. She says it is more difficult to do the housework (l. 29, p. 113) than to (l. 3) be a fisherman. I'm not so sure about that (l. 30, p. 113).

PRONONCIATION

Liaison

In liaison a final consonant joins the initial vowel of the following word to form a syllable. *Vous êtes* is pronounced *vou-zèt*. Liaison occurs only between words belonging to the same sense group; *d* is pronounced *t* in liaison; *s* is pronounced *z*.

REPEAT

un mauvais élève	mal élevé ·
il n'est pas entré	ils ont applaudi
quand il vient	très intéressant
c'est intéressant	dont il parle
six ans	nous sommes heureux
un grand homme	les heureuses années

S VS *Z*

An *s* between two vowels is pronounced *z*, as is the *s* in liaison. *S* that does not come between two vowels and double *s* between two vowels are pronounced *s*. The distinction must be clearly made because meaning often depends on it.

CONTRAST

poison	poisson
ils ont	ils sont
vous allez	vous salez
les hommes	les sommes
nous ôtons	nous sautons
ils aiment	ils s'aiment
elle les aide	elle les cède

phase	fasse
vise	vice
bise	bis
base	basse

Aspirate *h*

The initial *h* is never pronounced in French. In many words, liaison and elision occur before it just as if it were a vowel: c'est horrible; l'homme; mon hôtel.

Some words, however, begin with aspirate *h*. There is no liaison and no elision before such words: le huit; en haut; les huées; les haricots.

16
Ondine [IV]
Jean Giraudoux

Ondine revient.

ONDINE: Moi, on m'appelle Ondine.

LE CHEVALIER: C'est un joli nom.

ONDINE: Hans et Ondine. . . . C'est ce qu'il
y a de plus joli au monde comme noms,
5 n'est-ce pas?

LE CHEVALIER: Ou Ondine et Hans.

ONDINE: Oh non! Hans d'abord. C'est le
garçon. Il passe le premier. Il commande.
. . . Ondine est la fille. . . . Elle est un
10 pas° en arrière. . . . Elle se tait.   *le pas*   step

LE CHEVALIER: Elle se tait! Comment diable°   *comment diable*   how in the devil
s'y prend-elle?°   *s'y prendre*   to go about it

ONDINE: Hans la précède partout d'un pas.
. . . Aux cérémonies. . . . Chez le roi. . . .
15 Dans la vieillesse. Hans meurt le premier.
. . . C'est horrible. . . . Mais Ondine le
rattrape° vite. . . . Elle se tue. . .   *rattraper*   to catch up with

LE CHEVALIER: Que racontes-tu là!

ONDINE: Il y a un petit moment affreux° à   *affreux*   frightful
20 passer. La minute qui suit la mort de
Hans. . . . Mais ça n'est pas long.[1] . . .

LE CHEVALIER: Heureusement cela n'engage°   *engager à*   to involve
à rien de parler de la mort à ton âge. . . .

ONDINE: A mon âge? . . . Tuez-vous pour

[1]*Ça n'est pas long*—It doesn't take long.

138

²⁵ voir. Vous verrez si je ne me tue pas. . . .

LE CHEVALIER: Jamais je n'ai eu moins en-
vie° de me tuer. . . .   *avoir envie de*   to want to; feel like

ONDINE: Dites-moi que vous ne m'aimez
pas! Vous verrez si je ne me tue pas. . . .

³⁰ LE CHEVALIER: Tu m'ignorais° voilà un   *ignorer*   not to know
quart d'heure,² et tu veux mourir pour
moi? Je nous croyais brouillés,° à cause   *brouillés*   mad at each other
de la truite.

ONDINE: Oh tant pis° pour la truite! C'est   *tant pis*   too bad
³⁵ un peu bête° les truites. Elle n'avait qu'à   *bête*   silly; stupid
éviter° les hommes, si elle ne voulait pas   *éviter*   to avoid
être prise. Moi aussi je suis bête. Moi
aussi je suis prise. . . .

LE CONTENU

1. Que dit Ondine au sujet des noms Ondine et Hans?
2. Pourquoi met-elle Hans d'abord?
3. Où est-ce que la fille doit se tenir quand elle est avec le garçon?
4. Qu'est-ce qu'elle doit faire?
5. Est-ce que Hans croit que la fille peut se taire facilement? Qu'est-ce qu'il se demande à ce sujet?
6. Où est-ce que Hans doit précéder Ondine?
7. Qu'est-ce qui est horrible?
8. Comment est-ce qu'Ondine rattraperait Hans s'il mourait?
9. Quel moment affreux y aurait-il à passer pour elle?
10. Qu'est-ce qui montre que le chevalier ne prend pas Ondine au sérieux (*seriously*)?
11. Que dit Ondine pour prouver qu'elle est sérieuse?
12. Qu'est-ce qu'il y a d'illogique dans sa suggestion?
13. Est-ce que le chevalier a envie de se tuer?
14. Qu'est-ce qu'il n'a qu'à dire s'il veut qu'Ondine se tue?
15. Pourquoi est-ce que le chevalier est étonné par l'attitude d'Ondine?
16. Quelle opinion Ondine a-t-elle des truites maintenant?
17. Qu'est-ce que la truite aurait dû faire?
18. De quelle manière est-ce qu'Ondine se compare à la truite?

²*voilà un quart d'heure*—fifteen minutes ago.

LE SENS

1. Comment cette scène diffère-t-elle de la déclaration d'amour traditionnelle? Comment ressemble-t-elle à la première scène entre
Ondine et Hans? Montrez comment elle illustre le principe que les
extrêmes s'attirent (*opposites attract*).
2. Quelle prédiction Ondine fait-elle? Est-ce le bavardage (*chatter*)
d'une jeune fille à l'imagination vivace ou est-ce une sorte de pré-
monition? En général quelle est la différence entre les prédictions
au théâtre et celles qu'on fait dans la vie ordinaire?

DIALOGUE

A. Ondine se présente au chevalier.
B. Le chevalier lui fait un compliment sur son nom.
A. Ondine dit que leurs deux noms sont jolis.
B. Le chevalier dit que la fille doit passer la première.
A. Ondine le contredit. Elle explique ce que la fille doit faire.

ETUDE DE MOTS

1. Certain expressions like *quoi, rien, personne,* when modified by an
adjective, take the following form: expression + *de* + adjective.
The adjective is invariable.

ce qu'*il y a de plus joli*	the prettiest there is
Qu'est-ce qu'*il y a de bon?*	What's good?
Quoi *de nouveau?*	What's new?
rien *de nouveau*	nothing new
personne *d'intéressant*	no one interesting
quelqu'un *de très bien*	a very fine person
quelque chose *d'autre*	something else

2. *comme noms*   for names

Qu'est-ce que vous voulez *comme dessert?*	What do you want in the way of dessert?
Qu'est-ce que vous suivez *comme cours?*	What courses are you taking?

Comme professeur j'ai mon-   I have Mr. Dupont for professor.
    sieur Dupont.
3. *Comment s'y prend-elle?*   How does she manage?
    Il s'y prend mal.   He goes about it the wrong way.
    Voilà comment je m'y suis   That's how I went about it.
        pris.
    Comment vous y prenez-vous? How do you go about it?
4. *Elle n'avait qu'à éviter les* All she had to do was avoid men.
        hommes.
    Vous n'avez qu'à sonner.   All you have to do is ring; just
                                  ring.
    Si vous ne voulez pas le faire, If you don't want to do it, just say
    vous n'avez qu'à le dire.   so.

EXERCICES

Object pronouns (54); Avoiding dependent clauses (20B)

A.

LE PROFESSEUR: Nous ne sommes pas brouillés.
L'ÉTUDIANT: Vraiment? Je nous croyais brouillés, moi. (*Really? I
               thought we were angry at each other.*)
LE PROFESSEUR: Le chevalier n'est pas encore parti.
L'ÉTUDIANT: Vraiment? Je le croyais parti, moi. (*Really? I thought
               he had left.*)

1. Auguste n'est pas jeune.
2. La truite n'est pas assez grande.
3. Ondine n'est pas folle.
4. Le cheval n'est pas important.
5. Il n'est pas riche.
6. Ondine n'est pas petite.
7. Comme plat, ce n'est pas très succulent.
8. Ondine, ces assiettes ne sont pas propres!
9. Ces souliers ne sont pas cirés!
10. Ce torchon n'est pas mouillé!

☐

B.

LE PROFESSEUR: Eugénie n'est pas vieille. (*Eugénie isn't old.*)
L'ÉTUDIANT: Moi, je la trouve vieille. (*She seems old to me.*)

Refaites l'Exercice A en suivant le modèle ci-dessus.

Conditional (27–28)

C.

LE PROFESSEUR: Il ne pleut pas. Elle sortirait . . .
L'ÉTUDIANT: Elle sortirait s'il pleuvait.

On emploie l'imparfait après *si* quand la proposition principale est au conditionnel.

1. Elle ne sort pas. Ils s'inquiéteraient . . .
2. Ils n'insistent pas. Elle obéirait . . .
3. Elle ne les cire pas. Ils brilleraient . . .
4. Vous n'entrez pas. Vous pourriez vous asseoir . . .
5. Je ne veux pas. J'irais . . .
6. Il ne meurt pas. Elle se tuerait . . .
7. Elle ne se tait pas. Il serait étonné . . .
8. Elle ne le craint pas. Elle ne dirait pas ces choses . . .
9. Elle ne part pas. Il serait triste . . .
10. Elle ne revient pas tout de suite. Le chevalier serait content . . .

D.

LE PROFESSEUR: Elle ne sort pas. Mais s'il pleuvait . . .
L'ÉTUDIANT: S'il pleuvait, elle sortirait.

On emploie le conditionnel dans la proposition principale, quand la proposition introduite par *si* est à l'imparfait. Le conditionnel a la même racine que le futur mais avec les terminaisons de l'imparfait: *-ais, -ais, -ait, -ions, -iez, -aient*. Vous avez déjà repassé la plupart des racines irrégulières dans l'Exercice F de la Leçon 12. En voici les autres:

courir—je courrais   pleuvoir—il pleuvrait
mourir—je mourrais   recevoir—je recevrais

1. Ils ne s'inquiètent pas. Mais si elle sortait . . .
2. Elle n'obéit pas. Mais s'ils insistaient . . .
3. Ils ne brillent pas. Mais si elle les cirait . . .
4. Elles ne sont pas propres. Mais si elle les lavait . . .

5. Vous ne pouvez pas vous asseoir. Mais si vous entriez . . .
6. Vous ne savez pas nager. Mais si vous habitiez ici . . .
7. Nous n'allons pas. Mais si nous voulions . . .
8. Il ne le fait pas cuire. Mais s'il trouvait une truite . . .
9. Elle ne comprend pas les hommes. Mais si elle l'écoutait . . .
10. Elle ne se tue pas. Mais s'il mourait . . .
11. Elle ne meurt pas. Mais s'il se tuait . . .
12. Je ne cours pas. Mais si j'avais peur . . .
13. Il ne pleut pas. Mais si nous sortions . . .
14. Ils ne reçoivent pas (*entertain*). Mais s'ils demeuraient en ville . . .
15. Elle ne se souvient pas. Mais s'il parlait . . .

Orthographic changing verbs (60A, B, C)

E.

LE PROFESSEUR: Quand vous travaillez sérieusement, achevez-vous la leçon?
L'ÉTUDIANT: Oui, je l'achève. (*ou* Oui, j'achève la leçon.)
LE PROFESSEUR: Appelez-vous Ondine?
L'ÉTUDIANT: Oui, je l'appelle. (*ou* Oui, j'appelle Ondine.)

Les verbes qui se terminent à l'infinitif en *e* (ou *é*) + consonne + -*er* changent de prononciation devant un *e* muet. Ce changement est indiqué soit par un *è* (*Achevez-vous? J'achève*), soit par le redoublement de la consonne (*Appelez-vous? J'appelle*).

1. Préférez-vous les truites?
2. Achetez-vous les truites au marché?
3. Jetez-vous la truite dans l'eau qui bout?
4. Vous levez-vous de bonne heure?
5. Emmenez-vous le commissaire à la gare?
6. Quand vous mangez quelque chose de bon, vous léchez-vous les doigts?

☐

7. Quand vous sortez du lac, ruisselez-vous?
8. Quand vous êtes en danger, appelez-vous «Au secours!»
9. Quand vous êtes le premier, précédez-vous?

10. Est-ce que vous vous inquiétez?
11. Est-ce que vous espérez, cependant, que tout ira bien?
12. Est-ce que vous vous le répétez fréquemment?

SUJET DE COMPOSITION

Ondine va trouver la personne «qui déteste les hommes», mais au lieu de l'écouter, c'est elle qui parle, comme toujours. Elle lui dit ce qu'une femme devrait faire quand elle aime un homme.

THEME D'IMITATION

MONSIEUR: I would like something good (*Etude de mots* 1) for lunch today. A live boiled trout (l. 1, p. 129), for example.

MADAME: I'm the one (Ex. A, p. 93) who does the cooking (*Etude de mots* 3, p. 133) and I say no.

MONSIEUR: They say it's the most succulent fish there is (ll. 3–4) and it's not a difficult dish (l. 40, p. 122), to (*à*) make if one knows [how to] go about it (l. 12). All you have to do is (*Etude de mots* 4) throw the live trout into boiling water (l. 16, p. 129). There is that frightful moment to go through (l. 20) when the trout is still alive, but it doesn't last long (l. 21).

MADAME: I can't help it (*Etude de mots* 3, p. 74). I could (*pourrais*) never put a little living being (l. 27, p. 131) into boiling water. It gives me goose pimples (*Etude de mots* 2, p. 124). But if someone else (*Etude de mots* 1) did it, I would eat it with pleasure.

MONSIEUR: Now that I think of it, I'd prefer something else.

PRONONCIATION

Closed *e*

Contrast French *ses* with English *say*. The French is short and pronounced with considerable muscular tension, the English is longer and has a glide.

CONTRAST

English	French
may	mes
allay	allez
gray	gré
tay	thé

REPEAT

cérémonie; éviter; idée; géant; écouter

Spelling: This sound may be spelled *e* as in guett*er*, *é* as in *été*, *ai* as in j'all*ai*, *ez* as in vous all*ez*, *es* as in m*es*, *er* as in all*er*, *et* as in buff*et*.

Open *e*

Contrast English *less* and French *laisse*. The vowels are quite similar, but the French is a little shorter and has no glide.

CONTRAST

English	French
less	laisse
bell	belle
sell	selle
mess	messe

REPEAT

père; mère; appelle; ruisselle; net; jette; claire; bête; être

Note that open *e* (like open o) usually occurs before a final consonant or in a syllable ending with a consonant. However, it may occur in final syllables as well, as in for*êt*, and in *-ais, -ais, -ait, -aient* endings.

Spelling: *e* as in j*e*tte, *è* as in ach*è*te, *ê* as in b*ê*te, *ei* as in n*ei*ge, *ai* as in *ai*me.

17

Ondine [V]
Jean Giraudoux

Le chevalier demande Ondine en mariage
à son père adoptif, Auguste.

AUGUSTE: Seigneur, vous nous demandez
Ondine. C'est un honneur pour nous.
⁵ Mais nous vous donnerions ce qui n'est
pas à nous. . . .

LE CHEVALIER: Tu soupçonnes° quels sont   *soupçonner* to suspect
ses parents?

AUGUSTE: Il ne s'agit pas° de parents. C'est   *il s'agit de* it's a question of
¹⁰ justement qu'avec Ondine, la question
des parents est vaine. Si nous n'avions
pas adopté Ondine, elle aurait trouvé
sans nous le moyen° de grandir, de vivre.   *trouver le moyen* to find a way
Elle n'a jamais eu besoin de nos caresses,
¹⁵ Ondine, mais dès qu'il pleut, impossible
de la retenir° à la maison. Elle n'a jamais   *retenir* to hold back
eu besoin de lit, mais combien de fois
l'avons-nous surprise endormie sur le lac.
La nature d'Ondine est la nature même:
²⁰ il y a de grandes forces autour d'Ondine![1]

LE CHEVALIER: Où veux-tu en venir?[2] Que
je la demande en mariage au lac?

AUGUSTE: Ne plaisantez° pas!   *plaisanter* to joke

LE CHEVALIER: Que tous les lacs du monde

---

[1]Ondine's nature is nature itself; there are great forces around her (the forces of nature).
[2]*Où veux-tu en venir?*—What are you getting at?

25 soient mes beaux-pères,° les fleuves³ mes
belles-mères, j'accepte avec joie. Je suis
très bien avec° la nature.

AUGUSTE: Méfiez-vous!° C'est vrai que la
nature n'aime pas se mettre en colère
30 contre l'homme. Elle a un préjugé° en
sa faveur. Elle est fière° d'une belle
maison, d'une belle barque,° comme un
chien de son collier.° Mais si l'homme a
déplu° une fois à la nature, il est perdu!
35 LE CHEVALIER: Et je lui déplairais en épous-
ant Ondine? Vous ne lui avez pas déplu,
vous, en l'adoptant? Donnez-moi Ondine,
mes amis!

Hans épouse Ondine. Mais Auguste avait
40 raison; ce mariage d'un homme avec une
ondine finit tragiquement.

le beau-père father-in-law

être bien avec to be on good terms
  with
se méfier to be suspicious; watch
  out

le préjugé prejudice

fier proud

la barque boat

le collier collar

déplaire à to displease

LE CONTENU

1. Quelle demande Hans fait-il à Auguste?
2. Pourquoi Auguste ne veut-il pas lui donner Ondine?
3. Qu'est-ce que Hans lui demande ensuite?
4. Que dit Auguste au sujet des parents d'Ondine?
5. Qu'est-ce qu'Ondine aurait fait, s'ils ne l'avaient pas adoptée?
6. Qu'est-ce qui montre son indépendance?
7. Qu'est-ce qu'elle fait quand il pleut? Où dort-elle?
8. Quelle est sa nature?
9. A qui donc faudrait-il la demander en mariage, selon le chevalier?
10. Qu'est-ce que le chevalier accepte avec joie? Pourquoi?
11. Selon Auguste, quelle est l'attitude de la nature envers l'homme?
12. De quoi est-elle fière?
13. Mais qu'est-ce qui arrive si l'homme lui déplaît?
14. Pourquoi est-ce que le chevalier croit qu'il ne déplairait pas à la
    nature en épousant Ondine?
15. Qu'est-ce qui montre qu'Auguste avait raison?

³There are two words for *river* in French. *Le fleuve* refers to a large river; *la rivière*
refers to a small river or creek.

LE SENS

1. Un mariage entre une jeune fille d'origine humble et un seigneur ou prince, est-ce un événement assez ordinaire dans les légendes et les contes de fées? Comment ce mariage-ci est-il différent?
2. Comment Auguste envisage-t-il les rapports entre l'homme et la nature? Dans quelle mesure la nature peut-elle être apprivoisée (*tamed*)?

DIALOGUE

A. Le chevalier demande Ondine en mariage à Auguste.
B. Auguste explique pourquoi ils ne peuvent pas lui donner Ondine.
A. Le chevalier lui demande s'il sait qui sont ses parents.
B. Auguste dit qu'il ne s'agit pas de ça. Il lui explique quand elle aime sortir, et où elle aime dormir.
A. Le chevalier lui demande de lui donner Ondine quand même.

ETUDE DE MOTS

1. *le moyen* — the way
   Il trouve toujours le moyen de m'agacer. — He always knows how to annoy me.
   Il a trouvé le moyen de réussir. — He has found out how to succeed.
   Il n'y a pas moyen. — There isn't any way.
   Il n'y a pas moyen de le comprendre. — It's incomprehensible.
   Il en a les moyens. — He has the money (for it), the means.

2. *Où veux-tu en venir?* — What are you getting at?
   J'en viens à me demander si. . . . — The whole thing makes me wonder if. . . .
   Ils en sont venus aux coups. — They came to blows.

EXERCICES

Adjectives (1–5); Partitive *de* (18C)

A.

LE PROFESSEUR: Il y a des *forces* autour d'Ondine. (grand)
L'ÉTUDIANT: Il y a de grandes forces autour d'Ondine.

Tous les adjectifs dans l'exercice suivant précèdent le nom et sont précédés de *de* au partitif.

1. Il y a des *lacs* dans la région. (beau)
2. Il y a des *barques* sur le lac. (beau)
3. Ce sont des *pêcheurs*. (vieux)
4. Ils attrapent des *poissons*. (gros)
5. Il y a des *moments* à passer. (mauvais)
6. Des *orages* s'élèvent soudain. (vilain)
7. Il y a des *montagnes*. (haut)
8. On y voit des *cabanes* isolées. (petit)
9. On peut y faire des *promenades*. (long)
10. On y fait des *repas*. (bon)
11. Maintenant des *routes* traversent la forêt. (nouveau)
12. Où trouve-t-on des *régions* si pittoresques? (autre)

B.

LE PROFESSEUR: une belle ondine; ma truite chérie
L'ÉTUDIANT: de belles ondines; mes truites chéries.

Mettez les expressions suivantes au pluriel. N'oubliez pas de faire la liaison devant les mots qui commencent par une voyelle.

1. une belle histoire
2. une belle femme
3. mon petit oiseau
4. mon petit chat
5. une belle asperge
6. un beau fromage
7. ce grand officier
8. ce grand capitaine
9. une bonne année
10. une bonne pluie
11. un autre invité
12. un autre chevalier
13. une truite magnifique
14. un sourire gracieux
15. un moment terrible
16. ma nouvelle assiette
17. notre hôte distingué
18. mon pauvre enfant
19. un petit être vivant

☐

REVISION DES VERBES

Imparfait **(40)**

C.

Mettez la narration suivante à l'imparfait. Notez qu'il s'agit de faits d'habitude dans le passé sans aucune délimitation de durée. (Ainsi on dit «A l'âge de six ans je buvais du lait» à l'imparfait mais «Jusqu'à l'âge de six ans j'ai bu du lait» au passé composé, car *jusqu'à* délimite la durée.) Notez aussi que la plupart des verbes sont des verbes en *é* ou *e* + consonne + *-er*. Puisque ces verbes ne se terminent pas en *e* muet à l'imparfait, ils changent de prononciation et s'épellent sans *è* ou sans le redoublement de la consonne.

1. On m'appelle Toto.
2. Je me lève toujours de bonne heure.
3. Mon père m'emmène quelquefois au marché.
4. Il précède, moi, je le suis.
5. J'achète des bonbons.
6. C'est ce que je préfère.
7. Je les mange.
8. Puis, je me lèche les doigts.
9. J'aime beaucoup les bonbons.

Conditional (28)

D.

LE PROFESSEUR: Le chevalier épouse Ondine. Il déplaît à la nature.
L'ÉTUDIANT: Si le chevalier épousait Ondine, il déplairait à la nature.

Notez que les phrases données ci-dessous expriment *ce qui arrive;* les réponses doivent exprimer *ce qui arriverait si* . . .

1. Auguste l'appelle. Elle revient.
2. Il craint la pluie. Il le dit.
3. Elle a vingt ans. Elle sait répondre.
4. Elle est jolie. Elle lui plaît.
5. Il meurt. Ondine se tue.

E.

LE PROFESSEUR: Le chevalier a épousé Ondine. Il a déplu à la nature.
L'ÉTUDIANT: Si le chevalier avait épousé Ondine, il aurait déplu à
                la nature.

Notez que les phrases données ci-dessous expriment *ce qui est arrivé;*
les réponses doivent exprimer *ce qui serait arrivé si* . . .

1. Ondine a écouté. Elle a compris.
2. Il est parti. Elle a pleuré.
3. Elle les a cirés. Ils ont brillé.

4. Elle a osé faire une truite. Ondine s'est mise en colère.
5. Ils ont insisté. Elle a obéi.

☐

6. On me l'a dit. Je ne l'ai pas cru.
7. Auguste l'a appelée. Elle est revenue.

8. Il a craint la pluie. Il l'a dit.
9. Il est mort. Ondine s'est tuée.

SUJET DE COMPOSITION

Imaginez la fin tragique de la légende. Quelle doit être la vie d'une
ondine à la cour? Que veut-elle faire?

THEME D'IMITATION

My daughter always finds a way of (*Etude de mots* 1) getting out.
What can she be doing outside in the dark (ll. 12–13, p. 113)? If I had
spoken to her seriously when she was younger, she would obey now
that she is fifteen. But she has always made fun of me and of everything that stands for constraint (ll. 6–7, p. 3). I don't like to get angry
at her (ll. 29–30). Auguste says that I am prejudiced in her favor (ll. 30–
31). I don't know. It is true that I am proud of her (l. 31). She is so
pretty and graceful! And she helps me with the housework (ll. 28–29,
p. 113). But as soon as (l. 15) she gets back, I am going to talk to her
seriously (l. 27, p. 113).

PRONONCIATION

Closed *eu*

There is no near equivalent to this sound in English. One can move from *é* to closed *eu*, however, by keeping the tongue in the same position while rounding the lips.

CONTRAST

dé	deux
et	eux
fée	feux

Closed *eu* should also be distinguished from *u*. The lips remain rounded but the tongue is lowered and moved back in moving from *u* to closed *eu*.

bu	bœufs (*f* is silent)
pu	peu
ému	émeut
eu	œufs (*f* is silent)

REPEAT

il pleut; on peut; au bleu; vieux; je veux; un peu

Spelling: usually *eu*. Occasionally *œu*, as in *les œufs*. Once *ai*, in *faisons*.

Open *eu*

There is no near equivalent to this sound in English. One can move from *è* to open *eu*, however, by rounding the lips slightly without changing the position of the tongue.

CONTRAST

père	peur
mère	meurt
Le Caire	le cœur
mêle	meule

REPEAT

il meurt; le pêcheur; faveur; un quart d'heure; leur bonheur; elle pleure

Note that open *eu* like open *o* and open *e*, normally occurs before a final consonant or in a syllable ending with a consonant. Thus it contrasts with closed *eu*, which is usually not followed by a pronounced consonant.

CONTRAST

Open	*Closed*
ils peuvent	je peux
ils veulent	il veut
peur	peu
sœur	ceux
le bœuf	les bœufs

Spelling: usually *eu*. Occasionally *œu* as in *œuf*, *œ* as in *œil*, and *ue*, as in *cueille*.

Review Lesson III
Review of Lessons 13-17

VOCABULARY AND IDIOMS

TRANSLATE:

1. I knew there must be a reason. (14) — Je savais (bien) qu'il devait y avoir une raison.
2. I should have suspected it. (15) — J'aurais dû m'en douter.
3. He wants to tell me what he knows about them. (15) — Il veut me dire ce qu'il sait d'eux.
4. It doesn't take long. (16) — Ça n'est pas long.
5. They call me Ondine. (16) — On m'appelle Ondine.
6. It's all over. (15) — C'est fini.
7. What are you getting at? (17) — Où voulez-vous en venir?
8. That's the prettiest thing there is. (16) — C'est ce qu'il y a de plus joli.
9. Something pretty. (16) — Quelque chose de joli.
10. I think it's delicious. (15) — Je le trouve succulent (ou délicieux).
11. I thought we were angry at each other. (16) — Je nous croyais brouillés.
12. we Americans (14) — nous autres Américains
13. There isn't any way. (17) — Il n'y a pas moyen.
14. What do you have in the way of meat? (16) — Qu'est-ce que vous avez comme viande?
15. That's what courage is. (15) — C'est cela le courage.
16. How does she go about it? (16) — Comment s'y prend-elle?
17. a delicious dish (14) — un plat délicieux
18. too bad for her! (16) — tant pis pour elle!

REPLACE THE EXPRESSIONS IN ITALICS BY A SYNONYM.

1. Nous *avons peur de* la pluie. (14) — craignons

2. Elle a *eu le courage de* faire une truite au bleu. (15) — osé

3. *Ondine* est une *œuvre dramatique.* (13) — pièce

4. Ondine *est orpheline.* (13) — n'a ni père ni mère

5. Nous sommes trop *indulgents* avec elle. (13) — faibles

6. Vous êtes *dans votre maison.* (14) — chez vous

7. Vous êtes *un animal.* (15) — une bête

8. quelqu'un qui *n'aime pas* les hommes (15) — déteste

9. J'ai *mis mes deux mains sur* mes oreilles. (15) — bouché

10. Il *ne veut pas* se tuer. (16) — n'a pas envie de

11. Tu *ne me connaissais pas.* (16) — m'ignorais

12. *il y a* un quart d'heure (16) — voilà

13. C'est un peu *stupide,* les truites. (16) — bête

14. *Tout ce qu'elle devait faire c'était* d'éviter les hommes. (16) — Elle n'avait qu'à

15. Ce qui n'est pas *le nôtre.* (17) — à nous

16. Tu *te doutes de* l'identité de ses parents. (17) — soupçonnes

17. Il *n'est pas question de* parents. (17) — ne s'agit pas de

18. *quand il commence à pleuvoir* (17) — dès qu'il pleut

19. La nature n'ose pas *se fâcher.* (17) — se mettre en colère

20. C'est un moment *horrible* à passer. (16) — affreux

21. Quand il fait froid je *tremble.* (14) — frissonne

22. Le chien qui porte un beau collier est *orgueilleux.* (17) — fier

23. Vous *dites des choses amu-*   plaisantez
    santes. (17)
24. J'entends l'eau qui *coule.* (14)   ruisselle
25. Il a plu; je suis tout *trempé*   mouillé
    d'eau. (13)
26. Elle prépare la truite, puis elle   fait cuire
    la *laisse dans un four* (oven)
    chaud pendant vingt min-
    utes. (15)
27. Hans part le premier, mais   rattrape
    Ondine le *rejoint bientôt.*
    (16)
28. Je ne l'aime pas. Je *tâche de*   l'évite
    ne pas le rencontrer. (16)
29. Quand Ondine voulait sortir,   retenir
    il était impossible de la
    garder à la maison. (17)
30. Elle n'est pas impartiale. Elle   un préjugé
    a *une opinion déjà formée.*
    (17)
31. Cette histoire est bête; elle   ennuie
    m'*endort.* (14)
32. *une tempête* (13)   un orage
33. petite *impudente* (14)   effrontée
34. *garder le silence* (14)   se taire
35. *un invité* (14)   un hôte
36. *adresser à la deuxième per-*   tutoyer
    sonne du singulier (14)
37. *l'insensée* (15)   la folle
38. depuis *son premier moment*   sa naissance
    de vie (15)
39. Tout *est si évident.* (15)   se devine
40. Cela *ne comporte aucune*   n'engage à rien
    obligation. (16)
41. *le père de l'épouse* (17)   le beau-père
42. *le bateau* de pêcheur (17)   la barque
43. *montrer une attitude soup-*   se méfier
    çonneuse (17)

ANSWER BRIEFLY THE FOLLOWING QUESTIONS.

1. Qu'est-ce qu'il faut laver après   les assiettes
   le repas? (13)

2. Avec quoi essuie-t-on (*wipe*)   avec un torchon
   les assiettes? (13)

3. Comment Ondine aide-t-elle   dans le ménage
   Eugénie? (13)

4. La pluie mise à part (*apart   une puce
   from the rain*) que craignent
   les chevaliers? (14)

5. Où le chevalier a-t-il mis son   dans la grange
   cheval? (14)

6. Que faisait la truite depuis sa   Elle nageait.
   naissance? (15)

7. Où Ondine se tiendra-t-elle   un pas en arrière
   quand elle accompagnera
   Hans aux cérémonies? (16)

8. Qu'est-ce qu'un chien porte   un collier
   autour du cou? (17)

9. La truite est dans le four. Que   Elle cuit.
   fait-elle? (14)

10. Eugénie met la truite dans le   Elle fait cuire la truite.
    four. Que fait Eugénie? (14)

11. Que fait l'eau à cent degrés   Elle bout.
    centigrade? (15)

12. Quel est le costume du che-   l'armure
    valier? (14)

13. Quel est le métier d'Auguste?   Il est pêcheur.
    (13)

14. Que fait-on pour faire briller   On les cire.
    les souliers? (13)

NEW GRAMMAR

1. Verbs

   a. Give the present-tense *je* and *nous* forms of the following verbs
   (72D):

ennuyer	j'ennuie, nous ennuyons
plaire	je plais, nous plaisons
sentir	je sens, nous sentons
sortir	je sors, nous sortons
se taire	je me tais, nous nous taisons

b. Give the *je* form of the *passé composé* of the following verbs
   (63B):

s'asseoir	je me suis assis
ouvrir	j'ai ouvert
plaire	j'ai plu
revenir	je suis revenu
suivre	j'ai suivi
voir	j'ai vu

2. Orthographic changing verbs

Espérez-vous?	J'espère. (60C)
Emmenez-vous?	J'emmène. (60B)
Appelez-vous?	J'appelle. (60A)

3. Use of the present (73B)

I have been swimming since eight o'clock.	Je nage depuis huit heures.

4. Use of the *imparfait* (40B.3)

I had been swimming. since eight o'clock.	Je nageais depuis huit heures.

5. Conditional (28E)

If you come, he will speak.	Si vous venez, il parlera.
If you came, he would speak.	Si vous veniez, il parlerait.
If you had come, he would have spoken.	Si vous étiez venu, il aurait parlé.

6. Pluperfect (64)

She had spoken.	Elle avait parlé.
She had gone.	Elle était allée.

7. Adjectives

Review the formation of the feminine of irregular adjectives (2) and the list of adjectives which usually precede the noun (5B).

8. Comparative and superlative forms (26)

the least easy	le moins facile
less easy	moins facile
as easy	aussi facile
easier	plus facile
the easiest	le plus facile
a better student	un meilleur étudiant
the best student	le meilleur étudiant
He writes better.	Il écrit mieux.
He writes the best.	Il écrit le mieux.

9. The Partitive *de* (18C); Adjectives (5B)

There are some beautiful lakes.	Il y a de beaux lacs.

10. Distinguishing adverbs from adjectives

a bad student	un mauvais étudiant
He writes badly.	Il écrit mal.
a little student	un petit étudiant
He writes a little.	Il écrit un peu.
He writes seldom.	Il écrit peu.
a good student	un bon étudiant
He writes well.	Il écrit bien.

11. Negatives (48D)

She has no brothers   Elle n'a ni frères ni sœurs.
    and sisters.

12. Articles (13B)

big Charles   le grand Charles

13. Avoiding dependent clauses (20B)

I thought he was rich.   Je le croyais riche.

REVIEW GRAMMAR

1. Verbs (Review Lesson I)
2. *Imparfait* (39)

18
Ornifle [I]
Jean Anouilh

Ornifle est une comédie de Jean Anouilh.
Ornifle est un Don Juan très égoïste. Fabrice, un étudiant en médecine, est son fils
naturel.° Ils ne se sont jamais rencontrés.   *le fils naturel*   illegitimate son
⁵ Fabrice arrive chez Ornifle, se présente, et
révèle son identité. Ornifle demeure calme
jusqu'à ce que Fabrice dise:

FABRICE: Je suis venu pour vous tuer.
ORNIFLE: [*Sursaute.°*] Vous voulez rire?°   *Sursauter* to leap up
                                                 Vous voulez rire?   are you kidding?
¹⁰ FABRICE: [*Toujours calme.*] Non. Si vous
croyez que c'est drôle d'avoir à tuer quel-
qu'un! Seulement voilà.¹ Je l'ai juré.° A   *jurer* to swear
dix ans. Et j'ai l'habitude de tenir ma
parole.°...   *la parole* word
¹⁵ ORNIFLE: [*Marche sur lui, furieux.*] Mais
bougre de galopin,°... on n'a pas le droit   *bougre de galopin* young scamp
de venir faire des scènes pareilles chez
les gens!° C'est ridicule, d'abord!° J'ai sé-   *chez les gens* in people's houses
duit° votre maman. Bon.² Elle a eu un   *d'abord* in the first place
                                                 séduire to seduce
²⁰ enfant. Bon. Mais enfin il y a vingt-cinq
ans de cela!° Qu'est-ce qui vous prend³ à   *de cela* since then
tomber de la lune comme un aérolithe⁴
au bout de vingt-cinq ans?

¹*Seulement voilà*—But this is how it is.
²*Bon*—O.K.; granted.
³*Qu'est-ce qui vous prend?*—What's got into you? By what right do you . . . ?
⁴*un aérolithe*—meteorite.

FABRICE: Je n'avais pas votre adresse. Je
25 n'ai su votre nom qu'à la mort de maman.

ORNIFLE: Et qui vous prouve d'abord que
votre mère n'a pas eu d'autre amant° que   *un amant* lover
moi en vingt-cinq ans?

30 FABRICE: [*Doucement.*] L'honneur. Maman
avait beaucoup d'honneur. Et je vous ai
déjà dit qu'elle se considérait comme
mariée devant Dieu.

ORNIFLE: [*Ricane.°*] L'honneur. . . . L'hon-   *ricaner* to snicker
35 neur. . . . C'est trop facile.

FABRICE: [*Grave et un peu comique.*] Non.
C'est difficile. C'est même bigrement°   *bigrement* terribly (colloq.)
difficile, croyez-moi. Si vous vous figurez
que je n'ai pas mieux à faire dans la vie,
40 moi, que de vous tuer! J'allais me marier
et j'ai encore des examens à passer.[5]

LE CONTENU

1. Qui est Ornifle? Quelle sorte de personne Don Juan était-il?
2. Qui est Fabrice? Que fait-il?
3. Pourquoi Ornifle sursaute-t-il?
4. Qu'est-ce que Fabrice a juré? Quelle habitude a-t-il?
5. Quelle est la réaction d'Ornifle?
6. Pourquoi cette scène lui semble-t-elle ridicule? D'où Fabrice semble-t-il tomber?
7. Pourquoi Fabrice n'est-il pas venu avant?
8. Comment Fabrice sait-il que sa mère n'a pas eu d'autre amant?
9. Qu'est-ce qu'elle se considérait?
10. Quelle opinion Ornifle a-t-il de l'honneur?
11. Et Fabrice, qu'est-ce qu'il en pense?
12. A-t-il d'autres choses à faire dans la vie? Quoi, par exemple?
13. Pourquoi veut-il tuer son père?

[5]*passer l'examen*—to take the exam. (*Réussir à l'examen*—to pass the exam; *échouer à l'examen*—to fail the exam.)

LE SENS

1. Que fait Anouilh pour rendre cette scène ni mélodramatique ni tragique, mais comique?
2. Caractérisez Fabrice: ses principes, ses projets (*plans*), ses contradictions.

DIALOGUE

A. Fabrice explique à Ornifle pourquoi il est venu le tuer.
B. Ornifle se moque de lui et lui demande pourquoi il a attendu vingt-cinq ans.
A. Fabrice explique pourquoi.
B. Ornifle lui demande comment il sait que sa mère n'a pas eu d'autre amant.
A. Fabrice explique pourquoi cela aurait été impossible.

ETUDE DE MOTS

1. *Qu'est-ce qui lui prend (à faire une chose pareille)?*   What makes him (do such a thing)?
   Je ne sais pas ce qui vous prend.   I don't know what's got into you.
2. *Votre mère n'a pas eu d'autre amant que moi.*   Your mother has had no lover except me.
   N'y a-t-il pas d'autre restaurant que celui-ci?   Isn't there any other restaurant except this one?
   J'ai autre chose à faire que ça.   I have other things to do besides that.

   J'ai mieux à faire que ça.   I have better things than that to do.

EXERCICES

Object pronouns (54–59)

A.

LE PROFESSEUR: *Ornifle appelle-t-il ses domestiques?*
L'ÉTUDIANT: Oui, il les appelle.

Revoyez les pronoms compléments *le, la, lui, en,* et *y.*

1. *Fabrice* voit-il *Ornifle?*
2. Est-il *son fils naturel?*
3. *Fabrice* répond-il *à son père?*
4. *Ornifle* fait-il *des plaisanteries?*
5. *Fabrice* met-il *son père* en colère?
6. *Ornifle* parle-t-il *à son fils?*
7. *Fabrice* fait-il peur *à son père?*
8. *Fabrice* défend-il *la mémoire de sa mère?*
9. *Ornifle* va-t-il *à un bal masqué?*
10. *Ornifle* persuade-t-il *son fils?*
11. *Fabrice* fait-il une scène?
12. *Fabrice* se défend-il *de ses accusations?*
13. *Fabrice* répond-il *à son père?*

Prepositions (68)

B.

LE PROFESSEUR: Ornifle se hâte. Il appelle les domestiques.
L'ÉTUDIANT: Ornifle se hâte d'appeler les domestiques.
LE PROFESSEUR: Fabrice se plaît. Il étonne Ornifle.
L'ÉTUDIANT: Fabrice se plaît à étonner Ornifle.
LE PROFESSEUR: Ornifle aime. Il parle de ses conquêtes.
L'ÉTUDIANT: Ornifle aime parler de ses conquêtes.

Etudiez la liste suivante de verbes qui peuvent prendre un infinitif comme complément.

sans préposition	*avec à*	*avec de*
croire	aider à	avoir envie de
faire	réussir à	cesser de
prétendre		se dépêcher de
savoir		négliger de
venir		regretter de
vouloir		tenter de

1. Fabrice veut. Il voit Ornifle.
2. Fabrice prétend. Il est son fils naturel.
3. Fabrice se dépêche. Il répond à son père.
4. Ornifle cesse. Il fait des plaisanteries.
5. Fabrice réussit. Il met son père en colère.
6. Ornifle tente. Il parle à son fils.

7. Fabrice veut. Il fait peur à son père.

8. Fabrice est venu. Il tue son père.

9. Personne ne l'aide. Il défend la mémoire de sa mère.

10. Ornifle a envie. Il va à un bal masqué.

11. Ornifle croit. Il persuade son fils.

12. Fabrice regrette. Il fait une scène.

13. Ornifle ne néglige pas. Il se défend de ces accusations.

14. Fabrice sait. Il répond à son père.

Position and use of object pronouns (59F)

C.

LE PROFESSEUR: Ornifle se hâte. Il appelle les domestiques.

L'ÉTUDIANT: Ornifle se hâte de les appeler.

LE PROFESSEUR: Fabrice se plaît. Il étonne Ornifle.

L'ÉTUDIANT: Fabrice se plaît à l'étonner.

LE PROFESSEUR: Ornifle aime. Il parle de ses conquêtes.

L'ÉTUDIANT: Ornifle aime en parler.

Refaites l'Exercice B d'après le modèle ci-dessus. Notez que l'infinitif est précédé directement par son complément.

Demonstrative adjectives and pronouns (29–30); Orthographic changing verbs (60)

D.

LE PROFESSEUR: Quel pays préférez-vous?

L'ÉTUDIANT: Je préfère ce pays-ci (ou ce pays-là).

Etudiez les adjectifs démonstratifs ce, cet, cette, ces. En répondant, employez alternativement -la et -ci après le nom, et faites attention au genre et au nombre des noms. (Notez aussi que les verbes dans cet exercice prennent l'è ou redoublent la consonne quand ils se terminent en -e muet.)

1. Quel cours préférez-vous?

2. Quel livre achevez-vous?

3. Quels poissons achetez-vous?

4. Quel écriteau enlevez-vous?

5. Quels numéros appelez-vous?

☐

6. De quel côté vous promenez-vous?
7. Quelle théorie rejetez-vous?
8. Quelles objections soulevez-vous?

9. Quel oiseau préférez-vous?
10. Quelle jeune fille emmenez-vous?

E.

LE PROFESSEUR: Quelle comédie aimez-vous le mieux?
L'ÉTUDIANT: Celle-ci (*ou* celle-là).

Revoyez les pronoms démonstratifs *celui-ci, celle-ci, ceux-ci, celles-ci.*
En répondant, employez alternativement *-là* et *-ci* et faites attention au
genre et au nombre des noms.

1. Quel plat préférez-vous?
2. Quel écriteau lisez-vous?

3. Quelles pièces lisez-vous?
4. Quelles leçons apprenez-vous?

□

5. Quels auteurs lisez-vous?
6. Quels livres utilisez-vous?
7. Quelle truite choisissez-vous?

8. Quelle pendule emportez-vous?

F.

LE PROFESSEUR: Préférez-vous les pièces que vous lisez ou les pièces que
                vous voyez?
L'ÉTUDIANT: Celles que je vois (*ou* celles que je lis).

Lorsque le pronom démonstratif n'est pas suivi de *-ci* ou de *-là*, il doit
être suivi d'un pronom relatif ou d'une préposition. Répondez aux
questions suivantes par une phrase incomplète commençant par *celui,
celle, ceux,* ou *celles.* Faites attention au genre et au nombre des noms.

Préférez-vous:
1. La scène entre le chevalier et Ondine ou la scène entre Fabrice et
   Ornifle?
2. Les exercices que nous faisons maintenant, ou les exercices que
   nous faisions hier?
3. Le cours que vous avez suivi l'année dernière, ou le cours que vous
   suivez maintenant?

4. Les étudiants qui posent des questions ou les étudiants qui se taisent?

☐

5. Les pièces qui vous amusent ou les pièces qui vous instruisent?
6. Les sujets de Jacques Prévert ou les sujets de Jean Giraudoux?
7. Les personnes qui vous flattent ou les personnes qui vous disent la vérité?
8. Le poème dont nous parlions hier ou le poème dont nous parlons maintenant?

SUJET DE COMPOSITION

Dispute entre Fabrice et sa fiancée, Marguerite. Celle-ci lui dit qu'il ne devrait pas essayer de tuer son père.

THEME D'IMITATION

Fabrice was a medical student (l. 3) who still had exams to take (l. 41) and he wanted to get married, but when he was ten (ll. 12–13) he had sworn to kill Ornifle and that is what he came to do. At first Ornifle thought Fabrice was kidding (l. 9), but when he realized (*Etude de mots* 2, p. 65) that his son was going to keep his word (ll. 13–14), he strode over to him furiously (l. 15) and asked him what had got into him (l. 21). Fabrice quietly told him that he had better [things] to do (l. 39), but that it was a question of honor (l. 9, p. 146). Ornifle didn't understand, but he didn't lie to his son. He told him that nobody has the right (l. 16) to kill another person.

PRONONCIATION

l

The French *l* is produced with the tip of the tongue against the teeth. In English the tongue is further back.

REPEAT

la lune; lui; le lit; légende; le lac; lentement; livre; liberté

When *l* is in final position it is important to follow it with a clearly audible release (see Lesson 8).

REPEAT

facile; parole; horrible; impossible; Ornifle; naturel; difficile

Spelling l (or ll).

r

There is no near equivalent in English for the French *r*. To produce it, keep the tip of the tongue pressed against the lower teeth and raise the back of the tongue toward the rear of the palate. Air passing through the narrow passage thus created produces the French *r*. Remember to keep the tip of the tongue pressed against the lower teeth. This will help you to avoid producing an English *r*. (The English *r* is an entirely different sound.)

REPEAT

ridicule	révèle	rire
mort	d'abord	tort
l'honneur	la peur	il meurt
parole	aérolithe	aérer
marier	bigrement	encore
terrible	faire	demeure

Spelling: r (or rr).

19
Ornifle [II]
Jean Anouilh

La scène continue:

ORNIFLE: [*Lui prend le bras.*] Eh bien, mon
    garçon, vous allez me faire le plaisir de
    vous marier d'abord; ce qui est toujours
5   une bonne chose, de passer ensuite vos
    examens et de ne plus penser à toutes ces
    fariboles!° Vous avez besoin d'argent?   *les fariboles* nonsense
FABRICE: Non.
ORNIFLE: De quoi avez-vous besoin alors?
10 FABRICE: [*Aussi simplement que possible.*]
    D'honneur. Reculez-vous, je ne veux pas
    vous tuer à bout portant.° Et enlevez   *à bout portant* point-blank
    votre perruque.¹ Je ne veux pas non plus°   *non plus* either
    que vous ayez l'air ridicule, mort. Vous
15   êtes mon père, après tout. [*Il crie sou-*
    dain.] Allons, enlevez-la, cette perruque,
    c'est dans votre propre° intérêt! Je ne   *propre* own
    peux plus attendre, moi. Vous ne voulez
    pas l'enlever? Eh bien, je vais vous tuer
20   comme ça. Tant pis pour vous! Vous
    serez ridicule!
    [*Il tire° un pistolet de sa poche, le bra-* *tirer (de)* to take (out), draw (from)
    que° sur Ornifle et tire.° Le coup ne part *braquer* to aim
    pas.² Il tire encore nerveusement. . . . *tirer (sur)* to shoot (at); fire (at)

¹*La perruque*—the wig. Ornifle, the frivolous fellow, was on his way to a fancy dress
ball when Fabrice made his unexpected call.
²*Le coup ne part pas*—The gun doesn't go off.

Allons, enlevez-la cette perruque

²⁵ *Ornifle regarde faire sans bouger,° puis*   bouger   to move, budge
     s'écroule° soudain.]   s'écrouler   to collapse

FABRICE: [*Lui crie:*] Attendez! Je n'ai pas
     encore tiré! [*Il regarde son pistolet.*] Je
     me demande bien où sont passées les
³⁰ balles?³ C'est encore un coup° de Mar-   un coup   trick
     guerite!⁴
     [*Il jette son pistolet, furieux, voit Ornifle*
     inanimé par terre.]

FABRICE: [*Murmure.*] Il n'a pas le cœur
³⁵ solide cet homme-là.⁵
     [*Il relève Ornifle, l'étend° sur le canapé,°*   étendre   to stretch out
     écoute son cœur longuement.]   le canapé   couch

FABRICE: Pas de doute, c'est la maladie de
     Bishop.⁶ Il a eu de la chance d'avoir
⁴⁰ affaire à° un médecin. . . . Je vais lui faire   avoir affaire à   to be dealing with
     une piqûre.°   la piqûre   injection

LE CONTENU

1. Quels conseils Ornifle donne-t-il à Fabrice? Quelles questions lui pose-t-il?
2. De quoi Fabrice a-t-il besoin?
3. Pourquoi veut-il qu'Ornifle recule?
4. Pourquoi veut-il qu'Ornifle enlève sa perruque?
5. Qu'est-ce qu'il lui dit de faire? Que fait Ornifle?
6. Que fait Fabrice avec son pistolet?
7. Pourquoi Ornifle n'est-il pas tué?
8. Que fait Ornifle d'abord? Et ensuite?
9. Que dit Fabrice quand il le voit s'écrouler?
10. Qu'est-ce que Fabrice se demande?
11. Pourquoi le pistolet est-il vide?
12. Que dit Fabrice quand il voit Ornifle étendu par terre?
13. Que fait-il ensuite?

---

³*Ou sont passées les balles?*—What has become of the bullets?
⁴He guesses, correctly, that his fiancée, Marguerite, took the bullets out of the gun.
⁵*Il n'a pas le cœur solide*—He has a weak heart.
⁶*la maladie de Bishop*—Bishop's disease; a kind of heart disease.

14. Quel est son diagnostic?
15. Pourquoi Ornifle a-t-il «de la chance»?

LE SENS

1. Relevez (*list*) les illogismes comiques dans cette scène, et montrez sa qualité théâtrale.
2. Qu'est-ce que les spectateurs doivent s'imaginer quand Ornifle s'écroule sans que Fabrice ait tiré?

DIALOGUE

A. Ornifle dit à Fabrice de se marier et de passer ses examens. Il lui demande s'il a besoin d'argent.
B. Fabrice répond négativement.
A. Ornifle demande à Fabrice de quoi il a besoin.
B. Fabrice lui dit qu'il a besoin d'honneur. Il lui dit de reculer et d'enlever sa perruque. Ornifle s'écroule, et Fabrice dit qu'il n'a pas le cœur solide.

ETUDE DE MOTS

le coup	This is a very useful word. Two of its meanings are included in this lesson:
1. *un coup de pistolet*	a pistol shot
un coup d'épée	a thrust with a sword
un coup de vent	a gust of wind
2. *encore un coup de Marguerite*	another one of Marguerite's tricks
un sale coup	a dirty trick
Quel coup!	What a brilliant stroke!
un coup de théâtre	a "trick" arranged by the dramatist which surprises the audience. Fabrice's pistol being unloaded but Ornifle collapsing anyhow is a *coup de théâtre*.

EXERCICES

REVISION DES VERBES

Subjunctive (80)

A.
LE PROFESSEUR: Parlez français.
L'ÉTUDIANT: (à un autre étudiant) Il veut que vous parliez français.
LE PROFESSEUR: Ecoutons en classe.
L'ÉTUDIANT: (à un autre étudiant) Il veut que nous écoutions.

Sauf quelques exceptions (80D, E), les formes *nous* ——— et *vous* ———
sont identiques à l'imparfait et au subjonctif présent: les terminaisons
-ions et *-iez* sont ajoutés au radical de la forme *nous* ——— du présent.
Il s'agit donc dans cet exercice de substituer les terminaisons *-ions* ou
-iez aux terminaisons *-ons* ou *-ez*.

1. Apprenez la leçon.
2. Ecrivons lisiblement.
3. Lisez à haute voix.

4. Ouvrons la porte.
5. Partez.

☐

6. Traduisons ce passage.
7. Venez.
8. Disons la vérité.

9. Prenez des notes.
10. Répondons à la question.

B.
LE PROFESSEUR: Moi, je ne bois pas.
L'ÉTUDIANT: Oui, mais les autres boivent.
UN AUTRE ÉTUDIANT: Alors, il faut que je boive aussi.
LE PROFESSEUR: Moi, je ne pars pas.
L'ÉTUDIANT: Oui, mais les autres partent.
UN AUTRE ÉTUDIANT: Alors, il faut que je parte aussi.

Sauf quelques exceptions (80C, D, E), les formes *je* ———, *tu* ———, *il*
———, et *ils* ——— du subjonctif se prononcent de la même façon que
la forme *ils* ——— du présent. (Les terminaisons sont *-e, -es, -e* et *-ent*.)

Dans les *Review Lessons* I, II, et III vous avez déjà repassé tous les verbes des Exercices B et C sauf:

rire	je ris	ils rient
suivre	je suis	ils suivent

1. Moi, je ne comprends pas.
2. Moi, je n'entends rien.
3. Moi, je ne me bats pas.
4. Moi, je n'écris rien.
5. Moi, je ne lis pas.
6. Moi, je ne mens jamais.
7. Moi, je ne m'en sers pas.
8. Moi, je ne viens pas.
9. Moi, je ne suis pas de cours.
10. Moi, je ne ris pas.
11. Moi, je n'y tiens pas.
12. Moi, je ne le crains pas.
13. Moi, je n'en reçois pas.
14. Moi, je ne sors pas.
15. Moi, je ne dors pas.
16. Moi, je ne pars pas.
17. Moi, je ne le dis pas.
18. Moi, je ne finis jamais.

Subjunctive (81C)

C.

LE PROFESSEUR: Je crois qu'il comprend.
L'ÉTUDIANT: Je ne suis pas certain qu'il comprenne.

On emploie le subjonctif après les expressions qui expriment un doute. Commencez chaque phrase par «Je ne suis pas certain que . . .».

1. Je crois qu'il boit.
2. Je crois qu'il ment.
3. Je crois qu'il bat ses enfants.
4. Je crois qu'elle lui plaît.
5. Je crois qu'elle sort la nuit.
6. Je crois qu'elle craint ses parents.
7. Je crois qu'elle ennuie notre hôte.
8. Je crois qu'elle s'appelle Ondine.
9. Je crois qu'elle travaille trop.

Subjunctive (80C, D, E; 81A.1)

D.

LE PROFESSEUR: Je ne suis pas malade.
L'ÉTUDIANT: Je suis heureux que vous ne soyez pas malade.

On emploie le subjonctif après les expressions qui expriment une émotion.

Revoyez le subjonctif des verbes suivants: *aller, vouloir, valoir, faire, pouvoir, savoir, être,* et *avoir.* Commencez chaque phrase par «Je suis heureux que vous...».

1. Je fais des progrès en classe.
2. Je peux comprendre.
3. Je sais la réponse.
4. Je suis préparé.
5. J'ai grande confiance.
6. Je veux réussir.
7. Je vaux mieux qu'on ne le croit.
8. Je vais en France.
9. Mon père le veut.
10. Il va en France aussi.

SUJET DE COMPOSITION

Racontez la scène entre Fabrice et Ornifle au passé dans le style indirect, c'est-à-dire sans citations. Apportez-y des changements, d'autres détails si vous le voulez.

THEME D'IMITATION

Fabrice did not know he was dealing with (ll. 39–40) a man who had a weak heart (ll. 34–35). He was astonished to see his father collapse (l. 26) when he aimed the pistol at (ll. 22–23) him. He fired two times but the gun did not go off (ll. 23–24) because of *(à cause de)* Marguerite's trick. She had taken the bullets out of ("to take out"—*enlever*) the gun. Fabrice did not know what Marguerite had done. Then, furious, he threw [away] his pistol. He stretched his father out on the couch and he listened to his heart (l. 37). Fabrice had not yet taken all his exams, but he knew that his father had Bishop's disease, and he decided to give him an injection (l. 41).

PRONONCIATION

p, t, **and** *qu*

These consonants are known as unvoiced stops. They are usually aspirated in English, that is, they are produced with a slight puff of air. In

French they are not aspirated. In English they are nonaspirated when preceded by *s*. Compare *top* and *stop*, *kin* and *skin*, *pool* and *spool*. Try to pronounce *p*, *t*, and *qu* in French as if they were preceded by *s* in English. You may hold a sheet of paper before your mouth to see if you are aspirating or not. If you are not aspirating the paper will move very little.

REPEAT
>   plaisir; passer; penser; père; le coup; part; encore; il écoute
>   son cœur; quelle comédie; tant pis; tuer; tomber; tirer

Spelling:
p (or *pp*)
t (or *tt*)
qu as in *quelle*; *c* before *a*, *o*, and *u*, as in *car*, *cœur*, and *cueille*; *ch* as in *chrétien*; *q* as in *cinq*.

20
Ornifle [III]
Jean Anouilh

Fabrice, qui est venu tuer son père, reste
pour le soigner.° Sa fiancée, Marguerite,
l'attendait en bas dans la voiture.° Il descend la chercher, mais revient bientôt,
5 affolé. Elle s'est sauvée!° Ornifle, qui trouve
Fabrice vraiment très gentil garçon après
tout, vient à son aide.

soigner to take care of

la voiture car

se sauver to run off, away

ORNIFLE: Ne t'affole donc pas, mon garçon.
On voit bien que tu en es à tes débuts![1]
10 Elle est partie parce qu'elle avait trop
froid dans la voiture ou qu'elle s'ennuyait
tout simplement. Les femmes ont horreur
d'°attendre. C'est un supplice° qu'elles
nous réservent.

avoir horreur de to hate
le supplice torture

15 FABRICE: Non. C'est plus grave. Marguerite
est partie pour toujours. Elle m'a laissé
une lettre, sur le volant.°

le volant steering wheel

ORNIFLE: Montre-moi ça. [*Il parcourt la lettre des yeux.*°] Mon pauvre garçon, elle
20 est très gentille cette lettre: Elle te dit
qu'elle te déteste. . . . Dans les vraies
lettres de rupture,° on se dit qu'on restera
bons amis toute sa vie et on ne se revoit
jamais. Si elle te hait,° c'est qu'elle te
25 reverra demain.

parcourir des yeux to glance through

la rupture breakup (of a friendship,
a love affair)

haïr to hate

[1]*On voit bien que tu en es à tes débuts*—It's easy to see that you are just beginning, i.e.,
that you don't know anything about women.

177

FABRICE: Non. Demain elle sera partie.

ORNIFLE: Où?

FABRICE: En Afrique du Sud!

ORNIFLE: Décidément, la situation s'em-
30   brouille!° Où as-tu été dénicher° une fille
qui, à la moindre contrariété,° s'en va
bouder° en Afrique du Sud?

s'embrouiller to get complicated
dénicher to discover (colloq.)
la contrariété vexation
bouder to pout

FABRICE: Son père ne voulait pas que je
l'épouse. Il l'envoie passer deux ans chez
35   son oncle qui est établi° là-bas. Il lui a
pris son billet.° Mais Marguerite m'aimait. Elle devait° se sauver de chez elle
plutôt que d'obéir. Nous nous serions
cachés un an: le temps° qu'elle soit
40   majeure.° . . .

établi settled
prendre un billet to buy a ticket
elle devait she was supposed to
le temps que . . . time enough for . . .
majeur of age

ORNIFLE: [*Ravi.*°] Plus de doute. C'est bien
mon fils![2] J'ai enlevé° comme ça une
demi-douzaine de jeunes filles que je
devais épouser un an plus tard.

ravi delighted
enlever to abduct

LE CONTENU

1. Pourquoi Fabrice reste-t-il?
2. Où était Marguerite? Qu'a-t-elle fait?
3. Ornifle croit-il que Fabrice connaît bien les femmes?
4. Comment Ornifle explique-t-il le départ de Marguerite?
5. Qu'est-ce que les femmes n'aiment pas faire? Quel est le supplice qu'elles réservent aux hommes?
6. Pourquoi Fabrice croit-il que Marguerite est partie pour toujours?
7. Que dit Marguerite dans sa lettre?
8. Selon Ornifle, pourquoi est-ce que ce n'est pas une vraie lettre de rupture?
9. Qu'est-ce qu'Ornifle est étonné d'apprendre?
10. Quelle question pose-t-il à Fabrice?
11. Pourquoi le père de Marguerite lui avait-il pris un billet pour l'Afrique du Sud?
12. Qu'est-ce qu'elle devait y faire?

[2]*C'est bien mon fils*—He's my son, all right!

13. Qu'est-ce qu'elle allait faire plutôt que d'obéir à son père?
14. Qu'est-ce qu'ils auraient fait pendant un an? Pourquoi un an et pas deux?
15. Pourquoi Ornifle est-il certain maintenant que Fabrice est son fils?

LE SENS

Discutez à propos de cette scène:

1. L'idée qu'Ornifle se fait de l'amour et des femmes.
2. Le rapport entre père et fils.
3. Le contraste entre l'expérience et l'innocence, la naïveté et le cynisme.

DIALOGUE

A. Ornifle essaie de consoler Fabrice en lui suggérant les raisons pour lesquelles Marguerite est probablement partie.
B. Fabrice dit que c'est plus grave et lui montre la lettre, en expliquant où il l'a trouvée.
A. Ornifle lui explique pourquoi c'est une lettre gentille, et non pas une lettre de rupture.
B. Fabrice dit qu'elle ira en Afrique du Sud. Il explique pourquoi.

ETUDE DE MOTS

1. *le temps qu'elle soit majeure* — long enough for her to come of age

Le temps de prendre mes livres et je suis prêt. — I'll be ready as soon as I get my books.

Vous serez long? Non—le temps de m'habiller. — Will you take long? No—only as long as it takes me to get dressed.

Le temps de prendre son passeport et on part. — As soon as you get your passport you leave.

le temps de prendre les clefs	as soon as I get the keys

2. *Plus de doute!* — There's no more doubt about it!
Plus de vin! — There's no more wine!
Encore du vin! — More wine!
Plus d'étudiants! — No more students!
Il y a plus d'étudiants que l'année dernière. — There are more students than last year.

3. *La situation s'embrouille.* — The situation is getting confused.
Tout cela vous embrouille? — Does all that get you mixed up?
Je me suis embrouillé. — I got mixed up.

4. Note idiomatic omission of article:
Il le trouve très gentil garçon. — He thinks he's a very nice boy.
Ils restent bons amis. — They remain good friends.

EXERCICES

Demonstrative pronouns (30)

A.

LE PROFESSEUR: Voici deux livres. Lequel préférez-vous?
L'ÉTUDIANT: Celui-là (*ou* celui-ci).
LE PROFESSEUR: Le livre que j'ai à la main?
L'ÉTUDIANT: Oui, celui que vous avez à la main.

En répondant, employez alternativement *-là* et *-ci.*

1. Voici les trois pièces que nous avons lues. Laquelle était la plus facile? La pièce que nous avons lue au début?
2. Regardez cette liste de mots. Lesquels comprenez-vous? Les mots que nous avons souvent répétés?
3. Lisez ces expressions difficiles. Lesquelles ignorez-vous? Les expressions que nous n'avons pas répétées?
4. Songez aux auteurs que nous avons lus. Lequel vous plaît? L'auteur que vous connaissez le mieux?

□

5. Voici deux photographies. Laquelle préférez-vous?
   La photographie de la jeune fille?
6. Admirez cette boîte de bonbons. Lesquels choisissez-vous?
   Les bonbons que vous avez déjà goûtés?
7. Regardez toutes ces truites. Lesquelles ferai-je cuire?
   Les truites qui sont encore vivantes?
8. Ecoutez ces oiseaux. Lequel voudriez-vous emporter?
   L'oiseau qui chante le plus joliment?

REVISION DES VERBES

Subjunctive (81)

B.

LE PROFESSEUR: Croyez-vous?

L'ÉTUDIANT: Croyez-vous qu'il vienne?

LE PROFESSEUR: Je suis certain que . . .

L'ÉTUDIANT: Je suis certain qu'il viendra.

Revoyez les expressions suivies du subjonctif. Certaines conjonctions
et expressions qui expriment le doute, l'émotion, la possibilité, et la
volonté sont suivies du subjonctif. (Cependant *espérer* est suivi de
l'indicatif.) Notez qu'il n'y a pas de forme spéciale du subjonctif pour
marquer le futur. Complétez chaque phrase par *il vienne* ou *il viendra*.
(Il s'agit de distinguer entre les expressions suivies du subjonctif et les
expressions suivies de l'indicatif.)

1. Je doute qu' . . .
2. Je crois qu' . . .
3. J'espère qu' . . .
4. J'attends jusqu'à ce qu' . . .
5. Il se peut qu' . . .
6. Il est important qu' . . .
7. Je sais qu' . . .

8. Cela m'étonnerait qu' . . .
9. Je veux qu' . . .
10. On m'a dit qu' . . .
11. Je suis content(e) qu' . . .
12. Je suis content(e) parce qu' . . .
13. J'irai aussi puisqu' . . .

C.

LE PROFESSEUR: Je veux. Vous savez la réponse.

L'ÉTUDIANT: Je veux que vous sachiez la réponse.

LE PROFESSEUR: Je crois. Vous savez la réponse.

L'ÉTUDIANT: Je crois que vous savez la réponse.

Joignez les deux phrases par *que*. Comme dans l'Exercice A, il s'agit de distinguer entre les expressions suivies du subjonctif et les expressions suivies de l'indicatif.

1. Ornifle a de la chance. Fabrice est médecin.
2. Ornifle ne sait pas. Fabrice est médecin.
3. Il a fallu. Fabrice lui fait une piqûre.
4. Je doute. Fabrice peut le guérir.
5. Je crois. Fabrice pourra le guérir.
6. Ça m'étonne. Fabrice veut le guérir.
7. Ornifle a de la chance. Fabrice a fait des études de médecine.
8. C'est étonnant. Fabrice et Ornifle sont réconciliés.
9. Je suis content. Ils peuvent se comprendre.
10. Il est vrai. Il n'y a pas de balles dans le pistolet.
11. C'est heureux. Il n'y a pas de balles dans le pistolet.
12. Il faut. Fabrice va chercher Marguerite.

D.

LE PROFESSEUR: Feignez-vous de vous endormir?
L'ÉTUDIANT: Oui, je feins de m'endormir.
LE PROFESSEUR: Soulignez-vous les phrases?
L'ÉTUDIANT: Oui, je souligne les phrases.

Distinguez entre les verbes comme *atteindre, craindre, éteindre, feindre, joindre, peindre,* et *plaindre* et les verbes réguliers qui se terminent en *-gner.*

1. Peignez-vous beaucoup?
2. Signez-vous vos peintures?
3. Craignez-vous les critiques trop sévères?
4. Vous plaignez-vous de l'incompréhension des critiques?
5. Enseignez-vous la peinture aux débutants?
6. Atteignez-vous rarement le but que vous vous proposez?
7. Vous soignez-vous quand vous êtes malade?
8. Eteignez-vous avant de vous coucher?

E.

LE PROFESSEUR: Elle *avait fait le projet de* l'épouser.
L'ÉTUDIANT: Elle devait l'épouser.
LE PROFESSEUR: Elle *a été obligée de* l'épouser.

L'ÉTUDIANT: Elle a dû l'épouser.

LE PROFESSEUR: Elle a un anneau au doigt. Elle *l'a probablement épousé.*

L'ÉTUDIANT: Elle a dû l'épouser.

LE PROFESSEUR: Il *a une dette de* cent francs.

L'ÉTUDIANT: Il doit cent francs.

LE PROFESSEUR: *Il faut qu'elle l'épouse.*

L'ÉTUDIANT: Elle doit l'épouser.

LE PROFESSEUR: Il avait promis. Il *aurait été plus honnête s'il l'avait épousée.*

L'ÉTUDIANT: Il aurait dû l'épouser.

LE PROFESSEUR: Il *paraît qu'il va* l'épouser.

L'ÉTUDIANT: Il doit l'épouser.

Exprimez la pensée des mots en italique dans les phrases ci-dessous par une forme convenable du verbe *devoir.*

1. *Il faut que je travaille.*
2. Mes parents comptent sur moi. *C'est mon devoir de* travailler. (Mais le ferais-je?)
3. Au début de l'année je *m'étais arrangé pour* me spécialiser en français. (Mais maintenant ça paraît douteux.)
4. Marie a très bien répondu. Elle a *probablement étudié.*
5. On lui a dit que si elle ne travaillait pas on la renverrait. Alors elle a *bien été obligée de* travailler.
6. *D'après ce que j'ai entendu dire, elle part.*
7. Et elle *est tenue de me payer* cinq dollars!

SUJET DE COMPOSITION

Ecrivez un monologue pour Marguerite qui attend dans l'automobile. Elle s'impatiente. Elle écrit la lettre. Elle s'en ira. Où? En Afrique du Nord?

THEME D'IMITATION

Marguerite knew that Fabrice would not kill Ornifle. After all, she had removed all the bullets from his gun! Yet when he went down to get her. (l. 4), he found that she had run away (l. 5). Why? Not because women hate to wait (ll. 12–13) or simply because she was bored, but because she was furious. She had tried to tell Fabrice to forget all that nonsense (ll. 6–7, p. 169), but he would not (See **28B**) listen to what she was saying. He would always say that women don't understand questions of honor. Marguerite said she would run away rather than (l. 38) marry a man who had wanted to kill his father, and that is what she did.

PRONONCIATION

Pronounced final consonants

Most final consonants are not pronounced in French. However, the consonants of the word *careful*, that is *c*, *r*, *f*, and *l*, are usually pronounced in final position. (Note that *r* is silent in the infinitive ending *-er*; *aller*; *parler*.)

REPEAT
  sac; lac; bref; pour; bol; maladif; par; mal; tic; chacal; naïf

Final *e* is an indication that the preceding consonant is pronounced.

CONTRAST

plat	plate
bas	base
fin	fine

j and *ch*

The sound usually represented by *j* has a near equivalent in English in the second consonant of *leisure*.

REPEAT
  je; majeure; Jean; jouer; joie; gifle; gigot; gens; geste

Contrast *j* with *ch*, which has a near equivalent in English in the initial sound of *shoe*.

ch	*j*
des chats	déjà
chaque	Jacques
champ	Jean
chéri	j'ai ri

Spelling: Ch is spelled *ch*, as in *Charles. J* is spelled *j*, or *g* followed by *e*, as in *général*, or *i* as in *gifle*. (*G* is pronounced like English hard *g*, as in *guess*, when followed by *a*, *o*, or *u*.)

Adieu, Fabrice !

21
Ornifle [IV]
Jean Anouilh

Ornifle fait venir Marguerite. Il voudrait
la réconcilier avec Fabrice.

FABRICE: Marguerite. . . .

MARGUERITE: [*Recule.*°] Ne me touche pas!   *reculer* to draw back
5   Tu ne me toucheras plus jamais! Tes
  mains d'assassin me font horreur.° . . .   *faire horreur à* to horrify

FABRICE: [*Gémit.*°] Mais puisque je n'ai pas   *gémir* to moan
  tué mon père! . . .

MARGUERITE: [*Hausse les épaules.*°] Je le   *hausser les épaules* to shrug
10   sais bien que tu ne l'as pas tué, ton père,
  j'avais enlevé les balles du pistolet! Mais
  tu as préféré le faire et risquer de me
  perdre. Entre lui et moi c'est lui que tu
  as choisi! C'est ça que je ne pourrai
15   jamais te pardonner. . . . Demain à cette
  heure-ci je serai dans l'avion,° toute   *un avion* airplane
  seule, le cœur brisé.° J'essaierai de dor-   *briser* to break
  mir. Je ne le pourrai pas. D'ailleurs,
  l'avion capotera° peut-être. . . .   *capoter* to crash
20 FABRICE: [*Crie, se tordant les mains:*°]   *se tordre les mains* to wring one's
  Marguerite!   hands

MARGUERITE: [*Lointaine déjà.*[1]] Les autres
  hurleront° de peur. Pas moi. Après tout   *hurler* to yell
  ce que j'aurai souffert, cela m'apparaîtra
25   comme une délivrance. Je sourirai, éton-

[1]*Lointaine déjà*—Already in another world.

187

nant tout le monde par mon calme. . . .
Malheureusement, il n'y aura pas de
survivants et on ne pourra pas venir te
dire: «Au moment où l'avion piquait°   *piquer* to dive, go down

30 vers les flots° sombres, elle souriait.»   *les flots* the billows, waves
J'aurais voulu que cette vision empoi-
sonne à jamais ta vie! Adieu, Fabrice!
[*Elle sort très noble.*]

FABRICE: [*Se redresse° et hurle, se précipi-*   *se redresser* to stand up, straighten

35 *tant:*] Marguerite!   up

ORNIFLE: N'aie pas peur. C'est la salle de
bain.[2] Elle va revenir. . . . Sont-ils bêtes!
Et dire que° c'est ça l'amour.   *dire que . . . !* to think that . . . !

Marguerite revient et tout finit bien.

LE CONTENU

1. Pourquoi Ornifle fait-il venir Marguerite?
2. Pourquoi recule-t-elle? Qu'est-ce qui lui fait horreur?
3. Comment Fabrice s'excuse-t-il?
4. Pourquoi Marguerite sait-elle que Fabrice n'a pas tué son père?
5. Pourquoi est-elle fâchée (*angry*)?
6. Qu'est-ce qu'elle «ne pourra jamais pardonner»?
7. Où sera-t-elle demain? Qu'est-ce qu'elle y fera?
8. Pourquoi Fabrice se tord-il les mains?
9. Que feront les autres dans l'avion?
10. Quelle sera l'attitude de Marguerite?
11. Comment étonnera-t-elle tout le monde?
12. Pourquoi Fabrice ne saura-t-il pas ce qui s'est passé?
13. Qu'est-ce que Marguerite aurait voulu?
14. Qu'est-ce qu'il y a de mélodramatique dans cette scène imaginaire?
15. Que fait Fabrice quand Marguerite sort?
16. Qu'est-ce qui gâte (*ruins*) sa sortie?
17. Quelle opinion Ornifle a-t-il de ces jeunes gens?

[2]Marguerite ruins her grand exit by going out the wrong door, into the bathroom.

LE SENS

Discutez les opinions suivantes. Laquelle vous semble la plus raisonnable?

A. Cette scène est vraiment trop bête. Une jeune fille pourrait très bien faire des rêves aussi romanesques et ridicules, mais jamais elle ne les dirait en public.
B. C'est précisément pour cela que c'est une bonne scène de théâtre. Le théâtre comique ne vise pas à reproduire la réalité, mais à créer une certaine atmosphère ou tension qui pousse les personnages à révéler leurs rêves et leurs impulsions primitives.
C. La scène est entièrement fausse. Anouilh flatte son public de bourgeois en leur répétant leurs idées conventionnelles sur l'émotivité féminine et sur les illusions ridicules de la jeunesse. Les jeunes gens s'intéressent beaucoup plus à l'ordre social qu'à toutes ces fariboles.

ETUDE DE MOTS

1. *Il a des mains d'assassin.* He has hands like an assassin.
   Il a des yeux de lynx. He has eyes like a lynx (lynx-eyes).

   Il a une tête de boxeur. He has a head like a boxer.
   Elle a des jambes de ballerine. She has legs like a ballerina.
2. *Dire que c'est ça l'amour!* To think that *that* is love!
   Dire qu'il y a deux heures il voulait le tuer! To think that just two hours ago he wanted to kill him!
   Dire que c'est vous mon père! To think that *you* are my father!

EXERCICES

REVISION DES VERBES

Future (36)

A.

LE PROFESSEUR: Si elle va en avion, elle aura peur. (*If she goes by plane, she will be frightened.*)

L'ÉTUDIANT: Quand elle ira en avion, elle aura peur. (*When she goes by plane, she will be frightened.*)

On emploie le futur dans une proposition subordonnée introduite par *quand, lorsque, dès que,* ou *aussitôt que* si le verbe de la proposition principale est au futur. (Notez qu'en anglais on emploie le présent dans la proposition subordonnée: *She'll be afraid when she goes in the plane.*)

1. Si elle part, il sera fâché.
2. Si tu as peur, tu prendras ça.
3. Si elle revient, il faudra lui parler.
4. Si elle est calme, il pourra lui parler.
5. S'il voit le garçon dont il a peur, Toto courra.
6. Si l'avion capote, les passagers hurleront.
7. Si elle veut, elle pourra sortir.
8. S'il se rappelle cette scène, Ornifle sourira.
9. Si elle apparaît, Fabrice sera étonné.
10. S'ils se réconcilient, il y aura une scène touchante.

Subjunctive (81)

B.

LE PROFESSEUR: Nous allons partir ———. Il pleut. avant qu' ———
L'ÉTUDIANT: Nous allons partir avant qu'il [ne] pleuve.[3]
LE PROFESSEUR: Nous allons partir ———. Il pleut. Ne voyez-vous pas . . . ?
L'ÉTUDIANT: Nous allons partir. Ne voyez-vous pas qu'il pleut?

1. Nous allons partir ———. Il pleut.
   parce qu' ———   de peur qu' ———
   puisqu' ———   de crainte qu' ———
2. Nous allons rester ———. Ils pleut.
   jusqu'à ce qu' ———   en attendant qu' ———
   bien qu' ———   à moins qu' ———
   quoiqu' ———   mais nous craignons qu' ———
3. Nous allons rester ———. Il fera beau.
   pourvu qu' ———   puisqu' ———
   Nous sommes certains qu' ———   Il est possible qu' ———
   jusqu' à ce qu' ———   mais nous tenons à ce qu' ———

---

[3]Le *ne* explétif après *de peur que, de crainte que, à moins que, avant que* peut être omis.

4. Nous allons rester. ———. Vous resterez aussi.

Nous voulons que ———   Promettez-nous que ———

Nous espérons que ———   Il faut que ———

Se peut-il que ———?   afin que ———

C.

LE PROFESSEUR: Je suis heureux que vous veniez.

L'ÉTUDIANT: Je suis heureux de venir.

Dans la phrase du professeur les deux verbes ont des sujets différents; il emploie une proposition subordonnée. Dans la phrase de l'étudiant les deux verbes ont le même sujet; il emploie l'infinitif.

1. Je voulais que vous veniez.
2. Je tenais à ce que vous veniez.
3. Je suis charmé que vous veniez.
4. Je ne croyais pas que vous puissiez venir.
5. Je voulais téléphoner avant que vous ne veniez.
6. J'ai tout arrangé pour que vous veniez.
7. J'aurais préféré que vous veniez plus tôt.

Imperative (41B)

D.

LE PROFESSEUR: Il faut les aider.

L'ÉTUDIANT: Aidez-les.

Remarquez que les verbes *être, vouloir, avoir,* et *savoir* ont le même radical à l'impératif qu'au subjonctif.

1. Il faut le savoir.
2. Il faut être prudent.
3. Il faut avoir du courage.
4. Il faut en avoir.
5. Quel beau film! Il faut le voir.
6. Mais il faut y être à l'heure.
7. Et il faut savoir le programme.
8. Il faut avoir la patience d'attendre.
9. Il faut emmener les enfants.
10. Il faut le leur expliquer.

E.

LE PROFESSEUR: Il faut les aider.

L'ÉTUDIANT: Aide-les.

Refaites l'Exercice D d'après le modèle ci-dessus.

SUJET DE COMPOSITION

Racontez un voyage dangereux que vous avez fait par avion. Il y a eu un atterrissage forcé (*a forced landing*). Qu'est-ce qui est arrivé?

THEME D'IMITATION

Tomorrow I am leaving for South Africa. My father has already bought the tickets (ll. 35–36, p. 178). The others are leaving, so I have to leave too (Ex. B, p. 173). My family is like that. The others fight, so I have to fight too. The others lie, so I have to lie too. I am horrified by all that (ll. 12–13, p. 177). That is why I wanted to run away (l. 5, p. 177) with Fabrice. Fabrice swore (l. 12, p. 161) he would marry me (l. 44, p. 178) and he has the habit of keeping his word (ll. 13–14, p. 161), but my father does not want me to marry him (ll. 33–34, p. 178), and I am not yet of age (l. 40, p. 178). We were going to hide [for] a year (l. 39, p. 178). But now the situation is getting confused (ll. 29–30, p. 178). Fabrice wouldn't (See **28B**) listen to me and I am furious. What will I do? I've got it! (*Etude de mots* 1, p. 44) I will ask Fabrice's father to help me. He is so nice! (l. 6, p. 177)

PRONONCIATION

Mute *e*

e as in *le, ce, me,* and *petit,* is often called mute *e*. Its pronunciation is similar to closed *eu*. Its distinctive feature is that in normal speech it is often dropped. Practice varies from one speaker to another. The following are utterances in which the mute *e* is very likely to be dropped:

REPEAT

pas de café	mademoiselle
beaucoup de vin	doucement
un peu de bière	lentement

The rule of three consonants. The mute *e* is never dropped when dropping it would create a combination of three consonants with no vowel intervening. Thus the mute *e* is pronounced in *appartement.* Repeat the following utterances dropping the mute *e* except where the rule of three consonants forbids it.

vivement
légèrement
ils viennent de parler
il comprend le français
bigrement

ils comprennent le français
il vient de parler
appelez-vous?
je parlerai

Review Lesson IV
Review of Lessons 18-21

TRANSLATE:

1. He strides up to him (menacingly). (18)
Il marche sur lui.

2. What's got into you? (18)
Qu'est-ce qui vous prend?

3. The gun (shot) doesn't go off. (19)
Le coup ne part pas.

4. He has a weak heart. (19)
Il n'a pas le cœur solide.

5. He is just beginning (in life, in business, in affairs of the heart). (20)
Il en est à ses débuts.

6. He bought her her ticket. (20)
Il lui a pris son billet.

7. No more doubt about it! (20)
Plus de doute!

8. He's my son, all right! (20)
C'est bien mon fils!

9. She shrugs her shoulders. (21)
Elle hausse les épaules.

10. He wrings his hands. (21)
Il se tord les mains.

11. And to think that that's what love is! (21)
Et dire que c'est ça l'amour!

12. You don't know who you are dealing with. (19)
Vous ne savez pas à qui vous avez affaire.

13. He was her lover. (18)
Il était son amant.

14. It's in your own interest. (19)
C'est dans votre propre intérêt.

15. He aims at his father and he fires. (19)
Il braque sur son père et il tire.

REPLACE THE EXPRESSION IN ITALICS BY A SYNONYM.

1. J'ai l'habitude de *garder mes promesses*. (18)
tenir ma parole

194

2. *le bâtard* (18)   le fils naturel

3. *amusant* (18)   drôle

4. des scènes *comme* celle-ci (18)   pareilles à

5. Ne pense plus à ces *choses*   fariboles
   frivoles (19)

6. Soudain Fabrice *parle très*   crie, hurle
   haut. (19)

7. Soudain Ornifle *tombe par*   s'écroule
   terre. (19)

8. Il l'étend sur un *sofa.* (19)   canapé

9. Il *s'occupe de sa santé.* (20)   le soigne

10. Les femmes *détestent* attendre.   ont horreur d'
    (20)

11. *la torture* (20)   le supplice

12. une bouteille que je *garde*   vous réserve
    pour vous (20)

13. *la division entre deux amis,*   la rupture
    deux amants (20)

14. Elle te *déteste.* (20)   hait

15. *se compliquer* (20)   s'embrouiller

16. *trouver* (20)   dénicher

17. *le mécontentement, l'obstacle*   la contrariété
    (20)

18. Elle devait se sauver de *sa*   chez elle
    maison. (20)

19. *enchanté* (20)   ravi

20. *cassé* (21)   brisé

21. Vous *plaisantez?* (18)   voulez rire

22. Il prend la lettre et il *y jette*   la parcourt des yeux
    un coup d'œil. (20)

23. *Nous étions d'accord qu'elle*   Elle devait
    allait se sauver. (20)

24. Il doit *subir* un examen. (18)   passer

25. Servez la truite *comme pre-*   d'abord
    mier plat. (18)

26. Ornifle est *allongé* sur le ca-   étendu
    napé. (19)

27. Fabrice ne veut pas tirer sur   à bout portant
    son père *de très près.* (19)

28. Fabrice crie, mais Ornifle ne   bouge
    se *remue* pas. (19)

29. Marguerite *n'a pas vingt-et-un ans.* (20)	n'est pas majeure
30. L'oncle de Marguerite *de-meure* en Afrique du Sud. (20)	est établi
31. Il y a vingt-cinq ans *depuis cet événement.* (18)	de cela
32. Ornifle *rit d'une façon sarcas-tique.* (18)	ricane
33. Elle va *s'évader.* (20)	se sauver
34. *montrer son mécontentement (d'une façon enfantine)* (20)	bouder
35. Il *se lamente.* (21)	gémit
36. L'avion *descend brusquement.* (21)	pique
37. *se remettre droit* (21)	se redresser

ANSWER BRIEFLY THE FOLLOWING QUESTIONS.

1. Qu'est-ce qu'Ornifle porte au bal masqué? (19)	une perruque
2. Quel traitement Fabrice donne-t-il à Ornifle après son diagnostic? (19)	Il lui fait une piqûre.
3. Où Marguerite a-t-elle laissé sa lettre de rupture? (20)	sur le volant
4. Qu'est-ce que Marguerite avait enlevé du pistolet? (19)	les balles
5. Qu'est-ce que Marguerite prendra pour aller en Afrique du Sud? (21)	un avion
6. D'après Marguerite, que fera l'avion? (21)	Il capotera.

NEW GRAMMAR

1. Formation of the Subjunctive (80)

Give the present subjunctive of the following verbs:

je viens	que je vienne
nous venons	que nous venions
je vais	que j'aille

nous allons
je vaux
nous valons
je veux
nous voulons
je fais
nous faisons
je peux
nous pouvons
je sais
nous savons
je suis
nous sommes
j'ai
nous avons

que nous allions
que je vaille
que nous valions
que je veuille
que nous voulions
que je fasse
que nous fassions
que je puisse
que nous puissions
que je sache
que nous sachions
que je sois
que nous soyons
que j'aie
que nous ayons

2. Use of the subjunctive

I want him to come.	Je veux qu'il vienne. (81A.2)
He must come.	Il faut qu'il vienne. (81A.2)
I am certain he will come.	Je suis certain qu'il viendra. (81C)
It is not certain that he will come.	Il n'est pas certain qu'il vienne. (81C)
I am happy he is coming.	Je suis heureux qu'il vienne. (81A.1)
It is astonishing that he is coming.	C'est étonnant qu'il vienne. (81A.1)
I am not coming unless he comes.	Je ne viens pas à moins qu'il ne vienne. (81A.5)
I am coming provided he comes.	Je viens pourvu qu'il vienne. (81A.5)
I am leaving before he comes.	Je pars avant qu'il ne vienne. (81A.5)
I am leaving because he is coming.	Je pars parce qu'il vient. (81C)

3. Future (36)

When she leaves, he will be sad.	Quand elle partira, il sera triste.

4. Imperative (41B)

Give the imperative of the following verbs:

vous êtes	soyez
vous avez	ayez
vous savez	sachez
vous voulez	veuillez
tu parles	parle

5. Verbs

Give the *je* and *nous* forms of the present of the following verbs:

rire	je ris, nous rions
suivre	je suis, nous suivons

6. Prepositions (68)

Add the infinitive *parler* to each of the following sentences:

il aide	il aide à parler
il cesse	il cesse de parler
il croit	il croit parler
il a envie	il a envie de parler
il se dépêche	il se dépêche de parler
il fait	il fait parler
il néglige	il néglige de parler
il prétend	il prétend parler
il regrette	il regrette de parler
il réussit	il réussit à parler
il sait	il sait parler
il tente	il tente de parler
il veut	il veut parler

7. Demonstrative adjectives (29)

this waiter	ce garçon-ci
this girl	cette fille-ci
that man	cet homme-là
these persons	ces personnes-ci

8. Demonstrative pronouns (30)

    a. Quel auteur?
       This one?   Celui-ci?
       That one?   Celui-là?
    b. Quelle scène?
       This one?   Celle-ci?
       That one?   Celle-là?
       The one by Anouilh?   Celle par Anouilh?
       The one we are reading? Celle que nous lisons?
    c. Quels auteurs?
       these   ceux-ci
       those   ceux-là
       the ones we are reading ceux que nous lisons
       the ones in the book   ceux dans le livre
    d. Quelles scènes?
       These?   Celles-ci?
       Those?   Celles-là?

REVIEW GRAMMAR

1. Object pronouns (Review Lesson I)
2. Orthographic changing verbs (**60A, B**)
3. Present of verbs, especially *craindre* and verbs like it, and *nous* and *ils* forms for subjunctive stems. (Review Lessons I and II)

Part Two

In many college classes Part I is used as a third-semester text and Part II as a fourth-semester text. This means that a certain number of students study Part II without having studied Part I. This should present no difficulty since the two parts of the book are relatively independent. The major points of grammar are reviewed in each part.

Students who begin with Part II, however, should read the introduction and the directions in Chapter I and Review Lesson I so that they will be familiar with the organization of the book and its method.

22
Les Carnets du major Thompson [I]
Pierre Daninos

Le major[1] Thompson est un personnage inventé par l'humoriste français Pierre Daninos. C'est un Anglais qui demeure en France; ses carnets° sont une série d'obser-
5 vations sur la vie française. Ses observations sont censées° être celles d'un Anglais typique. Il dit, par exemple, que les Français ne sont pas vraiment polis. C'est-à-dire qu'ils ne se conduisent pas comme des Anglais.

le carnet   notebook

censé   supposed

Ils devraient se conduire comme des Anglais.

10 Voici ce qu'il dit:

A la vérité, on ne saurait[2] considérer que des gens
   qui gesticulent en parlant,
   qui parlent en mangeant, et souvent de
15   ce qu'ils mangent,
   qui se croient obligés de faire la cour à°
    votre femme,
   qui jugent incorrect d'arriver à 8 h 30
    quand ils sont priés° à 8 h 30,
20 qui s'embrassent en public,
   qui s'embrassent entre hommes . . .

et ils utilisent des cure-dents à table.

faire la cour à   to court; show special attention to

l'heure

prié   invited

[1]This is the English military title. The French translation is *commandant*.
[2]*pas* is frequently omitted in the negation of *savoir*.

qui essaient de passer devant les autres
dans une file d'attente,°   *la file d'attente* waiting line

25   qui parlent de la maîtresse d'un monsieur
avant de parler de sa femme,

qui rient des pieds du Président de la République s'ils sont trop grands (voire°   *voire* even
de ceux de la Présidente),

qui utilisent des cure-dents° à table, ce   *le cure-dent* toothpick
30   qui pourrait passer inaperçu° s'ils ne se   *inaperçu* unnoticed
croyaient obligés de mettre leur main
gauche en paravent° devant leur   *en paravent (m.)* as a screen
bouche,

enfin qui mettent leurs habits neufs le
35   dimanche,

on ne saurait dire que ces gens soient véri-
tablement civilisés ou même polis, du
moins° dans le sens anglais du mot, c'est-   *du moins* at least
à-dire le bon.°   *le bon* the right one

40   Je n'en prendrai pour preuve finale que
leur comportement à l'égard des° femmes: *à l'égard de* with respect to
quand un Anglais croise° une jolie femme   *croiser* to pass (in the street)
dans la rue, il la voit sans la regarder et ne
se retourne jamais; très souvent, quand un
45   Français croise une jolie femme dans la rue,
il regarde d'abord ses jambes pour voir si
elle est aussi bien° qu'elle en a l'air, se re-   *bien* good-looking
tourne pour avoir une meilleure vue de la
question, et, *eventually,*³ s'aperçoit qu'il
50   suit le même chemin qu'elle.

Polis les Français? Plutôt galants!°   *galant* (here) amorous

LE CONTENU

1. Le major Thompson existe-t-il vraiment?
2. Que sont ses carnets?
3. Selon le major, comment est-ce que les Français devraient se conduire?

³The major uses an English word from time to time

4. Que dit-il de leur façon de parler?
5. de leur comportement à table?
6. de leur comportement avec les femmes? avec les hommes?
7. de leurs idées sur la ponctualité?
8. de ce qu'ils font en public? dans une file d'attente?
9. de leurs sujets de conversation?
10. de ce qui les fait rire?
11. Pourquoi est-ce que leur utilisation de cure-dents ne passe pas ina-perçue?
12. Comment s'habillent-ils le dimanche?
13. Quel sens du mot *poli* est le bon, selon le major?
14. Qu'est-ce qu'il prend comme preuve finale?
15. Que fait un Anglais quand il croise une jolie femme dans la rue?
16. Pourquoi un Français regarde-t-il les jambes d'une femme?
17. Pourquoi se retourne-t-il?
18. Et de quoi s'aperçoit-il enfin?

LE SENS

1. Une des façons de faire le portrait satirique d'un pays ou d'un peuple c'est de le représenter tel qu'il apparaît aux yeux d'un étranger. Quels sont les avantages de cette méthode? En connaissez-vous d'autres exemples? L'observateur est-il lui-même visé par la satire?
2. Caractérisez la critique que le major fait des Français. Quels en sont les thèmes fondamentaux?

ETUDE DE MOTS

1. *On ne saurait dire.*	One could scarcely say.
Je ne saurais vous le dire.	I couldn't tell you.
Sauriez-vous l'expliquer?	Could you explain it?
2. *Elle est aussi bien qu'elle en a l'air.*	She is as pretty as she seems.
Est-il aussi poli qu'il en a l'air?	Is he as polite as he seems?
Est-il anglais? Il en a l'air.	Is he English? He seems to be.

Il fait plus froid qu'il n'en a   It's colder than it seems.
l'air.

EXERCICES

REVISION DES VERBES

A.

LE PROFESSEUR: Je prends des leçons.

L'ÉTUDIANT: Vraiment? Vous prenez des leçons?

Notez la différence entre le verbe irrégulier *prendre* (ou préfixe +
prendre) et les verbes réguliers comme *rendre*:

rendre	je rends	nous rendons	ils rendent
prendre	je prends	nous prenons	ils prennent

Suivez le modèle.

1. J'apprends la leçon.
2. Je comprends la leçon.
3. J'entends un oiseau.

4. Je vends des livres.
5. J'apprends le métier.
6. Je me rends en ville.

B.

LE PROFESSEUR: Je prends des leçons.

L'ÉTUDIANT: Les autres prennent des leçons aussi.

1. J'apprends le métier.
2. Je me rends compte.
3. J'entends.

4. Je comprends.
5. Je prétends comprendre.
6. Nous reprenons du café.

C.

LE PROFESSEUR: Je prends des leçons.

L'ÉTUDIANT: J'ai pris des leçons.

Notez les participes passés:

Je me rends—Je me suis rendu
Je prends—J'ai pris

Refaites l'Exercice B d'après le modèle ci-dessus.

Reflexive verbs (76)

D.

LE PROFESSEUR: Il a vu *les autres.* (*He saw the others.*)
L'ÉTUDIANT: Il s'est vu. (*He saw himself.*)
LE PROFESSEUR: J'ai parlé *aux autres.* (*I spoke to the others.*)
L'ÉTUDIANT: Je me suis parlé. (*I spoke to myself.*)

Dans cet exercice l'étudiant change le sens de la phrase du professeur.
Dans la phrase de l'étudiant l'action du verbe est exercée par le sujet
sur lui-même. Le verbe est donc changé en verbe pronominal réfléchi.
Aux temps composés il se conjugue avec l'auxiliaire *être.*

1. Il a présenté *sa femme.*
2. Il a tué *son père.*
3. J'ai reculé *ma chaise.*
4. Il a étendu *son père* sur le canapé.
5. Il a écouté parler *son père.*

☐ This symbol means that the examples which follow are supplementary and are provided for extra practice if needed.

6. J'ai permis *à mon fils* de répondre.
7. J'ai lavé les mains *aux enfants.*
8. Il a toujours admiré *les Anglais.*
9. J'ai servi du café *à mes invités.*
10. J'ai retourné *la carte.*

E.

LE PROFESSEUR: Il lui a parlé. (*He spoke to her.*)
                Elle lui a parlé. (*She spoke to him.*)
L'ÉTUDIANT: Ils se sont parlé. (*They spoke to one another.*)
LE PROFESSEUR: Je vous ai vu. (*I saw you.*)
                Vous m'avez vu. (*You saw me.*)
L'ÉTUDIANT: Nous nous sommes vus. (*We saw each other.*)

Dans cet exercice, l'étudiant combine les deux phrases du professeur
en une seule phrase qui utilise le verbe pronominal réciproque. Ce
verbe exprime l'action que deux ou plusieurs sujets exercent les uns
sur les autres. (Pour l'accord du participe, voir **11C**.)

1. Il l'a regardée. Elle l'a regardé.
2. Je vous ai dit bonjour. Vous m'avez dit bonjour.
3. Il l'a embrassée. Elle l'a embrassé.

4. Je vous ai donné la main. Vous m'avez donné la main.
5. Il lui a répondu. Elle lui a répondu.
6. Je vous ai quitté. Vous m'avez quitté.
7. Il l'a retrouvée. Elle l'a retrouvé.

F.

LE PROFESSEUR: *J'ai remarqué* que je suivais le même chemin.
L'ÉTUDIANT: Je me suis aperçu que je suivais le même chemin.

Dans les verbes pronominaux non réfléchis comme *s'apercevoir* le pronom conjoint (*me, te, se,* etc.) est comme incorporé au verbe et ne joue aucun rôle de complément d'objet. Il ne se traduit pas. (Notez qu'au contraire, dans les verbes pronominaux réfléchis, ces pronoms se traduisent souvent par *myself, yourself, himself,* ou, si l'action est réciproque comme dans l'Exercice E, par *each other.*) Voici une liste de verbes pronominaux non réfléchis:

s'apercevoir (de)	*to notice*	se moquer (de)	*to make fun (of)*
s'attendre (à)	*to expect*		
se douter (de)	*to suspect*	se plaindre	*to complain*
s'échapper	*to escape*	se promener	*to go for a walk*
s'écrier	*to cry out*		
s'en aller	*to go away*	se repentir	*to repent*
s'évanouir	*to vanish, faint*	se sauver	*to escape, run along*
se lamenter	*to lament*	se tromper	*to be mistaken*
se méfier	*to be suspicious*	se taire	*to be silent*
		s'y prendre	*to go about it*
		se souvenir (de)	*to remember*

Substituez un des verbes ci-dessus à chacun des verbes en italique dans les phrases suivantes.

1. Vous *avez soupçonné* la vérité.
2. Je *garde la mémoire* des jours anciens.
3. Vous *gardez le silence*.
4. Ornifle *a perdu connaissance*.
5. Tout le monde peut *faire erreur*.
6. Marguerite *a pris la fuite*.
7. Ils *rient* des pieds du Président.
8. Ornifle ne semble pas *regretter son acte*.
9. J'ai fait un grand cri.
10. Vous *partez* déjà?
11. Je n'ai pas confiance en lui.

THEME D'IMITATION

According to the major (Question 3, p. 204), the typical Englishman passes unnoticed (l. 30) in a waiting line (l. 23) or at table because his behavior (l. 41) is always polite, in the English meaning of the word (l. 38), which—again according to the major—is the right one (l. 39). He never speaks when he is eating; he never laughs at others (l. 26); and he always puts on his old clothes on Sunday. (l. 34) The major says that Frenchmen court other men's wives (l. 16), and that when they meet a pretty girl in the street (l. 42) they turn around to get a better look, (ll. 47–49) and if they like what they see they notice that they are going the same way as she [is] (l. 50). Is that the truth (l. 11)? I couldn't tell you (*Etude de mots* 1).

SUJET DE COMPOSITION

Vous êtes Française (ou Français). Vous écrivez au major Thompson pour attaquer (ou pour défendre) son opinion sur le comportement des Français avec les femmes. Inventez des détails, des expériences personnelles.

23

Les Carnets du major Thompson [II]
Pierre Daninos

Environné d'ennemis comme l'Anglais
d'eau,[1] le Français, on le comprendra aisément, demeure sur ses gardes.

Il est méfiant.°　　　　　　　　　　　　　　　　　　*méfiant* suspicious

5　Il naît méfiant, grandit méfiant, se marie
méfiant, et meurt d'autant plus méfiant
que, comme ces timides qui ont des accès
d'audace, il a souvent été victime d'attaques foudroyantes de crédulité.[2]

10　De quoi donc se méfie le Français? *Yes,
of what exactly?*

De tout.

Dès qu'il s'assied dans un restaurant, lui
qui vit dans le pays où l'on mange les meil-
15 leures choses du monde, M. Taupin[3] commence par se méfier de ce qu'on va lui
servir. Des huîtres,° oui.　　　　　　　　　*une huître* oyster

«Mais, dit-il au maître d'hôtel, sont-elles
vraiment bien?° Vous me les garantissez?»　*bien* good; all right

---

[1]*Environné d'ennemis comme l'Anglais d'eau*—surrounded by enemies as an Englishman
is by water.

[2]*d'autant plus . . . credulité*—all the more suspicious since, like those timid people
who have sudden fits of audacity, he has often been the victim of overwhelming attacks
of gullibility.

[3]M. Taupin is a friend of the major's, a typical Frenchman.

210

20 Je n'ai encore jamais entendu un maître
d'hôtel répondre:

«Non, je ne vous les garantis pas!» En
revanche,° il peut arriver° de l'entendre
dire: «Elles sont bien . . . Mais (et là il se
25 penche en confident° vers son client) . . .
pas pour vous,° monsieur Taupin . . .», ce
qui constitue, surtout si M. Taupin est
accompagné, une très flatteuse consécration.[4]

30 D'ailleurs, M. Taupin sait très bien que,
si les huîtres sont annoncées sur la carte,°
c'est qu'elles sont fraîches, mais il aime
qu'on le rassure.

M. Taupin se méfie même de l'eau: il
35 demande de l'eau fraîche comme s'il exis-
tait des carafes° d'eau chaude ou polluée. Il
veut du pain frais, du vin qui ne soit pas
frelaté.°

«Est-ce que votre pomerol° est bien? . . .
40 On peut y aller?° . . . Ce n'est pas de la
piquette,° au moins!»

Que serait-ce dans un pays comme le
mien[5] où se mettre à table peut être une si
horrible aventure!

45 Ayant ainsi fait un bon petit repas, M.
Taupin refait mentalement l'addition.

«Par principe», me dit-il. S'il ne trouve
pas d'erreur, il semble déçu.° S'il en dé-
niche° une, il est furieux. Après quoi, il s'en
50 va, plus méfiant que jamais, dans la rue.

en revanche (f.) on the other hand
il peut arriver it can happen

en confident confidentially
pas pour vous not good enough for you

la carte menu

la carafe pitcher

frelater to adulterate
le pomerol a red wine

on peut y aller? is it safe to order it?
la piquette cheap, sour wine

déçu disappointed
dénicher to discover (colloq.)

LE CONTENU

1. Pourquoi le Français demeure-t-il sur ses gardes?
2. Est-ce que les timides sont *toujours* timides?

[4]*consécration*—a flattering compliment to his taste as a gourmet.
[5]The major is from England, a country reputed to have very bad cooking.

3. Est-ce que les méfiants sont *toujours* méfiants?
4. De quoi donc se méfie le Français?
5. Quelle opinion le major a-t-il de la cuisine française? Et de la cuisine anglaise?
6. De quoi M. Taupin se méfie-t-il dans le restaurant?
7. Comment le maître d'hôtel peut-il flatter M. Taupin?
8. Quelle sorte de pain, d'eau, de vin M. Taupin veut-il?
9. Que fait-il à la fin du repas?
10. Pourquoi est-il déçu quelquefois après avoir refait mentalement l'addition?
11. Et qu'est-ce qui le rend furieux?
12. De quelle humeur est-il quand il s'en va dans la rue?

LE SENS

1. Si vous savez l'histoire de France, expliquez quels sont les «ennemis qui l'environnent», et les «attaques de crédulité».
2. Du point de vue anthropologique, tout repas est un rite. D'après le comportement de M. Taupin quels sont les phrases et les gestes rituels du bourgeois français quand il fait «un bon petit repas» dans un restaurant? Est-ce qu'on suit le même rituel aux Etats-Unis?

DIALOGUE

A. M. Taupin demande au maître d'hôtel si les huîtres sont fraîches, et s'il les garantit.
B. Le maître d'hôtel répond affirmativement, mais dit qu'elles ne sont pas pour lui.
A. M. Taupin exprime sa méfiance du pomerol.
B. Le maître d'hôtel dit qu'il est bien, mais qu'il a un vin extraordinaire qu'il a gardé pour monsieur Taupin et qu'il lui garantit.

ETUDE DE MOTS

1. *en confident*   literally, as a confidant, a person
                                       you can confide in

en paravent	as a screen
Je vous parle en ami.	I am talking to you as a friend.
Je vais au bal en pirate.	I am going to the dance as a pirate.

2. **Avoiding the passive (21B):**

Il aime qu'on le rassure.	He likes to be reassured.
Il aime qu'on le flatte.	He likes to be flattered.
Il aime qu'on lui parle.	He likes to be spoken to.

EXERCICES

REVISION DES VERBES

A.

LE PROFESSEUR: en convenir.
L'ÉTUDIANT: J'en conviens, mais les autres n'en conviennent pas.
LE PROFESSEUR: le garantir
L'ÉTUDIANT: Je le garantis, mais les autres ne le garantissent pas.

Notez la différence entre les verbes irréguliers *venir* et *tenir* (ou préfixe + *venir* ou *tenir*) et les verbes réguliers se terminant en -*ir*.

venir	je viens	nous venons	ils viennent
finir	je finis	nous finissons	ils finissent

1. revenir
2. se souvenir
3. finir
4. grandir

5. y appartenir
6. y tenir
7. agir
8. réussir

B.

L'ÉTUDIANT: en convenir.
LE PROFESSEUR: Vous en convenez.

Refaites l'Exercice A en suivant le modèle ci-dessus.

Reflexive verbs (76B)

C.

LE PROFESSEUR: *se présenter*. Je voudrais
L'ÉTUDIANT: Je voudrais me présenter.
LE PROFESSEUR: *se présenter*. Nous allons
L'ÉTUDIANT: Nous allons nous présenter.

Faites attention d'employer le pronom convenable (*me, te, nous, vous,* ou *se*) devant le verbe pronominal à l'infinitif.

se méfier de tout le monde
1. Les Français ont l'habitude de
2. Nous avons appris à
3. Vous avez tort de
4. Tu devrais
5. M. Taupin semble

se mettre à table
1. Allons
2. Veux-tu?
3. Elle refuse de
4. Ils vont
5. J'aime

☐

se marier
1. Ces deux jeunes gens vont
2. Quand est-ce que vous allez?
3. J'hésite à
4. Nous avions l'intention de
5. Veux-tu?

D.

LE PROFESSEUR: Dites-moi de me promener.
L'ÉTUDIANT: Promenez-vous.
LE PROFESSEUR: Dites-moi de venir.
L'ÉTUDIANT: Venez.

A l'impératif positif faites attention d'employer le pronom réfléchi seulement après le verbe pronominal.

1. Dites-moi de me méfier.
2. Dites-moi de me marier.

3. Dites-moi de revenir.
4. Dites-moi de me souvenir.

☐

5. Dites-moi d'y tenir.
6. Dites-moi de m'échapper.

7. Dites-moi de regarder.
8. Dites-moi de me retourner.

E.

LE PROFESSEUR: Dites-moi de me promener.
L'ÉTUDIANT: Promenez-vous.
LE PROFESSEUR: Demandez-moi si je parle.
L'ÉTUDIANT: Parlez-vous?
LE PROFESSEUR: Demandez-moi si je me promène.
L'ÉTUDIANT: Vous promenez-vous?

Notez la différence entre la forme interrogative avec inversion du sujet et l'impératif. Cet exercice comporte aussi la révision des verbes irréguliers suivants:

s'asseoir	je m'assieds	nous nous asseyons
conduire	je conduis	nous conduisons
s'endormir	je m'endors	nous nous endormons
se plaindre	je me plains	nous nous plaignons
se plaire	je me plais	nous nous plaisons
se taire	je me tais	nous nous taisons

1. Dites-moi de m'asseoir.
2. Demandez-moi si je m'endors.
3. Dites-moi de me plaindre.
4. Demandez-moi si je comprends.
5. Demandez-moi si je me conduis bien.
6. Dites-moi de me méfier.
7. Demandez-moi si je viens.
8. Demandez-moi si je me souviens.
9. Demandez-moi si je me plais.
10. Dites-moi de me taire.
11. Demandez-moi si je me rends.

F.

LE PROFESSEUR: Dis-moi de me promener.
L'ÉTUDIANT: Promène-toi.
LE PROFESSEUR: Demande-moi si je me promène.
L'ÉTUDIANT: Te promènes-tu?

Refaites l'Exercice E d'après le modèle ci-dessus.

THEME D'IMITATION

You tell me that M. Taupin has invited you [to] Chez Joseph. You can get the best things in the world (ll. 14–15) there if you know [how to] go about it (l. 12, p. 138) like M. Taupin. He distrusts everything, and this (ceci) puts the headwaiter on guard (l. 3). He knows that he will be the victim of a withering attack (ll. 8–9) if the oysters are not fresh—as can happen (l. 23)—or if he serves cheap, sour wine. He also knows that M. Taupin likes to be flattered (Etude de mots 2). He leans toward him confidentially (l. 25) and tells him what is good (Etude de mots 1 p. 140) on the menu (l. 31). "That wine . . . it's good . . . but not good enough for you (l. 26). But this one, this pomerol, I guarantee it. . . ." M. Taupin is certain that if he were less suspicious he would eat less well.

SUJET DE COMPOSITION

M. Taupin vous a invité(e) à dîner dans un restaurant. Quelle impression a-t-il faite sur vous? Qu'est-ce qui est arrivé? Ne copiez pas le texte de la leçon.

24

Les Carnets du major Thompson [III]

Pierre Daninos

Il y a quelque temps, comme je me ren-
dais° gare d'Austerlitz pour aller dans une
petite ville du Sud-Ouest avec M. Taupin,
celui-ci° m'a averti° qu'il ferait une courte
⁵ halte dans une pharmacie pour acheter un
médicament dont il avait besoin.

«*Too bad!* . . . Vous êtes souffrant?° ai-je
demandé.

—Non, pas du tout, mais je me méfie de
¹⁰ la nourriture° gasconne.°

—Ne pouvez-vous acheter votre médecine sur place?°

—On ne sait jamais, dans ces petites
villes. . . . Je serai plus tranquille si je la
¹⁵ prends° à Paris.»

A ma grande surprise, notre taxi a dé-
passé plusieurs pharmacies, en lesquelles
M. Taupin ne semblait pas avoir confiance.
J'ai compris alors le sens de cette inscrip-
²⁰ tion française qui m'avait toujours laissé
perplexe: En vente dans toutes les bonnes
pharmacies. Celles que je venais de voir,
évidemment, c'étaient les autres.

Enfin, nous nous sommes arrêtés devant

se rendre to go

celui-ci the latter
avertir to warn

souffrant not feeling well

la nourriture food
gascon from Gascogne

sur place on the spot; locally

prendre to buy

217

25 la bonne. En revenant à la voiture, un petit
flacon° à la main, M. Taupin m'a dit,   *le flacon* little bottle
comme pour s'excuser:
«Je me méfie plutôt° de tous ces médica-   *plutôt* rather
ments qui ne servent strictement à rien.[1]
30 Mais ma femme, elle, y croit. . . .»

Comme nous gagnions° la gare, j'ai re-   *gagner* to reach
marqué que M. Taupin, inquiet, jetait de
temps en temps un coup d'œil sur sa
montre. Il devait° se méfier de «son heure»[2] *il devait* he must have
35 car il a fini par demander au chauffeur s'il
avait l'heure exacte. Il a paru tranquillisé
par l'heure du taxi qui ne différait pas sen-
siblement° de la sienne. Mais, arrivé à la   *sensiblement* perceptibly
gare, il a fait une ultime° vérification dans *ultime* last
40 la cour[3] en m'expliquant que les horloges
extérieures des gares avancent toujours de
trois minutes pour que les gens se pressent.
M. Taupin a donc mis sa montre à l'heure
de la gare moins trois minutes, plus une
45 minute d'avance pour le principe, ce qui
lui a fait perdre au moins soixante secondes.

Nous nous sommes dirigés ensuite vers
notre train et nous nous sommes installés
50 à deux coins-fenêtre.[4] Puis nous sommes
descendus faire quelques pas° sur le quai,°   *faire quelques pas* to stroll
mais, auparavant,° il a marqué trois places   *le quai* platform
de son chapeau, de son parapluie et de   *auparavant* beforehand
mon waterproof.
55 «Nous ne sommes que deux, lui ai-je fait
observer.

—C'est plus sûr, m'a-t-il dit, les gens sont
tellement sans gêne!»°   *sans gêne* free and easy; incon-
                                                    siderate
Quant au° train, je pensais M. Taupin   *quant à* as for
60 rassuré puisqu'il avait consulté l'indica-

[1]*Ils ne servent strictement à rien*—They are completely useless.
[2]«*son heure*»—his time, i.e., what his watch said.
[3]*la cour*—court. In this case, it refers to an open area in front of the station.
[4]*coins-fenêtre*—corner seats by the window in the compartment.
[5]*On ne change pas*—We won't have to change trains.

teur;° pourtant, avisant° un employé il lui
a demandé:

«On ne change pas,⁵ n'est-ce pas, vous
êtes sûr?»

⁶⁵ Et, se tournant vers moi:
«Avec ces indicateurs, je me méfie. . . .»

un indicateur timetable
aviser to catch sight of

LE CONTENU

1. Où le major allait-il avec M. Taupin?
2. Où se sont-ils arrêtés? Pourquoi?
3. Pourquoi M. Taupin a-t-il besoin d'un médicament?
4. Pourquoi ne l'achète-t-il pas sur place?
5. Qu'est-ce qui a surpris le major?
6. Quelle inscription française l'avait toujours laissé perplexe?
7. Quelle supposition fait-il au sujet des pharmacies qu'ils dépassent?
8. Quelle attitude M. Taupin a-t-il envers les médicaments? Et sa femme?
9. Comment le major savait-il que M. Taupin se méfiait de «son heure»?
10. Pourquoi était-il tranquillisé par l'heure du taxi?
11. En quoi les horloges extérieures des gares diffèrent-elles des autres?
12. Qu'est-ce qui a fait perdre soixante secondes à M. Taupin?
13. Où se sont-ils installés?
14. Pourquoi sont-ils descendus?
15. Comment M. Taupin a-t-il marqué les places?
16. Pourquoi en a-t-il marqué trois?
17. Pourquoi le major pensait-il que M. Taupin était rassuré quant au train?
18. Pourquoi ne l'était-il pas?
19. Quelle question a-t-il posée à un employé?

LE SENS

1. Le type comique est le plus souvent un personnage qui a une idée fixe. Dans les situations les plus différentes il répète toujours le même geste ou la même phrase machinale. D'après cette définition

peut-on dire que Daninos fait de son Français moyen (*average*) un personnage comique?

2. Enumérez les méfiances de M. Taupin.

DIALOGUE

A. M. Taupin dit qu'ils vont faire une courte halte dans une pharmacie.

B. Le major lui demande pourquoi.

A. M. Taupin lui en donne la raison.

B. Le major lui demande s'il est souffrant.

A. M. Taupin répond négativement, et explique pourquoi il achète le médicament.

B. Le major lui demande s'il ne peut pas l'acheter sur place.

A. M. Taupin explique pourquoi il préfère l'acheter à Paris.

ETUDE DE MOTS

1. *Ils ne servent à rien.*   They are useless. They serve no purpose.

   A quoi ça sert?   What good is it? What's it for?

   Les règles servent à mesurer.   Rulers are used for measuring.

2. *Il devait se méfier.*   He must have been suspicious.

   Il doit étonner le major.   He must astonish the major.

   Pourtant, il a dû lire l'indicateur.   Yet he must have read the timetable.

   Regardez-le. Il doit être Anglais.   Look at him. He must be an Englishman.

EXERCICES

Gender (38)

A.

LE PROFESSEUR: *intéressant.* idée

L'ÉTUDIANT: une idée intéressante

LE PROFESSEUR: *intéressant.* exemple
L'ÉTUDIANT: un exemple intéressant

Revoyez les règles qui peuvent vous aider à déterminer le genre des noms. La règle dont il s'agit est indiquée entre parenthèses.

intéressant
1. observation (**A3**)
2. comportement (**B3**)
3. femme (**A1**)
4. ville (**A2**)
5. maître (**B1**)

grand
1. taxi (**B2**)
2. salle (**A2**)
3. quai (**B2**)
4. pharmacie (**A2**)
5. capitaine (**B1**)

Possessive pronouns (66)

B.

LE PROFESSEUR: Cette montre est à moi.
L'ÉTUDIANT: Ma montre; la mienne.
LE PROFESSEUR: Ce médicament est à vous.
L'ÉTUDIANT: Votre médicament; le vôtre.

Utilisez d'abord l'adjectif possessif + nom, ensuite le pronom possessif.

1. Ce restaurant est à moi.
2. Cette table est à lui.
3. Cette place est à vous.
4. Cet imperméable est à lui.
5. Cet indicateur est à toi.
6. Ce train est à eux.
7. Cette montre est à moi.
8. Ce taxi est à nous.
9. Ces médicaments sont à moi.
10. Ces huîtres sont à vous.
11. Ces carnets sont à elle.
12. Ces habits sont à lui.

LE PROFESSEUR: Moi, j'ai mes idées sur la politesse, et eux, . . .
               (*I have my ideas about politeness and* . . .
L'ÉTUDIANT: ils ont les leurs. *they have theirs.*)
LE PROFESSEUR: Moi, j'ai mon idée, et toi, . . . (*I have my idea, and* . . .
L'ÉTUDIANT: tu as la tienne. *you have yours.*)

L'étudiant complète la phrase du professeur en utilisant un pronom possessif.

1. Les Français ont leurs médicaments favoris, et nous, . . .

2. Vous, vous préférez votre médecine, et moi, . . .
3. Lui, il a sa pharmacie favorite, et sa femme, . . .
4. Sa femme a son idée sur les médicaments, et lui, . . .
5. Moi, j'ai mon restaurant favori, et toi, . . .
6. Moi, je me méfie de ma montre, et vous, . . .
7. Moi, je me méfie de mon indicateur, et vous, . . .

☐

8. Le major croit à son système, et M. Taupin, . . .
9. Le major croit à ses idées, et M. Taupin, . . .
10. Nous, nous avons nos principes et eux, . . .
11. Le major parle de son dernier voyage, et M. Taupin, . . .
12. Nous, nous nous méfions quelquefois de nos médicaments, et eux, . . .
13. Vous, vous ôtez votre chapeau, et moi, . . .
14. Moi, je consulte mon indicateur, et elle, . . .

REVISION DES VERBES

Reflexive verbs (76)

C.
Notez la différence entre le verbe transitif et le verbe pronominal.

> *We stopped.* Nous nous sommes arrêtés.
> *We stopped the train.* Nous avons arrêté le train.

Souvent un verbe se traduit d'une façon s'il est transitif, et d'une autre s'il est pronominal.

> *We wondered.* Nous nous sommes demandés.
> *We asked.* Nous avons demandé.

Traduisez en employant le verbe indiqué soit comme verbe pronominal, soit comme verbe transitif.

tromper
1. We deceived him.
2. We made a mistake.

diriger
3. We directed.
4. We headed toward Paris.

promener
5. We walked the dog.
6. We took a walk.

rendre
7. We went to Paris.
8. We gave back the car.

laver
9. We washed the car.
10. We washed.

charger
11. We loaded the car.
12. We took care of it.

intéresser
13. The lesson interested me.
14. I got interested in it.

SUJET DE COMPOSITION

Décrivez les préparatifs du voyage de M. Taupin. Mme Taupin lui dit de se dépêcher, d'écrire souvent, de ne pas faire de bêtises, etc. (Elle se méfie aussi.)

THEME D'IMITATION

You should (28C) leave at three o'clock when you have a train at 4:18. It is not easy to find a taxi in Paris. One thing has always left me perplexed (ll. 20–21): often the taxi [driver] throws a suspicious glance at you (ll. 32–33) and asks you where you are going. He will take you only if he's going the same way (l. 50, p. 204). Remember that there are several railroad stations in Paris. Watch out. Be (Ex. D, p. 191) certain to go to the right one (l. 25). Take a look at the railroad clock (ll. 40–41) when you get there. If you have the time, you can stroll along the platform (l. 51) before the train leaves (See 20D), after having saved a seat (l. 52) with your hat or your raincoat.

25

Les Carnets du major Thompson [IV]
Pierre Daninos

Quand un Anglais rencontre un autre
Anglais, il lui dit: «Comment allez-vous?»
et on lui répond: «Comment allez-vous?»

Quand un Français, rencontre un Fran-
5 çais, il lui dit: «Comment allez-vous?» et
l'autre commence à lui donner des nouvelles de sa santé.

A première vue, la méthode britannique
paraît loufoque.° Mais à la réflexion elle   *loufoque* (colloq.) crazy
10 est peut-être plus rationnelle que la méth-
ode française. En effet, dans le premier cas,
personne n'écoute personne.° Mais dans le   *personne n'écoute personne* nobody
second, le Français, n'écoute pas ce qu'on   listens to anyone
lui répond. Ou° il est en bonne santé, et la   *ou . . . ou* either . . . or
15 santé des autres lui importe peu; ou il est
grippé,° et sa grippe seule est importante.   *être grippé* to have the grippe
Exemple:

«Toujours° ma sciatique.° . . .   *toujours* still
—Ah! . . . la sciatique! Figurez-vous que°   *la sciatique* sciatica
                                                 figurez-vous que imagine; fancy
20 moi, c'est le long de la jambe gauche. . . .
En 1951 j'avais été voir un spécialiste . . .
encore un!° Vous ne savez pas ce qu'il me   *encore un!* yet another one!
dit? . . .»

. . . Et le Français qui souffre, souffre

224

Il souffre

[25] davantage encore d'avoir à taire sa ~~scia-~~ *maladie*
tique '54[1] pour écouter la névrite° '51 de   *la névrite* neuritis
l'autre. . . . *Ils s'enquièrent*

S'étant ainsi enquis° de leur santé respec-   *enquérir* to inquire
tive, de celle de leurs proches,° et des   *les proches* relatives
[30] enfants (Photos? . . . Superbes! . . . Mais
je vais vous montrer les miens . . .), les   *puis ils regardent des photos. . .*
Français passent au: Qu'est-ce que vous
devenez?

A l'encontre des° Anglais, qui ne se   *à l'encontre de* unlike
[35] posent jamais une question aussi angois-
sante,° les Français veulent absolument   *angoissant* agonizing
savoir ce qu'ils deviennent. C'est-à-dire   *ils veulent savoir*
qu'en une minute il faut leur dire si l'on
ne divorce pas, si l'on n'a pas déménagé°   *déménager* to move (out)
[40] et surtout si l'on est . . .

. . . toujours au Crédit Lyonnais . . .

. . . ou aux Assurances Réunies . . .

. . . ou à la Compagnie des Pétroles . . .

Comme si l'interlocuteur s'étonnait de ce
[45] que l'on vous y garde aussi longtemps.[2]

Après cet inventaire, au cours duquel on
n'a pas manqué de° se lamenter sur le   *manquer de* to fail to
mauvais sort qui vous poursuit[3] et la bonne
fortune qui atteint les autres, il est d'usage
[50] de faire un rapide retour sur° la santé avec   *faire un rapide retour sur* come
un: «Enfin, vous avez la santé, c'est le prin-   quickly back to
cipal, allez!»

La conversation continue pendant quelques instants encore pour se terminer sur
[55] le non moins traditionnel: «Il faut que je
me sauve.[4] . . . Allez, au revoir, allez!»

J'ai demandé à plusieurs autochtones°   *un autochtone* a native
la raison de l'emploi quasi° rituel du mot   *quasi* almost
«Allez!» Personne n'a pu m'éclairer° vrai-   *éclairer* to enlighten

---

[1]*d'avoir à taire sa sciatique '54*—to have to keep quiet about the sciatica he had in '54.
[2]That is, as if he were surprised that they hadn't fired you yet.
[3]*Le mauvais sort qui vous poursuit*—the evil fate which pursues you (*vous* is the object
pronoun form of *on*).
[4]*Il faut que je me sauve*—I must be running along.

[60] ment. Je pense qu'il s'agit d'une sorte de
moyen de locomotion invisible sur lequel
le Français aime partir en quittant un autre
Français. *Really most peculiar.* . . .

LE CONTENU

1. Que répond l'Anglais à la question «Comment allez-vous?» Et le Français?
2. Pourquoi la méthode britannique est-elle peut-être plus rationnelle?
3. Quel est l'inconvénient de la méthode française?
4. S'il est en bonne santé quel intérêt l'interlocuteur a-t-il à la santé des autres?
5. Et qu'est-ce qui l'intéresse s'il est grippé?
6. Que dit votre interlocuteur au sujet de sa sciatique à lui? (*about his own sciatica*)
7. Pourquoi celui qui souffre souffre-t-il alors davantage?
8. De quoi les deux interlocuteurs s'enquièrent-ils ensuite?
9. Qu'est-ce qu'ils se montrent l'un à l'autre?
10. Quelle est la question angoissante que les Anglais ne se posent jamais?
11. Qu'est-ce que les Français veulent savoir quand ils vous demandent ce que vous devenez?
12. Pourquoi la demande si on est toujours au Crédit Lyonnais ou aux Assurances Réunies, semble-t-elle assez impolie au major?
13. Sur quoi ne manque-t-on pas de se lamenter au cours de cet inventaire?
14. Comment fait-on un rapide retour sur la santé à la fin?
15. Quelle est la terminaison traditionnelle de toutes les conversations?
16. Qu'est-ce que personne n'a pu expliquer au major?
17. Quelle explication le major offre-t-il de l'emploi quasi rituel du mot «Allez»?

LE SENS

1. Est-ce que l'humour de cette scène vient de l'observation d'un comportement spécifiquement français ou s'agit-il plutôt du comique

inhérent des automatismes et des phrases rituelles? Le rituel d'une rencontre entre deux vieilles connaissances est-il différent aux Etats-Unis qu'en France?

2. Ce passage est riche en expressions plus typiques de la conversation que de la langue écrite. Ces expressions ne se traduisent presque jamais littéralement. Cependant on peut penser que deux Américains diraient à peu près la même chose en se rencontrant que les deux Français de cette scène. Il devrait donc exister des idiotismes (*idioms*) anglais équivalant aux expressions suivantes. Pouvez-vous en trouver?

   a. Figurez-vous que moi, c'est le long de la jambe gauche.

   b. Vous ne savez pas ce qu'il me dit?

   c. Qu'est-ce que vous devenez?

   d. Enfin, vous avez la santé, c'est le principal, allez!

   e. Allez, au revoir, allez!

DIALOGUE

A. demande à B comment il va.
B. dit qu'il a toujours sa sciatique.
A. l'interrompt pour parler de sa propre sciatique.
B. l'interrompt pour lui montrer des photos de sa famille.
A. les admire, puis dit qu'il doit se sauver.
B. termine la conversation de la façon traditionnelle.

ETUDE DE MOTS

1. *Il faut que je me sauve.*	I must be running along.
Quand il a peur il se sauve.	When he's afraid he runs away.
Sauve qui peut!	Every man for himself!
2. *La santé des autres lui importe peu.*	The health of others matters little to him.
Peu lui importe.	Little does he care.
N'importe.	It doesn't matter.
n'importe qui	anyone (*literally,* "it doesn't matter who")
n'importe quand	any time

EXERCICES

Articles (19A, B)

A.

LE PROFESSEUR: des huîtres. J'ai bu du vin blanc _____.
L'ÉTUDIANT: J'ai bu du vin blanc avec des huîtres.
LE PROFESSEUR: de la joie. Je les mangerais _____.
L'ÉTUDIANT: Je les mangerais avec joie.

On omet l'article après *avec* si la locution *avec* + nom a une qualité adverbiale. Ainsi on pourrait substituer un adverbe pour *avec joie* (*joyeusement*), mais on ne pourrait pas substituer d'adverbe pour *avec des huîtres.*

1.	de l'eau	Il boit son vin _____.
2.	du soin	Il choisit son vin _____.
3.	de la méfiance	Il regarde la carte _____.
4.	de la glace	Il boit de l'eau minérale _____.
5.	du café	On ne sert pas les petits fours _____.
6.	du plaisir	J'accepte l'invitation _____.
7.	de la confiance	Il parle _____.
8.	de la raison	Il a protesté _____.
9.	de la certitude	On l'affirme _____.
10.	des livres	Il est arrivé _____.

B.

LE PROFESSEUR: Le citron. Je n'aime pas les huîtres _____.
L'ÉTUDIANT: Je n'aime pas les huîtres sans citron.

On omet l'article après *sans.* Refaites l'Exercice B en suivant le modèle ci-dessus.

Articles (14A, B, C)

C.

LE PROFESSEUR: La paille. Il porte un chapeau de _____.
L'ÉTUDIANT: Il porte un chapeau de paille.

LE PROFESSEUR: La porte. Il se trompe de ——.
L'ÉTUDIANT: Il se trompe de porte.
LE PROFESSEUR: Le médicament. Il se méfie de ——.
L'ÉTUDIANT: Il se méfie du médicament.

D'ordinaire l'article est omis:

a. Après *de* si la locution *de* + nom sert à caractériser comme un adjectif: *chapeau de paille, cri de joie, couvert de gloire.*
b. Après *de* dans plusieurs locutions verbales comme *se tromper de, avoir besoin de.* (Notez cependant que dans d'autres il n'est pas omis: *se méfier de, se douter de.*)
c. Après *en.*
d. Dans de nombreuses locutions idiomatiques: *avoir faim, avoir raison.*

1. le luxe	C'est un restaurant de ——.
2. la crédulité	Il est victime d'une attaque de ——.
3. le public	Ils s'embrassent en ——.
4. les ennemis	Le Français se sent environné de ——.
5. le vin	Il se méfie de ——.
6. la vérité	Il se doute de ——.
7. la confiance	M. Taupin a —— en cette pharmacie.
8. la vente	En —— dans toutes les pharmacies.
9. la gare	Il met sa montre à l'heure de ——.
10. le train	Pour aller à Bordeaux il faut changer de ——.
11. l'audace	Les timides ont parfois des accès de ——.
12. la jambe	J'ai la sciatique le long de ——.
13. le canal	Il se promène le long de ——.
14. la question	Il se retourne pour avoir une meilleure vue de ——.
15. l'attente	Il passe devant les autres dans une file de ——.
16. le général	Il se moque de ——.

Articles (13A; 14B, C; 18A, B; 19A, B)

D.

Pour cet exercice de révision, revoir les règles des Exercices A, B, C, ainsi que les règles suivantes:

a. Un nom au sens général est précédé de l'article défini: *L'eau est un liquide.*

b. Un nom au sens partitif est précédé de l'article partitif *du, de l', de la,* ou *des: Donnez-moi de l'eau.*

c. Les expressions de quantité et les expressions négatives sont suivies de l'article partitif *de: peu d'eau, pas d'eau.*

Complétez les phrases suivantes par *l'eau, de l'eau, d'eau,* ou *eau:*

1. L'Angleterre est entourée ―――.
2. Ici on boit beaucoup ―――.
3. Les Français détestent ――― glacée.
4. Les Américains aiment ――― glacée.
5. M. Taupin se méfie ―――.
6. Il demande ―――.
7. Il demande une carafe ―――.
8. Il veut ――― qui soit fraîche.
9. ――― n'est pas annoncée sur la carte.
10. Garçon, ―――, s'il vous plaît.
11. Moi, je prends mon vin avec ―――.
12. Moi, je préfère le vin sans ―――.
13. ――― est nécessaire à la vie.
14. Tout le monde a besoin ―――.
15. Il n'y a pas ―――.

THEME D'IMITATION

If you have a little knowledge of the ways of the world (l. 22, p. 122), you know that when you meet a friend on the street you should not begin by giving him (See **75A**) news of your health (ll. 6–7) and that of your near and dear ones. (l. 29) Little does he care how other people are doing (*Etude des mots* 2). He wants to talk about himself (See **58A2**). Ask him what he has been up to (l. 37). He will tell you if he is getting a divorce (l. 39) and whether he has moved (l. 39) recently (Ex. A. p. 59). If he begins to show you pictures (l. 30) of his children, show him pictures of yours (Ex. B, p. 221). Don't say, "Come [and] see us any time (*Etude de mots* 2). Our door is always open to anyone." That sounds (seems) (l. 9) terribly free and easy (l. 58, p. 218) and not very flattering (l. 28, p. 211). And what would you do if he took you seriously (Question 10, p. 139)? When you are leaving, the usual thing to say is (ll. 49–50) "I must be running along." (ll. 55–56)

SUJET DE COMPOSITION

Vous rentrez tard chez vous. Vous expliquez à votre femme (ou à votre mari) que vous avez été retenu (*detained*) par la rencontre inattendue d'une vieille connaissance qui ne voulait pas finir de parler. Détails.

Il était
évident, pour un
Anglais du
moins, qu'ils
allaient en
venir aux mains.

26

Les Carnets du major Thompson [V]
Pierre Daninos

Je dois le confesser: j'ai toujours trouvé
étrange l'attraction° exercée sur les Français par le pas des portes.° Ils ont notamment,° arrivés à cet endroit, une façon de
5 se dire au revoir(en ayant soin de ne pas°) se
quitter dont on chercherait en vain l'équivalent dans le Commonwealth, et sans
doute dans le reste du monde. Au moment
même où ils doivent se séparer après avoir
10 causé pendant deux heures, ils trouvent
une quantité de choses capitales à se dire.
C'est un peu ce qui se passe avec les femmes au téléphone: il suffit° qu'elles se
disent «au revoir» pour trouver soudain à
15 parler d'une foule° de choses.

J'ai été plus particulièrement frappé par
cette attitude le jour où,[1] de retour° en
France après une longue mission en Mésopotamie, j'ai cru être l'objet d'une halluci-
20 nation; j'ai aperçu en effet mon vieil ami
M. Taupin dans la position exacte où je
l'avais laissé six mois auparavant: sur le
seuil° de sa maison, il disait toujours° au

attraction	(here) magnetic attraction
le pas de la porte	doorstep
notamment	in particular
en ayant soin de ne pas	being careful not to
suffire	to suffice, to be enough
la foule	crowd, great number
de retour	back
le seuil	threshold
toujours	still

[1]After expressions of time, *ou* means "when."

233

revoir à M. Charnelet. La fréquentation du
²⁵ désert m'ayant accoutumé aux mirages, je
n'en ai d'abord pas cru mes yeux. Discrètement, je me suis rapproché. J'ai vu alors M.
Taupin reculer de quelques pas, lever les
bras en l'air et revenir d'un air menaçant
³⁰ sur M. Charnelet, qu'il a saisi par le revers°
de son manteau et qu'il a commencé à se-
couer° d'avant en arrière.° Il était évident,
pour un Anglais du moins, qu'ils allaient
(en venir aux mains.)° Je m'apprêtais à° les
³⁵ séparer lorsque je les ai entendus éclater de
rire. A ce moment, ils m'ont reconnu.

«Ma parole, cria M. Taupin, mais voilà
notre major Thompson de retour! Quelle
surprise!»
⁴⁰   J'ai compris alors que mes yeux ne m'a-
vaient pas trahi.° M. Taupin m'a invité
aussitôt° à entrer chez lui et M. Charnelet,
lui ayant dit une nouvelle fois° au revoir,
nous a rejoints bientôt pour faire, réflexion
⁴⁵ faite,° un «petit brin de causette.»°

le revers du manteau   lapel

secouer   to shake
d'avant en arrière   back and forth

en venir aux mains   to come to blows
s'apprêter à   to get ready to

trahir   to betray
aussitôt   immediately
une nouvelle fois   once again

réflexion faite   having thought it over
un petit brin de causette   a little chat

LE CONTENU

1. Selon le major qu'est-ce qui semble exercer une attraction étrange sur les Français?
2. Qu'est-ce qu'il y a de contradictoire dans leur façon de se dire au revoir?
3. Où chercherait-on en vain l'équivalent de cela?
4. Quand trouvent-ils une quantité de choses capitales à se dire?
5. A qui ressemblent-ils alors?
6. Les femmes se disent au revoir au téléphone mais elles ne raccro-chent pas (*they don't hang up*). Pourquoi pas?
7. Quand est-ce que le major a été particulièrement frappé par cette attitude?
8. Pourquoi se croyait-il l'objet d'une hallucination?
9. Qu'est-ce qui a accoutumé le major aux mirages?

10. Qu'est-ce que M. Taupin a fait après avoir reculé de quelques pas?
11. Par où a-t-il saisi M. Charnelet?
12. Qu'est-ce qu'il s'est mis à faire?
13. Pourquoi le major s'apprêtait-il à séparer M. Charnelet et M. Taupin?
14. Qu'est-ce qui a rassuré le major?
15. Le major semble-t-il avoir oublié que les Français gesticulent beaucoup en parlant?
16. Qu'est-ce que M. Taupin a invité le major à faire?
17. Pourquoi M. Charnelet les a-t-il rejoints?

LE SENS

1. La gesticulation et la verbosité sont-elles drôles en elles-mêmes? Que fait Daninos pour faire ressortir (*bring out*) leur côté comique?
2. Il existe un comique de multiplication qui procède par l'exagération et un comique de soustraction qui procède par l'omission: les gestes, par exemple, peuvent paraître ridicules quand les mots qui les accompagnent sont omis (*omitted*). Trouve-t-on ces formes du comique dans cette scène?
3. Peut-on dire que cette scène est une caricature de l'observateur tout autant que des personnes observées?

ETUDE DE MOTS

The English construction *having finished, having arrived* occurs in French (e.g., *ayant fini, étant arrivé*), but often, as in the following examples, the auxiliary verb is omitted:

réflexion faite . . .	having thought it over . . .
arrivés à cet endroit . . .	having arrived at that place . . .
Mon travail fini, je rentrais.	Having finished my work, I was going home.
M. Taupin parti, Charnelet m'a invité chez lui.	Mr. Taupin having left, Charnelet invited me to his house.

EXERCICES

Object pronouns (59A)

A.

LE PROFESSEUR: Est-ce que vous me garantissez *les huîtres?*
L'ÉTUDIANT: Non, je ne vous les garantis pas.

Notez l'ordre des pronoms compléments devant le verbe:

me le	me la	me les
te le	te la	te les
se le	se la	se les
nous le	nous la	nous les
vous le	vous la	vous les

1. Est-ce que vous me recommandez *le rosbif?*
2. Est-ce que vous m'apportez *la carte des vins?*
3. Est-ce que vous me servez *le plat?*
4. Est-ce que vous m'appelez *le maître d'hôtel?*
5. Est-ce que vous m'avez dit *que vous étiez garçon dans ce restaurant?*

B.

LE PROFESSEUR: Est-ce qu'il a expliqué *aux étudiants ce qu'il pense de cette histoire?*
L'ÉTUDIANT: Oui, il vient de le leur expliquer.
LE PROFESSEUR: Est-ce qu'il a montré *le menu au client?*
L'ÉTUDIANT: Oui, il vient de le lui montrer.

Notez l'ordre des pronoms compléments à la troisième personne devant le verbe:

le lui	le leur
la lui	la leur
les lui	les leur

1. Est-ce qu'il a lu *ce passage aux étudiants?*
2. Est-ce qu'il a expliqué *la méthode britannique aux autres?*
3. Est-ce qu'il a dit *à ses amis qui est son spécialiste?*

4. Est-ce qu'il a montré *ses photos à son interlocuteur?*
5. Est-ce qu'il a demandé *à son ami ce qu'il devenait?*
6. Est-ce qu'il a demandé *l'heure au chauffeur?*

Object pronouns (57–58)

C.

LE PROFESSEUR: Est-ce que le major Thompson demeure *en France?*
L'ÉTUDIANT: Oui, il y demeure.
LE PROFESSEUR: Est-ce que vous avez déniché une *erreur à l'addition?*
L'ÉTUDIANT: Oui, j'en ai déniché une.

Le pronom *y* remplace *à* + nom de chose (ou infinitif). Il remplace aussi une préposition de lieu + nom.

Le pronom *en* remplace *de* + nom. Il remplace aussi le nom qui suit un nombre ou une expression de quantité.

1. Est-ce que les Français rient *des pieds du Président de la République?*
2. Est-ce que les Français utilisent *des cure-dents?*
3. Est-ce que les Anglais mettent *de vieux habits le dimanche?*
4. Est-ce que le major fait allusion *au comportement des Français avec les femmes?*
5. Est-ce qu'il se plaît *en France?*
6. Aime-t-il dîner *dans ce restaurant où le maître d'hôtel connaît M. Taupin?*
7. Est-ce qu'il se méfie *de tout ce qu'on lui sert?*
8. Est-ce que l'on commande d'ordinaire une douzaine *d'huîtres?*
9. Est-ce qu'il y a beaucoup *de clients dans le restaurant à huit heures du soir?*
10. Est-ce qu'il y a plusieurs *bonnes choses sur le menu?*

□

11. Est-ce que le maître d'hôtel lui apporte une *bouteille de pomerol?*
12. Est-ce que M. Taupin commande une deuxième *bouteille,* plus tard?
13. A la fin du repas, est-ce qu'il a l'air *d'être toujours méfiant?*
14. Songe-t-il *aux différences infinies entre les Français et les Anglais?*

15. Reste-t-il longtemps *en Mésopotamie*? (Non.)
16. M. Taupin est-il encore *sur le seuil de sa maison*?
17. Le major assiste-t-il *à la scène entre Taupin et Charnelet*?
18. S'apprêtait-il *à les séparer*?
19. Mais Taupin et Charnelet tenaient-ils *à se battre*? (Non.)
20. A la fin, le major est-il entré *chez M. Taupin*?
21. Le major s'est-il habitué *à la façon française de dire bonjour*? (Non.)

REVISION DES VERBES

Present (73B)

D.

LE PROFESSEUR: J'ai été malade pendant deux mois. (*I was sick for two months.*)

L'ÉTUDIANT: Je suis malade depuis deux mois. (*I have been sick for two months.*)

LE PROFESSEUR: J'ai appris le français il y a deux ans. (*I learned French two years ago.*)

L'ÉTUDIANT: J'apprends le français depuis deux ans. (*I have been learning French for two years.*)

La phrase du professeur exprime une action dans le passé. La phrase de l'étudiant exprime une action qui a commencé dans le passé et qui dure encore. La phrase de l'étudiant est au présent. Pour indiquer la durée on emploie une locution adverbiale introduite par *depuis* ou la locution *il y a . . . que* ou *voilà . . . que*. Dans cet exercice employez *depuis*.

1. J'ai travaillé au Crédit Lyonnais pendant trois ans.
2. J'ai regardé les jolies femmes pendant mon adolescence.
3. Il se méfiait pendant notre voyage.
4. Il a parlé pendant deux heures.
5. J'ai été malade hier.

☐

6. Il a demeuré en France en '54.
7. J'ai déjeuné ici il y a trois ans.

8. Je l'ai connu au moment de la libération.
9. Elle a nagé à l'âge de trois ans.

E.

LE PROFESSEUR: J'étais malade il y a trois mois. (*I was sick three months ago.*)

L'ÉTUDIANT: Il y a trois mois que je suis malade. (*I have been sick for three months.*)

Distinguez entre *il y a*, qui signifie «ago», et *il y a . . . que*, qui indique la durée.

Dans la phrase du professeur l'action est dans le passé. Dans la phrase de l'étudiant elle a commencé dans le passé, mais elle dure encore.

1. Il parlait il y a dix minutes.
2. Tu étais fâchée il y a un quart d'heure.
3. Il a neigé il y a une semaine.
4. Ils ont mangé il y a une demi-heure.
5. Ils se sont dit au revoir il y a vingt minutes.

F.

Traduisez:

1. I have been working for three years.
2. He has been speaking for two hours.
3. It has been snowing for a week.
4. I have been sick for a week.
5. I have known him for a week.

THEME D'IMITATION

As I just told you (Ex. B), I have been living in France since 1954 (Ex. D) and I still am not used to it (Ex. C, no. 21). In 1971 I lived in England for four months (Ex. D). Having finished my work (*Etude de mots* 2) I came back, and what struck me (l. 16) was the French habit of saying good-bye without leaving (ll. 5–6). It is true that a Frenchman talks more than an Englishman, anywhere and any time (*Etude de mots* 2, p. 227), but it is most particularly on the doorstep (ll. 3–4), at the very moment when (l. 9) he is about to leave another Frenchman, that he finds a host of things to say. During the four months I spent in

England, I had also forgotten that the French gesticulate when they are speaking (l. 13, p. 203). When I saw two of my French friends who were saying good-bye to each other (Ex. E, p. 207), I thought that they were about to come to blows (l. 34). Then I heard them burst out laughing (ll. 35–36). What a surprise!

SUJET DE COMPOSITION

Vous êtes M. (ou Mme) Taupin. Dites pourquoi vous préférez la conversation française à la conversation britannique (lente, ennuyeuse, coupée de longs silences).

Review Lesson V
Review of Lessons 22-26

VOCABULARY AND IDIOMS

TRANSLATE:

1. One could scarcely say. (22) On ne saurait dire.
2. He likes to be spoken to. (23) Il aime qu'on lui parle.
3. The English meaning is the right one. (22) Le sens anglais est le bon.
4. That clock is three minutes fast. (24) Cette pendule avance de trois minutes.
5. They get on to the next question. (25) Ils passent à la question suivante.
6. What have you been up to? (What has become of you these days?) (25) Qu'est-ce que vous devenez?
7. I didn't believe my eyes. (26) Je n'en ai pas cru mes yeux.

REPLACE THE EXPRESSION IN ITALICS BY A SYNONYM.

1. Il est *considéré comme étant* riche. (22) censé être
2. Il *fait des compliments galants* à toutes les jolies femmes. (22) fait la cour
3. Nous sommes *invités* à 8 h. 30. (22) priés
4. Ils devraient *se comporter* comme nous. (22) se conduire
5. Le major est choqué par leur *conduite*. (22) comportement

241

6. une *rangée de personnes qui attendent* (22) — file d'attente

7. Ils *se moquent* des pieds du président. (22) — rient

8. *avoir lieu sans que l'on s'en aperçoive* (22) — passer inaperçu

9. Ils rient du Président, *même* de la Présidente. (22) — voire

10. Quelle est *la signification* du mot? (22) — le sens

11. *relativement aux* femmes. (22) — à l'égard des

12. *rencontrer dans la rue en venant d'une direction opposée* (22) — croiser

13. *Elle paraît* (ou *semble*) *gentille.* (22) — a l'air (d'être)

14. *aisément* (23) — facilement

15. Il est sujet à des *attaques soudaines* de rage. (23) — accès

16. Voilà une nouvelle *qui cause une émotion soudaine et violente.* (23) — foudroyante

17. Il y a des huîtres sur *le menu.* (23) — la carte

18. *du mauvais vin* (23) — de la piquette

19. *J'allais* à la gare d'Austerlitz. (24) — je me rendais

20. Il m'a *prévenu.* (24) — averti

21. qu'il devait *s'arrêter quelques instants* (24) — faire une courte halte

22. Il se méfie de *ce que l'on mange en Gascogne.* (24) — la nourriture gasconne

23. Où peut-on *acheter* ce médicament, ou ces billets? (24) — prendre

24. *petite bouteille* (24) — flacon

25. Ils *sont inutiles.* (24) — ne servent à rien

26. Comme nous *atteignions* la gare . . . (24) — gagnons

27. Il *a demandé enfin* . . . (24) — a fini par demander

28. *perceptiblement* (24) — sensiblement

29. Nous *nous sommes promenés pendant quelques minutes* sur le quai. (24)

avons fait quelques pas

30. une personne *qui prend ses aises en se souciant fort peu des autres* (24)

sans gêne

31. Enfin, *apercevant* un employé . . . (24)

avisant

32. *Imaginez-vous.* (25)

Figurez-vous.

33. *ayant posé des questions sur leur santé respective* (25)

s'étant enquis de

34. *au contraire de* (25)

à l'encontre de

35. Est-ce que vous avez *changé de domicile?* (25)

déménagé

36. *Ce que l'on fait d'ordinaire c'est de* dire, «Allez, au revoir, allez.» (25)

il est d'usage de

37. *une personne née dans la région* (25)

un autochtone

38. *presque* (25)

quasi

39. *le pas de la porte* (26)

le seuil

40. *faire un pas en arrière* (26)

reculer

41. *se préparer à* (26)

s'apprêter à

42. Personne n'a pu *me renseigner.* (25)

m'éclairer

43. Il faut que je *m'en aille.* (25)

me sauve

44. Ils allaient *se battre.* (26)

en venir aux mains

45. Il est *revenu* de Mésopotamie. (26)

de retour

46. *une petite conversation* (colloq). (26)

un petit brin de causette

47. *Il s'en soucie fort peu.* (25)

Peu lui importe.

48. *maintenant que j'y pense* (26)

réflexion faite

49. Vous *ne vous sentez pas bien?* (24)

êtes souffrant?

50. Je serai *moins inquiet.* (24)

plus tranquille

51. Pourquoi ne pas prendre le médicament *dans la localité?* (24)

sur place

52. Le médecin lui conseille *une drogue.* (24)   un médicament

53. C'est une chose qui me *confond.* (24)   laisse perplexe

54. M. Taupin semble *désappointé.* (23)   déçu

55. Il portait un waterproof, *autrement dit,* un imperméable. (22)   c'est-à-dire

56. Il avait déjeuné *d'abord.* (24)   auparavant

57. M. Taupin et M. Charnelet se disputaient; *ce dernier* levait les bras. (24)   celui-ci

58. *A l'égard du* train, je pensais M. Taupin rassuré. (24)   quant au

59. *agiter fortement et à plusieurs reprises* (26)   secouer

60. Mes yeux ne m'avaient pas *trompé.* (26)   trahi

61. Les Français sont *soupçonneux.* (23)   méfiants

62. La mer *est tout autour de* ce pays. (23)   environne

63. Il lui montre des photos de ses *parents.* (25)   proches

64. Il ne *néglige* pas de se lamenter sur son sort. (25)   manque

65. Ils ne posent jamais des questions aussi *pénibles.* (25)   angoissantes

66. Il demande du vin qui ne soit pas *adultéré.* (23)   frelaté

ANSWER BRIEFLY THE FOLLOWING QUESTIONS.

1. Qu'est-ce qu'on consulte si on veut savoir quand le train partira? (24)   l'indicateur

2. Dans quoi est-ce que le major note ses impressions? (22)   dans un carnet

3. Qu'est-ce qu'on met devant une fenêtre pour empêcher les courants d'air? (22)   un paravent

4. Où se promènent Monsieur   sur le quai
   Taupin et le major avant le
   départ du train? (24)
5. Dans quoi est-ce qu'on sert   dans une carafe
   l'eau dans un restaurant fran-
   çais? (23)
6. Avec quoi se cure-t-on les   avec un cure-dent
   dents? (22)

GRAMMAR

1. Verbs

Give the *je* and *nous* forms of the present of the following verbs, and also the *ils* form of the verbs with an asterisk.

s'asseoir	je m'assieds, nous nous asseyons
se conduire	je me conduis, nous nous condui-sons
s'endormir	je m'endors, nous nous endor-mons
finir	je finis, nous finissons
se plaindre	je me plains, nous nous plaignons
se plaire	je me plais, nous nous plaisons
prendre*	je prends, nous prenons, ils pren-nent
se taire	je me tais, nous nous taisons
tenir*	je tiens, nous tenons, ils tiennent
vendre	je vends, nous vendons

2. Reflexive verbs (76)

He looked at himself.	Il s'est regardé. (76C)
They kissed each other.	Ils se sont embrassés. (Lesson 22, Ex. D)
He escapes.	Il s'échappe. (Lesson 22, Ex. F)
We want to go for a walk.	Nous voulons nous promener. (Lesson 23, Ex. C)
Remember.	Souvenez-vous. (Lesson 23, Ex. D)
Come back.	Revenez. (Lesson 23, Ex. D)

We wondered.

Nous nous sommes demandés. (Lesson 24, Ex. D)

We asked.

Nous avons demandé. (Lesson 24, Ex. D)

3. Present (73B)

I have been learning French for ten months.

J'apprends le français depuis dix mois.

I have been sick since Monday.

Je suis malade depuis lundi.

4. Possessive adjectives and pronouns (65–66)

le livre:
My book. Mine.

Mon livre. Le mien.

la maison:
His house. His.

Sa maison. La sienne.

l'audace:
Her audacity. Hers.

Son audace. La sienne.

les photos:
Our pictures. Ours.

Nos photos. Les nôtres.

le carnet:
Your notebook. Yours.

Votre carnet. Le vôtre.

les proches:
Their relatives. Theirs.

Leurs proches. Les leurs.

5. Gender (38)

Repeat these nouns, modifying each by either *un* or *une*.

poésie	une poésie (**A2**)
maître	un maître (**B1**)
recommendation	une recommandation (**A3**)
comportement	un comportement (**B3**)
vue	une vue (**A2**)
crédulité	une crédulité (**A3**)
chemin	un chemin (**B2**)
emploi	un emploi (**B2**)

6. Articles

I like pomerol.

J'aime le pomerol. (**13A**)

the notebooks of Major Thompson

les carnets du Major Thompson (**13B**)

a straw hat	un chapeau de paille (**14B**)
surrounded by water	entouré d'eau (**14C**)
He is suspicious of water	Il se méfie de l'eau (**14C**)
He asks for water	Il demande de l'eau (**17A**)
no water	pas d'eau (**18A**)
lots of water	beaucoup d'eau (**18B**)
with wine	avec du vin (**19B**)
with audacity	avec audace (**19B**)
without wine	sans vin (**19A**)

7. *y* **and** *en*

He's going there.	Il y va. (**57**)
He has several.	Il en a plusieurs. (**58C**)
He talks about it.	Il en parle. (**58A**)

8. Double object pronouns (59A)

He read it to her.	Il le lui a lu.
I recommend them to you.	Je vous les recommande.

27

L'Hurluberlu[1] [I]

Jean Anouilh

Dans *L'Hurluberlu* de Jean Anouilh, un général en retraite° enseigne° le courage à sons fils Toto, un garçon de douze ans.

en retraite in retirement
enseigner to teach

LE GÉNÉRAL: Il te fait peur, le fils du laitier?°

5 TOTO: Oui.

le laitier dairyman

LE GÉNÉRAL: Et qu'est-ce que tu fais, quand tu as peur?

TOTO: Je me sauve.°

se sauver to run away

LE GÉNÉRAL: Dans quelle direction?

10 TOTO: Par derrière.[2]

LE GÉNÉRAL: Ecoute-moi bien, ce n'est pas difficile. La prochaine fois, quand tu auras peur, au lieu de te sauver par-derrière, sauve-toi par-devant.[3] Devant

15 ou derrière, qu'est-ce que ça peut bien te faire° à toi, pourvu que° tu coures? . . . Seulement, comme ça, c'est lui qui aura peur. Il n'y a pas d'autre secret. Au combat, tout le monde a peur. La seule diffé-

20 rence est dans la direction qu'on prend pour courir.

qu'est-ce que ça peut (bien) te faire?
what do you care?
pourvu que provided that

---

[1]*Un hurluberlu* is an excitable person who is always going off in all directions. The general is *un hurluberlu*. The play was presented on Broadway under the title *The Fighting Cock.*

[2]*par derrière*—the back way. Toto means that he turns around and runs.

[3]*au lieu de te sauver par-derrière, sauve-toi par-devant*—instead of running away *from* your enemy, run away *toward* him.

TOTO: Et s'il n'a pas peur?

LE GÉNÉRAL: Si tu cours vite, il aura sûrement peur. Tu sais ce que c'est que du
25 mininistafia?[4]

TOTO: Non.

LE GÉNÉRAL: Je vais t'en donner un morceau. [*Il va fouiller° dans le tiroir de son bureau et finit par trouver un morceau*
30 *de buvard° rouge.*] Tiens! Ça fera l'affaire.° Il n'est plus d'aussi bonne qualité que celui d'avant-guerre,° mais ça agit° quand même.° Voilà. Je ne t'en donne pas un grand morceau. Le mininistafia se
35 fait rare° de nos jours.° Il faut l'économiser. Quand tu sens que tu vas avoir peur, tu en croques° un tout° petit bout.°

fouiller to search; rummage

le buvard blotting-paper
faire l'affaire to do the trick
d'avant-guerre prewar
agir to work; take effect
quand même anyhow

se faire rare to get scarce
de nos jours nowadays

croquer to munch
tout (here) very
un bout a bit; a little

LE CONTENU

1. Que fait le général dans cette scène?
2. Qui fait peur à Toto?
3. Qu'est-ce qu'il fait quand il a peur?
4. Qu'est-ce que Toto devrait faire au lieu de se sauver par-derrière?
5. Comment le général essaye-t-il de persuader Toto qu'il est aussi facile de se sauver par-devant que par-derrière?
6. Au combat quelle est la différence entre les «braves» et les «lâches» (*cowards*)?
7. Quelle objection Toto fait-il? Comment le général y répond-il?
8. Qu'est-ce que c'est que le mininistafia?
9. Que fait le général pour le trouver?
10. Quelle vertu le mininistafia a-t-il?
11. Pourquoi ne lui en donne-t-il qu'un petit bout?
12. De quelle qualité est-il?
13. Que fait-on quand on a peur?
14. Le général semble-t-il croire que les hommes et les choses de notre époque valent ceux d'autrefois? Justifiez votre réponse.

[4]*mininistafia*—a made-up word; a magic word for a magic substance.

LE SENS

1. D'après le titre de la pièce, le général est un hurluberlu. Faut-il en conclure que sa leçon sur le courage est inconsidérée (*foolish*)?
2. Dans la plupart des sociétés primitives tout garçon doit apprendre vers l'âge de douze ans à assumer le rôle de guerrier (*warrior*) qu'il devra jouer dans sa vie d'adulte. Quels échos ironiques de cette initiation retrouve-t-on dans cette scène? A quoi correspond le mininistafia?

DIALOGUE

A. Toto dit à son père, le général, que le fils du laitier lui fait peur et qu'il se sauve quand il a peur.
B. Le général lui dit de se sauver par-devant, et lui explique la seule différence entre les braves et les lâches (*cowards*) au combat.
A. Toto lui demande ce qu'on doit faire si l'autre n'a pas peur.
B. Le général lui dit qu'on prend du mininistafia, et lui explique ce que c'est.

ETUDE DE MOTS

Il finit par trouver . . .	He finally finds . . .
Il finit par ne plus avoir peur.	At the end he isn't frightened any more.
J'ai fini par comprendre.	I finally understood.
Dites donc, vous finirez par m'a- gacer.	(If you keep that up) I'm going to get irritated.
Il finit par l'épouser.	He finally marries her.

EXERCICES

Demonstrative pronouns (30)

A.

LE PROFESSEUR: Préférez-vous le buvard d'avant-guerre ou le buvard d'aujourd'hui?
L'ÉTUDIANT: Je préfère celui d'avant-guerre.

Répondez par une phrase complète en employant le pronom démonstratif convenable. (*celui, ceux, celle, celles*) + *de* + nom.

Cet exercice comporte aussi la révision des verbes irréguliers suivants:

croire	je crois	nous croyons
lire	je lis	nous lisons
préférer	je préfère	nous préférons
suivre	je suis	nous suivons

1. Croyez-vous au système du général ou au système de son fils?
2. Suivez-vous l'exemple du général ou l'exemple de son fils?
3. Préférez-vous la pièce de Giraudoux ou la pièce d'Anouilh?
4. Lisez-vous les poésies de Prévert ou les poésies d'Aragon?
5. Aimez-vous mieux le fils du général ou le fils du laitier?
6. Suivez-vous le conseil de votre père ou le conseil de votre mère?
7. Apprenez-vous la leçon d'aujourd'hui ou la leçon d'hier?
8. Craignez-vous le fils du laitier ou le fils du général?

B.

Traduisez les expressions suivantes. L'antécédent est indiqué en français. Notez les différentes expressions en anglais qui se traduisent par le pronom démonstratif en français.

Ce buvard est meilleur que . . .
1. that one
2. this one
3. the general's
4. the prewar kind
5. the one you have

Je préfère cette truite-ci à . . .
1. this one
2. that one
3. Eugénie's
4. the one from the lake
5. the one she is preparing

Object pronouns (58B, C)

C.

LE PROFESSEUR: Je te donne un morceau *de mininistafia.*
L'ÉTUDIANT: Je t'en donne un morceau.

En remplace le nom précédé de *de* ou d'une expression de quantité.
Observez le contraste entre l'anglais et le français:

	anglais	*français*
	He has five.	Il en a cinq.

1. Je te donne un peu *de mini-nistafia.*
2. Je ne te donne pas beaucoup de *mininistafia.*
3. Je te donne trois *morceaux.*
4. Tu croques un tout petit bout de *mininistafia.*
5. Il ne reste plus beaucoup *de buvard de bonne qualité.*

6. Nous avons commandé deux *truites.*
7. Elle nous a apporté trois *truites.*
8. Je vous offre une *de ces truites.*
9. Elle nous a apporté trop *de truites.*
10. Nous ne mangeons pas beaucoup *de poisson.*

D.

LE PROFESSEUR: J'ai *des livres* excellents.
L'ÉTUDIANT: J'en ai d'excellents.

On peut conserver l'adjectif et remplacer le nom qu'il modifie par *en.*
En ce cas il est normal d'employer *de* devant l'adjectif (mais, *du, de la, des, de l'* ne sont pas défendus). Notez la traduction de ces phrases:

	anglais	*français*
	I have excellent ones.	J'en ai d'excellents.
	I have an excellent one.	J'en ai un excellent.

1. Ils ont de belles *truites.*
2. On m'a servi une petite *truite.*
3. J'ai mangé une meilleure *truite.*
4. Vous me racontez de bonnes *histoires.*

5. Vous avez souvent des *plats* délicieux.
6. Je connais des *chants* immortels.

Object pronouns (54–58, 59F)

E.

LE PROFESSEUR: Je vais parler *à ton père.*
L'ÉTUDIANT: Je vais lui parler.

Le pronom complément précède l'infinitif dont il est le complément. Revoyez les pronoms compléments: *le, la, les,* compléments d'objet directs; *lui, leur,* compléments d'objet indirects; *y* remplaçant un nom de chose précédé par *à* ou par une préposition de lieu; et *en* remplaçant un nom précédé par *de.*

1. Il veut faire peur *au fils du laitier.*
2. Il faut manger *le mininistafia.*
3. Il faut manger un peu *de mininistafia.*
4. Toto a l'intention d'aller *chez le laitier.*
5. Il veut battre *le fils du laitier.*
6. Il va surprendre *tous ses amis.*
7. Il veut parler *à tous ses amis.*
8. Il veut parler *de son secret.*
9. Il faut économiser *le mininistafia.*
10. Il vaudra mieux regarder *dans le tiroir.*

REVISION DES VERBES

Negative infinitive (49)

F.

LE PROFESSEUR: Ne riez pas.
L'ÉTUDIANT: Il dit de ne pas rire.
LE PROFESSEUR: Ne craignez rien.
L'ÉTUDIANT: Il dit de ne rien craindre.

Quand la négation s'applique à l'infinitif, *ne pas* (ou *ne jamais, ne plus, ne rien*) précèdent l'infinitif. Les infinitifs des verbes irréguliers repassés dans cet exercice et dans l'exercice suivant sont:

aller	déplaire	faire	servir
avoir	dire	lire	suivre
boire	dormir	mentir	vivre
courir	éteindre	ouvrir	voir
croire	être	prendre	

1. Ne lisez pas.
2. Ne buvez jamais.
3. Ne courez plus.
4. Ne dormez pas.
5. Ne dites rien.
6. Ne sois pas stupide.

7. Ne faites rien.
8. N'ouvrez pas.
9. Ne venez plus.
10. N'éteignez pas.
11. N'ayez pas peur.
12. Ne vis pas comme ça.

G.

LE PROFESSEUR: Ne dis pas *que tu as peur.*
L'ÉTUDIANT: Il dit de ne pas le dire.
LE PROFESSEUR: Ne mange plus *de bonbons.*
L'ÉTUDIANT: Il dit de ne plus en manger.

Le pronom complément se place entre le négatif et l'infinitif.

1. Ne prends pas *cette direction-là.*
2. Ne fouille pas *dans ce tiroir.*
3. Ne suis plus *ses conseils.*
4. N'oublie jamais *ce que je te dis.*
5. Ne va pas *dans la forêt.*

6. Ne déplais pas *à ta maman.*
7. Ne croyez pas *ces fariboles.*
8. Ne croque plus *de chocolat.*
9. Ne tutoie plus *les domestiques.*
10. Ne néglige pas *tes leçons.*
11. Ne sers pas *de vin.*
12. Ne reçois pas *cette personne.*

THEME D'IMITATION

The general's son runs away (l. 8) when he sees the milkman's son (l. 4). He is afraid. The general tells him, "Provided you run (l. 16) in the right (l. 25, p. 218) direction, the other [fellow] will be afraid (l. 13) and he will run away. All you have to do is (*Etude de mots* 4, p. 141) to munch a little bit (l. 37) of red blotting paper. That'll do the trick (ll. 30–31)." Men have always believed that they needed something like mininistafia when they went into combat (ll. 18–19). They have always believed that there are great forces around man (l. 20, p. 146) that can help him. If these forces were too accessible (*accessibles*), they (9) wouldn't work (l. 32). You have to economize them. And that is not enough. You have to have some courage also.

SUJET DE COMPOSITION

Toto explique à sa sœur, Marie-Christine, comment il a appris à ne pas avoir peur. Qu'est-ce qui arrivera la prochaine fois qu'il verra le fils du laitier?

Toi, je t'attends ce soir

28

L'Hurluberlu [II]

Jean Anouilh

Toto prend le «mininistafia» et demande:

TOTO: Et je l'avale?°

LE GÉNÉRAL: Oui.

*TOTO: Maman dira que c'est sale.°

5 LE GÉNÉRAL: Les femmes ne comprennent pas grand-chose° aux histoires de mininistafia. Il vaudra mieux° ne pas lui en parler.

TOTO: Et si elle me dit: «Qu'est-ce que tu

10 as dans la bouche?»

LE GÉNÉRAL: Tu avales d'abord, et tu lui réponds: «Rien.»

TOTO: Ça sera un mensonge.° La dernière fois que tu m'as expliqué l'honneur, tu

15 m'as dit que l'honneur commandait de ne pas mentir.

LE GÉNÉRAL: Oui. Mais quand il s'agit d'une question d'honneur, précisément, on prend ça sur soi[1] et on ment quand

20 même. Bon Dieu, que tout est difficile! Dépêche-toi de grandir. Je t'expliquerai. Mais désormais,° puisque tu ne risques plus rien, maintenant que tu as du mininistafia, sauve-toi par-devant!

25 [Entre le curé.°]

avaler	to swallow
sale	dirty
pas grand-chose	not much
il vaut mieux	it is better
le mensonge	lie
désormais	henceforth
le curé	the priest

[1]*on prend ça sur soi*—you make your mind up to do it, you take the responsibility for it.

LE GÉNÉRAL: Bonjour, Monsieur le Curé!

LE CURÉ: Mon général, il est cinq heures!

LE GÉNÉRAL: [A Toto:] Laisse-nous, fiston.°   *le fiston* son; kid (colloq.)
Nous avons, Monsieur le Curé et moi, à
30   discuter de graves questions paroissiales.°   *paroissial* concerning the parish

LE CURÉ: [A Toto:] Toi, je t'attends ce soir
avec ta leçon de catéchisme, sue° cette   *su* known
fois! Et si tu bafouilles° encore, gare à°   *bafouiller* to stammer; talk nonsense
tes fesses![2]   *gare à* watch out for
35   [Toto le regarde calmement en face,
mange un morceau de mininistafia et sort
dignement.°]   *dignement* with dignity

LE CONTENU

1. Pourquoi Toto hésite-t-il à avaler le morceau de buvard?
2. Pourquoi le général dit-il de ne pas en parler à sa maman?
3. Mais, selon Toto, quelle question lui posera-t-elle?
4. Selon le général, comment est-ce que Toto devrait répondre?
5. Quelle objection Toto fait-il?
6. Mais dans les questions d'honneur, que fait-on quand même?
7. Quand est-ce que le général expliquera tout ça à Toto?
8. Qu'est-ce que Toto doit faire désormais? Pourquoi?
9. Pourquoi le général dit-il à Toto de s'en aller?
10. Quelle recommandation le curé fait-il à Toto? Et quelle menace?
11. Comment Toto accueille-t-il (greet) cette menace?
12. Pourquoi n'a-t-il pas peur du curé?

LE SENS

1. Montrez comment le conflit entre le bon sens et l'honneur se dessine dans cette scène. De quel côté s'aligne la femme dans ce conflit? Quelles difficultés le général rencontre-t-il dans son rôle de mentor?
2. Comment Toto profite-t-il de la leçon que son père lui a donnée?

[2]*les fesses*—buttocks, bottom, behind. A related word is *la fessée*—spanking.

DIALOGUE

A. Toto dit que s'il avale le mininistafia sa mère dira que c'est sale.

B. Le général lui dit de ne pas en parler à sa mère.

A. Toto lui demande ce qu'il doit dire si elle lui demande ce qu'il a dans la bouche.

B. Le général lui dit d'avaler d'abord et de répondre «Rien.»

A. Toto lui dit que ça serait un mensonge, et explique comment cela contredit ce qu'il lui a dit, la dernière fois qu'il lui a expliqué l'honneur.

ETUDE DE MOTS

1. *Elles ne comprennent pas grand-chose à ces histoires.*	They don't understand much about these matters.
Je n'y comprends rien.	I don't understand anything about it.
Je ne comprends rien à la philosophie.	I don't understand anything about philosophy.
Vous ne comprenez rien à rien.	You don't understand anything at all.
2. *pas grand-chose.*	not much
Qu'est-ce que vous avez mangé?	What did you eat?
Pas grand-chose.	Not much.
Qu'est-ce qu'il y a comme vins?	What is there in the way of wine?
Pas grand-chose.	Not much.
3. Military officers are addressed by *mon* + rank.	
Mon général, il est cinq heures.	General, it's five o'clock.
Oui, mon capitaine.	Yes, sir.

EXERCICES

Interrogatives (47C)

A.

LE PROFESSEUR: Prenez un *comprimé*.

L'ÉTUDIANT: Qu'est-ce que c'est qu'un comprimé?

La question *qu'est-ce que c'est que* demande une définition ou une explication comme réponse. Demandez une explication de chacun des mots en italique.

1. Dessinez-moi *un paon*.
2. Le général est *un hurluberlu*.
3. Le chevalier a épousé *une ondine*.
4. Selon Ornifle, Fabrice est *un galopin*.
5. Il porte *une perruque*.
6. Regardez *ce livre*.
7. Il lui enseigne *l'honneur*.
8. Il a *un pistolet*.

Relative pronouns (77F)

B.

LE PROFESSEUR: Prenez un comprimé.
L'ÉTUDIANT: Je ne sais pas ce que c'est qu'un comprimé.

Refaites l'exercice A en suivant le modèle ci-dessus. Commencez chaque phrase par: «Je ne sais pas ce que c'est que . . .». Notez que *qu'est-ce que* ne s'emploie que dans la phrase interrogative. Dans la phrase déclarative on emploie le pronom relatif *ce que*.

Prepositions (68)

C.

LE PROFESSEUR: Tu grandis. Dépêche-toi.
L'ÉTUDIANT: Dépêche-toi de grandir.
LE PROFESSEUR: Il ne se bat pas. Il tient.
L'ÉTUDIANT: Il tient à ne pas se battre.

Etudiez la liste des verbes qui peuvent prendre un infinitif comme complément.

sans préposition	avec à	avec de
aimer	aider	cesser
valoir mieux	apprendre	commander
	s'apprêter	essayer
	commencer	persuader

Rappel: Le négatif précède l'infinitif.

1. J'étudie. Pouvez-vous m'aider?
2. Il se bat. Il aime.
3. Toto a peur. Il cesse.
4. Je ne mens pas. L'honneur commande.
5. Toto reste calme. Son père le persuade.
6. Toto n'en parle pas. Il vaut mieux.
7. Toto comprend. Il commence.
8. Le général comprend. Il essaye.
9. La mère les sépare. Elle s'apprête.
10. Toto n'a pas peur. Il apprend.

REVISION DES VERBES

Formation of the future (35B)

D.
Revoyez les futurs irréguliers et mettez la narration suivante au futur.

1. Toto grandit.
2. Il se souvient de la leçon de son père.
3. Il sait en profiter.
4. Il va loin.
5. Il n'a plus peur.
6. Il fait peur aux autres.
7. Les autres courent quand ils le voient.
8. Ils sont étonnés.
9. Ils meurent de peur.
10. Ils veulent se cacher.
11. Il vaut mieux ne pas le fâcher.
12. Il faut se méfier de lui.

Use of the Future (36A); Future perfect (37)

E.
LE PROFESSEUR: Toto va grandir. Pourquoi est-ce que le général sera content?
(*Toto will grow up. Why will the general be glad?*)
L'ÉTUDIANT: Parce que Toto aura grandi.
(*Because Toto will have grown up.*)
LE PROFESSEUR: Le train va arriver. Quand est-ce qu'on montera?
(*The train will arrive. When will people get on?*)
L'ÉTUDIANT: Quand le train sera arrivé.
(*When the train has arrived.*)

Le futur antérieur exprime une action qui sera déjà achevée quand une autre action aura lieu. On emploie le futur ou le futur antérieur dans une proposition subordonnée introduite par *quand,* si le verbe de la proposition principale est au futur.

1. Le curé va arriver. Quand est-ce que Toto s'en ira?
2. Toto va avaler le buvard. Quand est-ce qu'il aura du courage?
3. Toto va battre le fils du laitier. Pourquoi est-ce qu'il sera content?
4. Toto va se battre. Pourquoi sera-t-il fier?
5. Toto va partir. Quand est-ce que le curé et le général commence-ront leur conversation?

□

6. Toto va étudier son catéchisme. Quand fera-t-il sa communion?
7. Il va apprendre toutes les réponses. Pourquoi répondra-t-il bien?
8. Il va réussir aux examens. Pourquoi passera-t-il dans la classe supé-rieure?
9. Son père va le lui expliquer. Quand comprendra-t-il?
10. Il va revenir de l'école. Quand est-ce qu'ils reprendront leur con-versation?

F.
Traduisez les expressions suivantes par le futur antérieur:

Toto sera content . . .
1. when the priest has left.
2. when he has beaten the milkman's son.
3. when he has learned the answers.
4. when he has returned from school.

THEME D'IMITATION

THE MOTHER: What do you have in your mouth (ll. 9–10), Toto?
TOTO: Nothing, mother.
THE MOTHER: Don't tell lies (34). I can see that you have swallowed (l. 2) something. What is it?
TOTO: It's mininistafia.
THE MOTHER: What's that? (Ex. A)

TOTO: It's a piece of red blotting paper (ll. 29–30, p. 249). If you eat a little bit of it (l. 37, p. 249), you're never frightened. I am not afraid of the priest any more when I get stuck (l. 33) during my catechism lesson. I [just] look him square in the face (l. 35).

THE MOTHER: It's your father who gives you these ideas. I've told you not to listen (Ex. F, p. 253) to him (67A). From now on. (l. 22) listen to me.

SUJET DE COMPOSITION

Scène entre le général et sa femme. Elle est mécontente. Toto s'est battu avec le fils du laitier; de plus, il ne fait pas ses devoirs. Comment le général répond-il?

29

L'Apollon de Bellac [I]

Jean Giraudoux

L'Apollon de Bellac est une pièce en un
acte de Jean Giraudoux. Comme *Ondine*
(Leçons XIII à XVII) c'est une fantaisie qui
évoque sur un ton léger et un peu moqueur
⁵ la rencontre d'une jeune fille et d'un
homme plus âgé. C'est peut-être aussi la
rencontre de la nature, de la spontanéité,
et de la simplicité avec la société, l'expérience, et l'usage.

¹⁰ Agnès, une jeune fille timide, cherche
une situation° comme secrétaire chez un   *la situation* job, position
homme très important. Dans la salle d'at-
tente° elle rencontre un monsieur qui   *la salle d'attente* waiting room
attend, lui aussi. Elle lui dit qu'elle a peur
¹⁵ des hommes et il lui donne une recette°   *la recette* recipe; formula
infaillible pour réussir avec eux.

LE MONSIEUR: Dites-leur qu'ils sont beaux!
AGNES: Leur dire qu'ils sont beaux, intel-
ligents, sensibles?°   *sensible* sensitive
²⁰ LE MONSIEUR: Non! Qu'ils sont beaux. Pour
l'intelligence et le cœur ils savent s'en
tirer° eux-mêmes. . . .   *s'en tirer* (i.e., *se tirer d'affaire*) to
AGNES: A tous? A ceux qui ont du talent,   manage; get by
du génie? Dire à un académicien¹ qu'il
²⁵ est beau, jamais je n'oserai. . . .

¹un *académicien*—member of the French Academy, i.e., a very distinguished person.

264

LE MONSIEUR: Essayez voir!° A tous! Dites-
le au professeur de philosophie et vous
aurez votre diplôme. Au boucher, et il
lui restera du filet dans sa resserre.² Au
30 président d'ici³ et vous aurez la place.

AGNES: Cela suppose tant d'intimité° avant
de trouver l'occasion de le leur dire! . . .
Il faut attendre qu'ils soient seuls. Etre
seule à seul° avec eux. . . .

35 LE MONSIEUR: Dites-leur qu'ils sont beaux
en plein tramway,° en pleine salle d'examen, dans la boucherie comble.°

AGNES: Et s'ils ne sont pas beaux, qu'est-ce
que je leur dis? C'est le plus fréquent,
40 hélas!

LE MONSIEUR: Seriez-vous° bornée,° Agnès?
Dites qu'ils sont beaux aux laids. . . .

AGNES: Ils ne le croiront pas!

LE MONSIEUR: Tous le croiront. Tous le
45 croient d'avance.°. . . Ceux qui ne le
croient pas, s'il s'en trouve,° sont même
les plus flattés. Ils croient qu'ils sont
laids, mais qu'il est° une femme qui peut
les voir beaux. Ils s'accrochent à° elle. . . .
50 Ils ne la quittent plus. Quand vous voyez
une femme escortée en tous lieux d'un
état-major de servants,⁴ ce n'est pas tant
qu'ils la trouvent belle, c'est qu'° elle
leur a dit qu'ils sont beaux.

essayez voir try and see

une intimité intimacy

seul à seul alone together

en plein tramway right in the middle of the trolley
comble overcrowded, packed to over-
flowing

seriez-vous? could you be?
borné slow-witted; stupid

d'avance beforehand
s'il s'en trouve if there are any

il est there is
s'accrocher à to hang onto

c'est que it's because

LE CONTENU

1. Que fait Agnès dans la salle d'attente?
2. Quelle est son attitude envers les hommes?
3. Quelle est la recette que le monsieur lui donne?

²*il . . . dans sa resserre*—he will have some *filet* left for you in his storeroom.
³*d'ici*—of this place.
⁴*escortée . . . d'un état-major de servants*—escorted everywhere by a staff of admirers.

4. Pourquoi n'est-il pas nécessaire de flatter leur cœur ou leur intelligence?
5. Avec quelle sorte d'homme Agnès hésiterait-elle à employer cette recette?
6. Qu'est-ce qui arrivera si elle l'emploie avec le professeur? avec le boucher? avec le président?
7. Selon Agnès, qu'est-ce que cela suppose de dire une chose comme ça? Qu'est-ce qu'il faut attendre?
8. Selon le monsieur, où faut-il le dire?
9. Comment sont la plupart des hommes, selon Agnès?
10. Pourquoi le monsieur croit-il qu'Agnès est peut-être bornée?
11. Quelle objection Agnès fait-elle à cette recette?
12. Pourquoi est-ce que même les laids le croiront?
13. Pourquoi est-ce que certaines femmes sont entourées d'hommes?

LE SENS

1. D'après cette scène, quel est le rôle de la femme dans la vie? Y voyez-vous des traces de «chauvinisme masculin», ou, au contraire, s'agit-il d'une satire de la vanité masculine?
2. Peut-on interpréter cette scène comme le dialogue de la connaissance du monde et de l'innocence, du cynisme et de la naïveté? Comparez-la à la scène entre le général et Toto dans *L'Hurluberlu*.

DIALOGUE

A. Le monsieur dit à Agnès de dire au boucher et au professeur de philosophie qu'ils sont beaux, et lui explique les résultats que produira cette tactique.
B. Agnès dit que cela suppose beaucoup d'intimité, et qu'il faut attendre qu'ils soient seuls.
A. Le monsieur explique qu'il faut le dire en public.
B. Agnès demande ce qu'elle doit faire s'ils ne sont pas beaux.
A. Le monsieur lui demande si elle n'est pas bornée, et lui dit de dire aux laids qu'ils sont beaux.

ETUDE DE MOTS

1. *en plein tramway*   right in the middle of the trolley
   en pleine rue   right in the middle of the street
   en pleine salle de classe   right in the middle of the class-room

2. *Ils la trouvent belle.*   They think she's beautiful.
   Je le trouve intelligent.   I think he's intelligent.
   Comment trouvez-vous cette scène?   How do you like that scene?
   Je trouve Agnès un peu naïve.   I think Agnès is a little naïve.

3. *Seriez-vous bornée?*   Could it be that you are a little backward? (conditional or future may express a supposition)

   Il parle très bien. Serait-il Français, par hasard?   He speaks very well. Could he be a Frenchman, by any chance?
   Il est absent. Serait-il malade?   He is absent. Could he be sick?

EXERCICES

Object pronouns (56)

A.

LE PROFESSEUR: Est-ce qu'Agnès va parler *aux académiciens?*
L'ÉTUDIANT: Oui, elle va leur parler.

A + un nom désignant une personne est remplacé par *lui* (singulier) ou *leur* (pluriel).

1. Est-ce qu'Agnès répond *au monsieur?*
2. Est-ce qu'Agnès semble plaire *au monsieur?*
3. Est-ce qu'il restera du filet *au boucher?*
4. Est-ce qu'Agnès enlèvera le poste *à la secrétaire actuelle?*
5. Est-ce qu'elle saura plaire *aux présidents, aux académiciens?*

☐

6. Est-ce qu'elle dira «Que vous êtes beau!» *à ces gens-là?*

7. Est-ce qu'elle obéira *au monsieur?*
8. Est-ce que le président fera peur *à Agnès?*
9. Mais est-ce qu'Agnès plaira *au président?*
10. Est-ce que le monsieur offrira un poste *à Agnès?*

B.
Traduisez.

1. Agnès pleases them.
2. He offers her a job.
3. She answers him.

4. He frightens her.
5. She obeys him.

Position and use of object pronouns (59D, E)

C.
LE PROFESSEUR: Est-ce qu'Agnès parle *au président?*
L'ÉTUDIANT: Oui, elle lui parle.
LE PROFESSEUR: Est-ce qu'Agnès songe *à ses amis?*
L'ÉTUDIANT: Oui, elle songe *à eux.*

Quand un pronom personnel est complément d'objet indirect des verbes *aller à, être à, penser à, songer à, tenir à,* ou d'un verbe réfléchi suivi par *de* ou *à,* il doit suivre le verbe et prendre la forme tonique: *moi, toi, lui, elles, eux,* ou *elles.* Dans cet exercice il faut distinguer entre les verbes suivis par *à* ou *de* + complément d'objet indirect et les verbes précédés par le complément d'objet indirect.

1. Est-ce que le monsieur donne une recette *à Agnès?*
2. Est-ce que ce chapeau est *au monsieur qui était dans la salle d'attente?*
3. Est-ce que ce chapeau appartient *au monsieur qui était dans la salle d'attente?*
4. Est-ce qu'Agnès se méfie *des hommes?*
5. Est-ce que le monsieur s'adresse *à Agnès?*
6. Est-ce qu'Agnès parle *au monsieur?*
7. Est-ce qu'Agnès s'intéresse *au monsieur?*
8. Est-ce qu'Agnès se souvient *de ses parents?*
9. Est-ce qu'Agnès pense *aux académiciens?*
10. Est-ce que les hommes s'accrochent *aux femmes qui les flattent?*

Faire + **Infinitive (33D)**

D.

LE PROFESSEUR: Agnès, mangez!
L'ÉTUDIANT: Il la fait manger.
LE PROFESSEUR: Agnès, mangez votre dîner.
L'ÉTUDIANT: Il lui fait manger son dîner.
LE PROFESSEUR: Parlez, mes enfants!
L'ÉTUDIANT: Il les fait parler.
LE PROFESSEUR: Parlez français, mes enfants!
L'ÉTUDIANT: Il leur fait parler français.

Dans la construction *faire* + infinitif, quel pronom emploie-t-on pour remplacer le sujet de l'infinitif?
  a. Quand l'infinitif n'a pas de complément direct, on emploie le pronom complément direct: Il la fait manger.
  b. Quand l'infinitif a un complément direct, on emploie le pronom complément indirect: Il lui fait manger son dîner.

1. Agnès, venez.
2. Agnès, écoutez ma recette.
3. Messieurs, lisez le livre.
4. Mesdames, lisez.
5. Agnès, dites qu'ils sont beaux.
6. Agnès, répondez.
7. Garçon, servez les huîtres.
8. Garçon, apportez le vin.
9. Jean, attendez dehors.
10. Porteur, prenez la valise.

Imparfait **(40B.3)**

E.

LE PROFESSEUR: J'attends depuis dix minutes.
L'ÉTUDIANT: J'attendais depuis dix minutes quand la cloche a sonné.
LE PROFESSEUR: Il parle depuis une demi-heure.
L'ÉTUDIANT: Il parlait depuis une demi-heure quand la cloche a sonné.

On emploie l'imparfait avec *depuis* ou après *il y avait . . . que* pour exprimer une action ou une condition qui avait commencé dans le passé et qui durait encore quand un autre fait s'est produit. Dans cet exercice cet autre fait est la sonnerie de la cloche. N'oubliez pas d'ajouter la proposition «quand la cloche a sonné» à chacune des phrases du professeur.

1. L'étudiant dort depuis un quart d'heure.
2. Le silence règne depuis vendredi.
3. Ils se disent au revoir depuis une bonne demi-heure.
4. Je n'écoute plus rien depuis dix minutes.
5. Agnès écoute le monsieur depuis vingt minutes.

F.
Traduisez les phrases suivantes:

Quand Agnès est entrée voir le président . . .
1. the gentleman had been talking for half an hour.
2. Agnès had been listening for half an hour.
3. the president had been waiting for half an hour.
4. silence had reigned for half an hour.
5. they had known each other for half an hour.

THEME D'IMITATION

Agnes is looking for a job (l. 10). She is very timid and never would have known how to (**28E.3**) go about it (*Etude de mots* 3, p. 141) if she had not met a gentleman in the waiting-room (ll. 12–13). He tells her to tell men they are handsome. She thinks that that presupposes so much intimacy (l. 31) that she would never have the opportunity (l. 32) to say it to a man like the president, whom she would see only for a moment. He tells her to say it right in the middle of the street (l. 36), to anyone at all (*Etude de mots* 2, p. 227)—to the butcher, to the medical student (l. 3, p. 161), and to the professor. They will all believe it (l. 44). Even those who think they are ugly will think that they have at last discovered (ll. 48–49, p. 211) a woman who thinks they are handsome (*Etude de mots* 2).

SUJET DE COMPOSITION

Monologue d'Agnès. C'est le jour où elle doit voir le président à propos d'un poste. Elle a peur.

30

L'Apollon de Bellac [II]
Jean Giraudoux

Agnès met sa recette en application:

AGNES: Que vous êtes beau!

LE PRÉSIDENT: Répétez, je vous prie!

AGNES: Que vous êtes beau!

⁵ LE PRÉSIDENT: Réfléchissez bien, Mademoiselle.... L'instant est grave. Vous êtes
bien sûre que vous me trouvez beau?

AGNES: Je ne vous vois pas beau. Vous êtes
beau.

¹⁰ LE PRÉSIDENT: Vous seriez prête à le redire
devant témoins?° Réfléchissez. . . .   le témoin   witness

AGNES: A le redire. A l'affirmer. Certainement.

LE PRÉSIDENT: Merci, mon Dieu. [Il appelle.]

¹⁵ Mademoiselle Chèvredent! [Entre Mlle.
Chèvredent.]

LE PRÉSIDENT: Chèvredent, depuis trois ans
vous exercez les hautes fonctions de se-
crétaire particulière.° Depuis trois ans, il   la secrétaire particulière   private
²⁰ ne s'est point écoulé° de matin et d'après-   secretary
midi où la perspective de vous trouver   écouler   to pass; flow by
dans mon bureau ne m'ait donné la nau-
sée. . . . Parce que vous étiez laide, j'ai eu
le faible° de vous croire généreuse. Or°   le faible   weakness; foible
²⁵ vous reprenez deux francs dans la sébile°   or   now it so happens that
de l'aveugle contre votre pièce de vingt   la sébile   begging bowl

sous.[1] Ne niez° pas. C'est lui qui me l'a
dit. Parce que vous avez une moustache,
j'ai cru que vous aviez du cœur. Or ces

30 aboiements° déchirants,° de mon fox°
endormi sur votre table, que vous m'ex-
pliquiez par ses rêves de chasse à la panthère, étaient provoqués en fait par vos
pinçons.° Mille jours j'ai supporté de

35 vivre avec quelqu'un qui me déteste, me
méprise,° et me trouve laid. Car vous me
trouve laid, n'est-ce pas?

MLLE. CHEVREDENT: Oui. Un singe.°

LE PRÉSIDENT: Parfait. Maintenant écoutez.
40 Les yeux de Mademoiselle paraissent à
première vue mieux qualifiés que les
vôtres pour voir.... Or comment suis-je
réellement, Mademoiselle Agnès?

AGNES: Beau! Très beau!

45 MLLE. CHEVREDENT: Quelle imposture![2]

LE PRÉSIDENT: Taisez-vous, Chèvredent. Jetez un dernier regard sur moi. Cette ap-
préciation° désintéressée de mon charme
d'homme n'a pas modifié la vôtre?

50 MLLE. CHEVREDENT: Vous voulez rire!°

LE PRÉSIDENT: J'en prends note. Voici donc
le problème tel qu'il se pose: j'ai le choix
de passer ma journée entre une personne
affreuse° qui me trouve laid et une per-
55 sonne ravissante° qui me trouve beau.
Tirez les conséquences.[3] Choisissez pour
moi....

MLLE. CHEVREDENT: Cette folle° me remplace?

60 LE PRÉSIDENT: A l'instant. Si elle le désire.

MLLE. CHEVREDENT: Quelle honte!° Je monte
prévenir° Mademoiselle votre fiancée.

LE PRÉSIDENT: Prévenez-la. Je l'attends de
pied ferme.°

nier to deny

un aboiement bark (of a dog)
déchirant piercing
le fox fox-terrier

le pinçon pinch

mépriser to scorn

le singe monkey

une appréciation evaluation; ap-
praisal

vous voulez rire you're joking

affreux frightful

ravissant delightful

la folle madwoman

la honte disgrace; shame

prévenir to warn

de pied ferme without stirring

[1]*vingt sous*—one franc. (*Un sou*-1/20 of a franc.) She puts in one franc and takes out two.
[2]*une imposture*—deception. Cf. *un imposteur*—impostor.
[3]*Tirez les conséquences*—Draw your own conclusions.

65 MLLE.CHEVREDENT: Si vous tenez à° vos
potiches,° vous ferez mieux de me suivre.

tenir à   to care about

la potiche   a large Oriental vase

LE PRÉSIDENT: J'ai fait le deuil° de mes
potiches. Vous venez de le voir.[4]

faire le deuil de   to be resigned to the loss of

A la fin le président congédie° sa fiancée
70 et fait une demande en mariage à Agnès.

congédier   to dismiss; get rid of

LE CONTENU

1. Que fait Agnès dans cette scène?
2. Qu'est-ce que le président lui demande de faire quand il entend son exclamation? Et quelle question lui pose-t-il?
3. Devant qui veut-il qu'elle le redise?
4. Que fait Chèvredent depuis trois ans?
5. Quel effet la perspective de la retrouver tous les jours a-t-elle sur le président?
6. Qu'est-ce qui montre que Mlle. Chèvredent n'est pas généreuse?
7. Qu'est-ce qui montre qu'elle est cruelle?
8. Qu'est-ce qui montre qu'elle est sincère?
9. Où le fox du président dort-il?
10. Comment Mlle. Chèvredent expliquait-elle ses aboiements?
11. Selon le président, quelle est la différence entre les yeux d'Agnès et ceux de Chèvredent?
12. Quelle opinion Chèvredent a-t-elle du président?
13. Selon le président, qu'est-ce qui devrait modifier cette opinion?
14. Quel choix le président se propose-t-il?
15. Quelle menace Mlle. Chèvredent fait-elle?
16. Expliquez pourquoi les potiches du président sont en danger d'être cassées.

LE SENS

1. Enumérez les différents tricheurs (*cheaters*) et menteurs dans cette scène. Peut-on dire que le mensonge y est dénoncé?

---

[4]This is a punning wisecrack. By implication he calls Mlle. Chèvredent a *potiche,* thus disparaging not only her figure, but her efficiency as well, since *potiche* also means "a useless person."

2. Comment Giraudoux se moque-t-il de l'idée que la laideur physi-
que est une garantie de la qualité morale? Quelle attitude semble-
t-il prendre envers l'idée inverse qu'il existe une harmonie entre
la beauté et la vérité?

DIALOGUE

A. Mlle. Chèvredent demande si cette folle (Agnès) la remplace.
B. Le président dit qu'elle la remplace tout de suite si elle le veut.
A. Mlle. Chèvredent exprime son indignation, et dit qu'elle va pré-
venir la fiancée du président.
B. Le président lui dit de la prévenir. Il dit qu'il l'attend de pied ferme.
A. Mlle. Chèvredent lui conseille de la suivre s'il tient à ses potiches.
B. Le président exprime son indifférence devant ces menaces.

ETUDE DE MOTS

tenir à	to care about; insist on
si vous tenez à vos potiches . . .	if you care about your vases . . .
Elle tient à avoir cette situation.	She is determined to get that job.
Allez-y, si vous y tenez.	Go ahead, if it means that much to you.
Il tient à ce qu'elle devienne sa secrétaire.	He insists on her becoming his secretary.

EXERCICES

Object pronouns (58A.2, B)

A.

LE PROFESSEUR: Le président a-t-il *des secrétaires?*
L'ÉTUDIANT: Oui, il en a.
LE PROFESSEUR: Le président est-il fier *de ses secrétaires?*
L'ÉTUDIANT: Oui, il est fier d'elles.

Le partitif *de* + nom est remplacé par *en*, soit que le nom désigne une chose ou une personne. La préposition *de* + nom est aussi remplacée par *en*, mais si le nom désigne une personne il est préférable de le remplacer par *de* + pronom personnel tonique.

d'elle
en
d'lui
en
en
deux

1. Dit-il ce qu'il pense *d'Agnès?*
2. Connaît-il *des académiciens?*
3. A-t-elle peur *du monsieur?*
4. A-t-elle *des admirateurs?*
5. Reçoit-elle *des amis?*
6. Est-ce qu'il lui dit ce qu'il sait *des hommes?*

7. Savez-vous deux ou trois choses *d'Agnès?* *d'elle*
8. Agnès aura-t-elle *des domestiques?* *en*
9. Le président est-il satisfait *de sa nouvelle secrétaire?* *d'elle*
10. Le monsieur est-il fier *d'Agnès?*

d'elle.

Prepositions (69)

B.

LE PROFESSEUR: (le redire) Vous êtes prête?
L'ÉTUDIANT: Vous êtes prête à le redire?

Dans la construction adjectif + préposition + infinitif, quelle préposition faut-il employer?
a. *de* après certains adjectifs qui expriment l'émotion ou la certitude. (Voir **69A**)
b. *à* après d'autres adjectifs. (Voir **69B**)
c. *de* après l'expression impersonnelle *il est* + adjectif. (Voir **69C**)

1. (manger) Les huîtres sont bonnes.
2. (attendre) Agnès est fatiguée.
3. (partir) Agnès est prête.
4. (lui donner des conseils) Le monsieur est content.
5. (louer la villa) Prentout est obligé.
6. (faire) Ces choses sont impossibles.
7. (les faire) Il est impossible.
8. (comprendre) Agnès est lente.
9. (comprendre) La recette du monsieur est facile.
10. (entrer chez le président) Agnès est la seule.
11. (faire sa rencontre) Elle est heureuse.
12. (mettre la recette en application) Elle n'est pas la première.

C.
Faites attention de ne pas confondre les mots suivants:

so much tant	*as much, as many* autant (que)
too much trop	*much; a lot* beaucoup
how much; how many combien	*so much the better* tant mieux

Notez que ces expressions ne sont jamais modifiées par *très*.

TRADUISEZ:

1. She speaks a lot. *beaucoup*
2. She speaks too much. *trop*
3. She speaks so much! *tant*
4. She speaks as much as you.
5. But she does not make as many mistakes.

REVISION DES VERBES

Present (72); Past participles (63)

D.
LE PROFESSEUR: Qu'est-ce que vous dites quand vous me quittez?

L'ÉTUDIANT: Je dis ce que j'ai toujours dit: (Complétez la phrase vous-même.)

LE PROFESSEUR: Qu'est-ce que vous dites quand vous ne comprenez pas?

L'ÉTUDIANT: Je dis ce que j'ai toujours dit: (Complétez la phrase vous-même.)

Vous avez déjà repassé dans la deuxième partie du livre le présent de certains verbes irréguliers de cet exercice. Repassez également les verbes suivants:

acheter	j'achète	nous achetons
apercevoir	j'aperçois	nous apercevons
boire	je bois	nous buvons
craindre	je crains	nous craignons
voir	je vois	nous voyons

Les participes passés irréguliers des Exercices D, E, et F sont:

apercevoir—aperçu	faire—fait
boire—bu	mettre—mis
craindre—craint	offrir—offert
dire—dit	ouvrir—ouvert
écrire—écrit	prendre—pris
éteindre—éteint	voir—vu

1. Qu'est-ce que vous voyez quand vous regardez par la fenêtre?
2. Qu'est-ce que vous faites après le dîner et avant de vous coucher?
3. Qu'est-ce que vous répétez juste avant la classe de français?
4. Qu'est-ce que vous prenez quand vous ne pouvez pas dormir?
5. Qu'est-ce que vous buvez quand vous sortez avec vos amis?
6. Qu'est-ce que vous offrez comme cadeau quand vous êtes invité pour le week-end?
7. Qu'est-ce que vous apercevez quand vous entrez en classe?
8. Qu'est-ce que vous répondez quand on vous fait un compliment?
9. Qu'est-ce que vous craignez en classe?
10. Qu'est-ce que vous achetez quand vous allez dans un magasin?

Agreement (11)

E.

LE PROFESSEUR: Qu'est-ce que vous lisez dans ce livre?
L'ÉTUDIANT: La même chose que j'ai lue hier.

Le participe passé des verbes conjugués avec *avoir* s'accorde avec le complément d'objet direct si celui-ci précède le verbe. Notez que dans cet exercice, le complément d'objet est au féminin et précède le verbe. Tous les participes passés de l'exercice se terminent en -*u;* pour faire l'accord ils se terminent en -*ue*.

1. Qu'est-ce que vous voyez d'intéressant dans ce livre?
2. Qu'est-ce que vous buvez tout en lisant?
3. Et qu'est-ce que vous savez maintenant?
4. Qu'est-ce que vous recevez comme note?
5. Qu'est-ce que vous avez?

F.

LE PROFESSEUR: Qu'est-ce que vous prenez en lisant?
L'ÉTUDIANT: La même chose que j'ai prise hier.

LE PROFESSEUR: Quelle leçon apprenez-vous?
L'ÉTUDIANT: La même leçon que j'ai apprise hier.

Notez que dans cet exercice le complément d'objet est au féminin et précède le verbe. Tous les participes passés de l'exercice se terminent en -t ou -s; pour faire l'accord ils se terminent en -te ou -se. La consonne, muette au masculin, se prononce au féminin.

1. Qu'est-ce que vous apprenez en classe?
2. Quelle règle comprenez-vous maintenant?
3. Quelle note le professeur mettra-t-il à votre copie?
4. Quelle boisson prendrez-vous pour vous rafraîchir après la classe?
5. Quelle fenêtre ouvrez-vous?
6. Quelle lumière éteignez-vous?
7. Quelle leçon faites-vous?
8. Qu'est-ce que vous dites?
9. Qu'est-ce que vous promettez?
10. Quelle composition écrivez-vous?

THEME D'IMITATION

If I were you, Miss, I would watch out for (l. 10, p. 210) your fiancé's new secretary. She is not as naïve as she seems (*Etude des mots* 2, p. 205). I am not astonished that he has (See **81A.1**) dismissed me (l. 69). He has never been very nice with me. He allows (**67B**) that fox terrier [of his] to sleep [right] on my table. What a disgrace! He says that I am ugly and that I detest him. Now he insists on (*Etude de mots*) replacing me with (*par*) a girl who has the audacity (l. 8, p. 210) to tell him he is handsome. I don't know how she can say it without laughing. As for me, the prospect (l. 21) of marrying that man would make me sick (ll. 22–23), but if you care at all about (*Etude de mots*) marrying him yourself, I warn you (l. 62), you ought (See **28C**) to talk to him about it.

SUJET DE COMPOSITION

Le président explique à sa fiancée pourquoi il lui préfère Agnès. Décrivez la scène.

31

La Folle de Chaillot

Jean Giraudoux

La Folle de Chaillot est une comédie fantastique de Jean Giraudoux. En voici une scène. Un jeune homme a tenté de se suicider en se jetant dans la Seine. On l'a
5 repêché,° et on a fait venir un sergent de ville.° Celui-ci tâche° de mener l'enquête,° mais il est constamment interrompu par la folle de Chaillot.

repêcher to fish out

le sergent de ville policeman
tâcher de to try; make a strenuous effort
mener l'enquête to investigate

LA FOLLE: Que faites-vous?

10 LE SERGENT: Je note le nom du noyé,° son prénom, et sa date de naissance.

le noyé drowned or nearly drowned man

LA FOLLE: Que voulez-vous que cela lui fasse?[1] . . . Rentrez ce carnet° et consolez-le.

rentrez ce carnet put away that notebook

15 LE SERGENT: Que je le console?

LA FOLLE: C'est aux agents de l'Etat de faire l'éloge° de la vie à ceux qui veulent se tuer. Ce n'est pas à moi.

un éloge praise

LE SERGENT: Que je lui fasse l'éloge de la
20 vie?

LA FOLLE: Vous guillotinez° les assassins. Vous bousculez° les marchandes des quatre-saisons.° Vous empêchez les enfants d'écrire sur les murs. C'est que vous

guillotiner to behead
bousculer to shove aside
le(la) marchand(e) des quatre-saisons pushcart vendor

---

[1]*Que voulez-vous que cela lui fasse?*—What difference do you think that makes to him?

280

²⁵ voulez la vie active, que vous la trouvez
digne° et propre. . . . Dites-le-lui. . . . Ce
sont les fonctionnaires° comme vous qui
organisent la vie, c'est à eux de la défendre. . . . Un gardien de la paix° ce
³⁰ n'est rien, si ce n'est pas un gardien de
la vie. . . .

LE SERGENT: Evidemment. [*Au jeune homme:*] Qu'est-ce que cela signifie de se
jeter dans une rivière du haut d'un pont!

³⁵ LA FOLLE: Cela signifie qu'on ne peut pas se
jeter dans une rivière d'au-dessous de°
son niveau.° Sur ce point il est logique.

LE SERGENT: Je ne vois pas comment intéresser quiconque° à la vie si vous m'in-
⁴⁰ terrompez sans arrêt.°

LA FOLLE: Je ne vous interromps plus.

LE SERGENT: C'est un crime contre l'Etat,
Monsieur, le suicide. Un suicidé c'est un
soldat de moins,° un contribuable° de
⁴⁵ moins. . . .

LA FOLLE: Etes-vous percepteur,° ou amant°
de la vie?

LE SERGENT: Amant de la vie?

LA FOLLE: Oui. Qu'est-ce qui vous plaît à
⁵⁰ vous, dans la vie, sergent? Pour avoir
choisi d'être son champion,° et en uniforme, il faut bien que vous y ayez des
joies, secrètes ou publiques. Dites-les-lui.
. . . Et n'en rougissez° pas.

⁵⁵ LE SERGENT: Je n'en rougis pas. J'ai des passions. J'aime le piquet.° Si cela tente°
ce jeune homme, mon tour de garde
fini,° nous ferons un piquet. Un piquet
avec vin chaud. S'il a une heure à perdre.

⁶⁰ LA FOLLE: Il a sa vie à perdre. C'est tout ce
dont dispose la police comme voluptés?²

digne worthy
le fonctionnaire civil servant

le gardien de la paix policeman

d'au-dessous from beneath
le niveau level

quinconque anyone
sans arrêt ceaselessly

de moins less
le contribuable taxpayer

le percepteur tax-collector
un amant lover

un champion (here) defender

rougir to blush

le piquet piquet (a card game)
tenter to tempt, interest

mon tour de garde fini when I go off duty

---

²*C'est tout ce dont dispose la police comme voluptés*—Is that all the police can offer in the way of pleasures?

... Vous ne gagnez pas votre argent. Je
défie un jeune homme résolu à se tuer
d'y renoncer en vous écoutant.

LE CONTENU

1. Comment le jeune homme a-t-il voulu se suicider?
2. Pourquoi le sergent de ville a-t-il du mal (*difficulty*) à mener l'enquête?
3. Pourquoi sort-il son carnet?
4. Selon la folle, qu'est-ce qu'on devrait faire à ceux qui veulent se tuer?
5. Quelles sont les activités typiques des sergents de ville mentionnées par la folle?
6. Selon la folle, pourquoi les sergents de ville font-ils toutes ces choses-là?
7. Quelle devrait être l'attitude des fonctionnaires?
8. Qu'est-ce qu'un gardien de la paix devrait être?
9. Quel reproche le sergent fait-il au jeune homme?
10. Selon la folle, qu'est-ce qu'il y a de logique dans l'action du jeune homme?
11. Quels arguments le sergent emploie-t-il contre le suicide?
12. Qu'est-ce que la folle pense de ces arguments?
13. Selon la folle, qu'est-ce qu'il devrait dire au jeune homme?
14. Selon la folle, pourquoi faut-il bien que le sergent ait des joies dans la vie?
15. Et quelles sont ces joies?
16. Quelle invitation fait-il au jeune homme?
17. Quelle opinion la folle a-t-elle des joies du sergent de ville?
18. Quel reproche fait-elle au sergent de ville?

LE SENS

1. *La Folle de Chaillot* est une comédie qui montre la victoire des
   opprimés (*oppressed*) sur les forces du matérialisme et de l'exploitation. D'après cette scène, quel est le rôle de la folle dans la pièce?

Quelle idée de la société idéale se fait-elle? Devinez de quel côté le sergent se rangera. Et le noyé?

2. Discutez la logique de la folle et celle du sergent. Laquelle vous semble la plus loufoque? (*crazy*)
3. D'ordinaire dans un dialogue de théâtre, un personnage domine, l'autre se laisse dominer. L'un affirme, explique, commande; l'autre questionne, apprend, bafouille, exprime ses hésitations ou ses doutes, se tait. Appliquez ce principe aux dialogues de *La Folle de Chaillot*, de l'*Apollon de Bellac*, et de l'*Hurluberlu*.

DIALOGUE

A. Le sergent demande au jeune homme se que ça signifie de se jeter dans une rivière du haut d'un pont.
B. La folle lui explique pourquoi le jeune homme est logique sur ce point.
A. Le sergent explique au jeune homme pourquoi le suicide est un crime contre l'Etat.
B. La folle interrompt le sergent pour lui dire qu'il ne gagne pas son argent et qu'il ne persuadera pas le jeune homme.

ETUDE DE MOTS

Que voulez-vous que cela lui fasse?	What does he care?
Que voulez-vous que cela me fasse?	What do I care?
Cela ne me fait rien.	I don't care.
Cela ne fait rien.	It doesn't matter.

EXERCICES

Object pronouns (56–57)

A.

LE PROFESSEUR: Le sergent parle-t-il *à la folle?*
L'ÉTUDIANT: Oui, il lui parle.

LE PROFESSEUR: Réussit-il *à la faire taire?* (Non.)
L'ÉTUDIANT: Non, il n'y réussit pas.

Le pronom complément y ne remplace jamais un nom désignant une personne. *Lui* et *leur* remplacent *à* + un nom désignant une personne.

1. Le jeune homme s'intéresse-t-il *à la discussion?*
2. Répond-il *au sergent de ville?* (Non.)
3. Les agents doivent-ils faire l'éloge de la vie *à ceux qui veulent se tuer?*
4. Est-ce que le jeune homme a voulu se jeter *dans la Seine?*
5. La folle promet-elle *au sergent* de se taire?
6. Perd-on du temps *à jouer aux cartes?*
7. Le sergent offre-t-il cette distraction *au jeune homme?*
8. Selon la folle, le jeune homme va-t-il renoncer *à sa résolution de se tuer?* (Non.)

Interrogatives (45–47)

B.
Le professeur dit quelque chose mais vous n'entendez pas très bien la fin de sa phrase. Vous lui posez donc une question.

LE PROFESSEUR dit:	L'ÉTUDIANT demande:
Je suis *à la maison.*	Où êtes-vous?
Je parle avec *la bonne.*	Avec qui parlez-vous?
Je vais *assez bien.*	Comment allez-vous?
Je sortirai *demain.*	Quand sortirez-vous?
Mais j'ai dû rester au lit *trois jours.*	Combien de temps avez-vous dû rester au lit?
Ce qui m'ennuie *c'est d'avoir manqué mes classes.*	Qu'est-ce qui vous ennuie?
Je suis resté au lit *parce que j'étais malade.*	Pourquoi êtes-vous resté au lit?
Pendant ce temps-là j'ai lu *un beau roman.*	Qu'est-ce que vous avez lu?
Et j'ai écrit une longue lettre à *Delphine.*	A qui avez-vous écrit?
Je l'ai écrite avec *un stylo à bille.*	Avec quoi l'avez-vous écrite?

1. Je console *le noyé.* *Qui consolez vous*
2. Je lui dis: «*Courage!*» *Qu'est-ce que tu lui dis?*
3. Je l'emmène *chez lui.* *Où est-ce que...*
4. Je lui parle *amicalement.* *Comment lui p...*
5. Il a voulu se suicider *parce qu'il était découragé.* *Pourquoi*
6. Il a essayé de se suicider *quatre* fois. *Combien de fois*
7. D'abord il a voulu se tuer avec *son revolver.* *avec quoi*
8. Ensuite il a pris *de l'arsenic.* *Qu'est-ce... ensuite*
9. Il en a pris *dix-sept milligrammes.* *Combien de ml*
10. La troisième fois il s'est jeté de *son balcon.* *D'où*
11. Ce qui le rend si triste *c'est un malentendu avec sa fiancée.* *Qu'est-ce*
12. Il s'est disputé avec *sa fiancée.* *Avec qui*
13. Ils se sont disputés à propos de *ses dettes.* *à propos de qui*
14. Il a beaucoup perdu récemment *en jouant au piquet.* *Qui Quand/En quoi*
15. Il a perdu *la bague qu'elle lui avait donnée.* *Qu'est*
16. Je lui ai demandé *s'il allait recommencer.* *Qu'est*
17. Ce qui m'étonne *c'est qu'il soit encore en vie.* *Qu'est qui*

Relative pronouns (77F)

C.

LE PROFESSEUR: Il note *le nom du noyé.*

L'ÉTUDIANT: Comment? Je ne comprends pas ce qu'il note.

LE PROFESSEUR: *Le désespoir* a motivé son acte.

L'ÉTUDIANT: Comment? Je ne comprends pas ce qui a motivé son acte.

L'étudiant dit qu'il n'a pas compris les mots en italique dans la phrase du professeur. Il emploie le pronom relatif sans antécédent *ce qui* ou *ce que.* Commencez chaque phrase par «Comment? Je ne comprends pas ...».

1. Le sergent note *sa date de nais-sance.* *qu'il*
2. La folle lui dit *de rentrer son carnet.* *qu'il*
3. Les agents doivent faire *l'éloge de la vie.* *qu'il*
4. *Le brouhaha de la foule* inter-rompt le sergent. *qui*
5. *La bêtise du sergent* agace la folle. *qui*
6. *Un piquet avec* vin chaud plaît au sergent. *qui*
7. Le sergent doit faire *son tour de garde.* *qui*

REVISION DES VERBES

D.

LE PROFESSEUR: Dites à Chèvredent de choisir pour vous.
L'ÉTUDIANT: Choisissez pour moi.
LE PROFESSEUR: Dites à Chèvredent de ne pas sortir.
L'ÉTUDIANT: Ne sortez pas.

Distinguez entre les verbes réguliers en -ir et les verbes en -ir qui se conjuguent comme *sortir: je sors, nous sortons.*

1. Dites à Agnès de réfléchir avant de répondre.
2. Dites au fox de ne pas dormir sur la table du président. (On parle aux animaux à la deuxième personne du singulier.)
3. Dites au fox de finir d'aboyer.
4. Dites à Chèvredent de ne pas mentir.
5. Dites au sergent de ne pas en rougir.
6. Dites au sergent de ne pas sortir son carnet.
7. Dites au maître d'hôtel de ne pas servir d'huîtres.
8. Dites à M. Taupin de ne pas choisir les huîtres.

THEME D'IMITATION

People (*On*) often make fun of policemen in French comedies. They are almost always a little slow-witted (l. 41, p. 265). The policeman in this scene is typical, yet he is really very nice (l. 6, p. 177). You can see that he likes the madwoman even if she interrupts him constantly (l. 40). His argument that a suicide means one less soldier, one less taxpayer (l. 44), would never persuade a man resolved to kill himself to give up (l. 64) the idea. On the contrary. And a [nearly] drowned man would not be tempted (l. 56) by a [game of] piquet—even with hot wine (l. 59). Civil servants organize life (ll. 27–28), but when it comes to (i.e., is a question of) defending it, they don't earn their keep (l. 62). The madwoman seems to be (*Etude de mots* 2, p. 205) better qualified (l. 41, p. 273) to praise life (ll. 16–17) than the policeman.

SUJET DE COMPOSITION

Vous voulez vous suicider. Pourquoi? Quelqu'un vient vous sauver. Votre conversation avec lui (ou elle).

Review Lesson VI
Review of Lessons 27-31

VOCABULARY AND IDIOMS

TRANSLATE:

1. What difference does it make to you? (27) — Qu'est-ce que ça peut (bien) te faire?
2. That will do the trick. (27) — Ça fera l'affaire.
3. They know how to manage (to get by). (29) — Ils savent se tirer d'affaire.
4. Try and see. (29) — Essayez voir.
5. How handsome you are! (30) — Que vous êtes beau!
6. Draw (your own) conclusions, figure it out (for yourself). (30) — Tirez les conséquences.
7. What do you think he cares? (31) — Que voulez-vous que cela lui fasse?
8. It's up to them. (31) — C'est à eux.
9. Do you have an hour to kill? (31) — Avez-vous une heure à perdre?

REPLACE THE EXPRESSION IN ITALICS BY A SYNONYM.

1. Il est *membre de l'académie.* (29) — académicien
2. *en tête à tête* (29) — seul à seul
3. un général *qui s'est retiré du service* (27) — en retraite
4. Il lui *apprend* le courage. (27) — enseigne
5. Dans un combat, il veut *s'échapper.* (27) — se sauver

6. Il *cherche (en remuant des ob-*   fouille
   jets) dans le tiroir. (27)

7. Le mininistafia *devient diffi-*   se fait rare
   cile à trouver. (27)

8. Ça *produit un effet.* (27)   agit

9. *malgré cela* (27)   quand même

10. *à notre époque* (27)   de nos jours

11. *manger quelque chose qui fait*   croquer
    un bruit quand on le
    mange, un biscuit par ex-
    emple (27)

12. *discours contraire à la vérité*   le mensonge
    (28)

13. *pas propre* (28)   sale

14. Elles ne comprennent pas   grand-chose
    beaucoup. (28)

15. *à partir de ce moment* (28)   désormais

16. *Il trouve enfin.* (27)   Il finit par trouver.

17. *parler d'une façon incohé-*   bafouiller
    rente (28)

18. Si tu fais des erreurs, *prends*   gare à toi!
    garde! (28)

19. Prends un tout petit *morceau*   bout
    de buvard. (27)

20. Il aura peur *à condition* que   pourvu
    tu coures vite. (27)

21. *un prêtre* (28)   un curé

22. *la personne qui vend du lait*   le laitier
    (27)

23. *papier qui boit l'encre* (27)   le buvard

24. *Il y en a.* (29)   Il s'en trouve. (*ou* Il en est.)

25. *Il y a une femme.* (29)   il est (*ou,* il se trouve)

26. Ils la suivent *partout.* (29)   en tous lieux

27. Seriez-vous prête à le *répéter?*   redire
    (30)

28. Le temps *passe.* (30)   s'écoule

29. Voici une pièce *d'un franc.*   de vingt sous
    (30)

30. *le cri du chien* (30)   l'aboiement

31. Est-ce que son *évaluation* est   appréciation
    désintéressée? (30)

32. Vous *plaisantez.* (30)   voulez rire
33. Mais c'est *effrayant!* (30)   affreux
34. *immédiatement* (30)   à l'instant
35. *Remettez* ce carnet *dans votre poche.* (31)   rentrez
36. Il *vante le mérite* de son ami. (31)   fait l'éloge
37. *une personne employée par l'Etat.* (31)   un fonctionnaire
38. un *agent de police* (31)   gardien de la paix
39. *Toute personne qui* rit sera punie. (31)   quiconque
40. Elle parle *constamment.* (31)   sans arrêt
41. *celui qui paie l'impôt* (31)   le contribuable
42. *celui qui perçoit l'impôt* (31)   le percepteur
43. Il *a le visage rouge de honte.* (31)   rougit
44. *A leur avis elle est* belle. (29)   Ils la trouvent
45. *Est-il possible que vous soyez* bornée? (29)   Seriez-vous
46. *au beau milieu du* tramway (29)   en plein
47. Est-ce que vous *insistez là-dessus!* (30)   y tenez
48. *Je suis résigné à la perte de* mes potiches. (30)   J'ai fait le deuil
49. *une personne en présence de qui un événement a eu lieu* (30)   un témoin
50. *La raison en est qu'*elle le flatte. (29)   c'est qu'
51. Les hommes *s'attachent étroitement* à elles. (29)   s'accrochent
52. Elle a l'esprit *étroit et limité.* (29)   borné
53. Agnès est une jeune fille *charmante.* (30)   ravissante
54. Ne *dites* pas *que ce n'est pas vrai.* (30)   niez
55. Il a *renvoyé* sa secrétaire. (30)   congédié
56. Les agents *poussent rudement*   bousculent

les marchandes des quatre
saisons. (31)

57. Les deux élèves sont au même   niveau
    rang. (31)

58. Il n'a pas peur de sa fiancée,   de pied ferme
    il l'attend *avec courage et*
    résolution. (30)

59. La boucherie est *très pleine.*   comble
    (29)

60. Ils ont un *goût prononcé* pour   faible
    les souvenirs. (30)

61. marchand *qui vend des fruits,*   des quatre-saisons
    des légumes qu'il transporte
    dans une petite voiture

ANSWER BRIEFLY THE FOLLOWING QUESTIONS.

1. Dans *La Folle de Chaillot*   Il tâche de mener l'enquête.
   qu'est-ce que l'agent tâche
   de faire? (31)

2. Pourquoi Agnès est-elle dans   Elle cherche un poste.
   la salle d'attente du prési-
   dent? (29)

3. Où a lieu la conversation   dans la salle d'attente
   entre le monsieur et Agnès?
   (29)

4. D'après le président qu'est-ce   des pinçons
   que Mlle Chèvredent donne
   à son fox? (30)

5. A quel animal Mlle Chèvre-   à un singe
   dent compare-t-elle le président?

GRAMMAR

1. Verbs

Give the *je* and *nous* forms of the present and the *je* form of the
passé composé of the following verbs:

apercevoir	j'aperçois	j'ai aperçu
	nous apercevons	
boire	je bois	j'ai bu
	nous buvons	
craindre	je crains	j'ai craint
	nous craignons	
croire	je crois	j'ai cru
	nous croyons	
dire	je dis	j'ai dit
	nous disons	
écrire	j'écris	j'ai écrit
	nous écrivons	
lire	je lis	j'ai lu
	nous lisons	
mettre	je mets	j'ai mis
	nous mettons	
ouvrir	j'ouvre	j'ai ouvert
	nous ouvrons	
plaire	je plais	j'ai plu
	nous plaisons	
prendre	je prends	j'ai pris
	nous prenons	
préférer	je préfère	j'ai préféré
	nous préférons	
suivre	je suis	j'ai suivi
	nous suivons	
voir	je vois	j'ai vu
	nous voyons	

2. Formation of the future (35B)

Review the irregular future stems.

3. Future perfect (37B)

When she has left, he will be sad.   Quand elle sera partie, il sera triste.

4. *Imparfait* **(40B.3)**

I had been speaking for half an hour when the bell rang.	Je parlais depuis une demi-heure quand la cloche a sonné.

5. *Faire* + **infinitive (33D)**

He has them recite.	Il les fait réciter.
He has them recite poems.	Il leur fait réciter des poèmes.

6. Prepositions (68, 69)

Add the infinitive *parler* to the following sentences:

Il aime.	Il aime parler. (68A)
Il vaut mieux.	Il vaut mieux parler. (68A)
Il m'aide.	Il m'aide à parler. (68B)
Il apprend.	Il apprend à parler. (68B)
Il cesse.	Il cesse de parler. (68C)
Il me commande.	Il me commande de parler. (68C)
Il s'apprête.	Il s'apprête à parler. (68B)
Il me persuade.	Il me persuade de parler. (68C)
Il commence.	Il commence à parler. (68B)
Il essaye.	Il essaye de parler. (68C)
Il est heureux.	Il est heureux de parler. (69A)
Il est prêt.	Il est prêt à parler. (69B)
Il est facile.	Il est facile de parler. (69C)
Il est lent.	Il est lent à parler. (69B)
Il est fatigué.	Il est fatigué de parler. (69A)

7. Negative infinitive (49)

He says not to eat any.	Il dit de ne pas en manger.

8. Demonstrative pronouns (30A)

Quel monsieur?	
This one.	Celui-ci.
Quelle secrétaire?	
The president's.	Celle du président.

Quels livres?

The ones you are reading.   Ceux que vous lisez.

Quelles potiches?

Those [over there].   Celles-là.

9. Interrogatives

What is a *potiche?*   Qu'est-ce que c'est qu'une potiche?
                              (47C)

What are you writing with?   Avec quoi écrivez-vous? (46B.3)

What interests you?   Qu'est-ce qui vous intéresse?
                             (46B.1)

What are you doing?   Qu'est-ce que vous faites? (46B.2)

Who are you writing to?   A qui écrivez-vous? (46A.2)

10. Relative pronouns (77F)

I don't know what a *potiche*   Je ne sais pas ce que c'est qu'une
is.   potiche.

I don't understand what   Je ne comprends pas ce qui lui
pleases her.   plaît.

11. Object pronouns

I am going there.   J'y vais. (57)

She answers him.   Elle lui répond. (56)

He's thinking of her.   Il pense à elle. (59D)

He's suspicious of me.   Il se méfie de moi. (59E)

He is proud of her.   Il est fier d'elle. (58A.2)

Avez-vous des livres?

I have five.   J'en ai cinq. (58C)

I have good ones.   J'en ai de bons. (58B.2)

I have a green one.   J'en ai un vert. (58B.2)

12. Agreement (11B)

the window I opened   la fenêtre que j'ai ouverte

the lesson I learned   la leçon que j'ai apprise

Quand on pense que la surface d'un rectangle s'obtient en multipliant la longueur..

32

Les Bœufs [I]

Marcel Aymé

Dans *Les Contes du chat perché*, Marcel
Aymé raconte les aventures de Delphine et
de Marinette, deux petites filles qui demeurent dans une ferme où tous les ani-
⁵ maux savent parler. Les deux petites décident d'apprendre à lire et à compter aux
deux bœufs¹ qui demeurent dans l'étable.
Un des bœufs, le blanc, fait des progrès
étonnants, mais l'autre, le grand roux, ne
¹⁰ s'intéresse pas du tout aux études. Par contre,° il raffole des° jeux que les petites lui
apprennent.

    Le bœuf blanc devient si studieux qu'à
l'étable il a toujours dans son râtelier° un
¹⁵ livre ouvert dont il tourne les pages avec
sa langue. Quant au° grand roux, il devient
un bœuf frivole riant de tout et de rien.
Cela fait une paire de bœufs très mal assortis,° et les sujets de querelle sont nom-
²⁰ breux.

    —Je ne comprends pas, disait le bœuf
blanc d'une voix sévère en jetant sur son
compagnon un regard attristé, je ne comprends pas. . . .
²⁵   —Non, laisse-moi rire, interrompait le
grand roux, c'est plus fort que moi,° il faut
que je rie.

par contre on the other hand
raffoler de to be crazy about

le râtelier rack (in a stable)

quant à as for

assortis matched

c'est plus fort que moi I can't help
it

---

¹*le bœuf*—ox; the *f* is silent in the plural.

—Je ne comprends pas qu'on puisse à ce point° manquer de sérieux et de dignité.
[80] Quand on pense que la surface d'un rectangle s'obtient en multipliant la longueur par la largeur, que le Rhin prend sa source dans le massif du Saint-Gothard et que Charles-Martel vainquit les Arabes en l'an [85] 732, on est consterné par le spectacle d'un bœuf de six ans se livrant à° des jeux imbéciles, et volontairement ignorant des merveilles. . . .

—Ha! ha! ha! faisait le grand roux, [40] tordu° par un rire convulsif.

—Idiot! si au moins il avait l'esprit de s'amuser discrètement et de ne pas troubler mes travaux. Vas-tu te taire?°

—Ecoute, vieux, laisse tes bouquins° un [45] moment et jouons à quelque chose, tous les deux. . . .

—Voilà qu'il devient fou! comme si j'avais le temps de me prêter à°. . . .

—A pigeon vole,° rien qu'un° quart [50] d'heure . . . rien que cinq minutes. . . .

Parfois le bœuf blanc cédait,° après avoir arraché à l'autre la promesse de le laisser étudier en paix. Mais toujours préoccupé, il jouait médiocrement et s'y collait° pres-[55]que tout le temps. Le grand roux, agacé,° disait qu'il faisait exprès° de mal jouer.

Leurs jeux finissaient la plupart du temps par un échange d'injures,° quand ce n'étaient pas des coups de pied. Delphine [60] et Marinette n'étaient plus très sûres d'avoir fait œuvre de sagesse.°

à ce point   to such an extent

se livrer à   to indulge in

tordu   bent over

se taire   to be quiet
le bouquin   book (colloq.)

se prêter à   to engage in

pigeon vole   a children's game
rien que   just; only

céder   to give in

s'y coller   to lose; get stuck
agacer   to irritate
exprès   on purpose

une injure   insult

faire œuvre de sagesse   to do a wise thing

LE CONTENU

1. En quoi la ferme des parents de Delphine et de Marinette diffère-t-elle d'une ferme ordinaire?

2. Qu'est-ce que les deux petites décident de faire?
3. Quelle est l'attitude du bœuf blanc? Et celle du grand roux?
4. Comment le bœuf blanc fait-il pour lire ses livres?
5. Quelles sont quelques-unes des choses que le bœuf blanc a apprises?
6. Quelle est son opinion du grand roux?
7. Que veut-il que le grand roux fasse?
8. Et le grand roux, qu'est-ce qu'il demande au bœuf blanc de faire?
9. Quelle promesse le grand roux doit-il faire s'il veut que le bœuf blanc joue avec lui?
10. Pendant leurs jeux le grand roux est vite agacé. Pourquoi?
11. Comment finissent leurs jeux?
12. Que pensent Delphine et Marinette de tout ça?

LE SENS

1. Montrez comment on peut interpréter ce conte comme une satire de l'éducation.
2. Y a-t-il harmonie ou discordance comique entre les caractéristiques qu'on attribue d'ordinaire aux bœufs et ceux que manifestent les deux bœufs de ce conte?

DIALOGUE

A. Le bœuf blanc dit au grand roux de ne pas troubler ses travaux, et de se taire.
B. Le grand roux lui dit de laisser ses livres, et de jouer à quelque chose avec lui.
A. Le bœuf blanc lui dit qu'il est fou, et qu'il n'a pas le temps.
B. Le grand roux lui dit qu'ils ne joueront pas longtemps.

ETUDE DE MOTS

rien qu'un quart d'heure	just a quarter of an hour
On voit qu'il est intelligent rien qu'en le regardant.	You can tell he is intelligent just by looking at him.

EXERCICES

Relative pronouns (77)

A.

LE PROFESSEUR: Il parle *de ses bouquins.*
L'ÉTUDIANT: Comment? Expliquez-moi de quoi il parle.
LE PROFESSEUR: Il aime jouer aux *cartes.*
L'ÉTUDIANT: Comment? Expliquez-moi à quoi il aime jouer.

L'étudiant demande une explication des mots en italique dans la phrase du professeur. Il emploie le pronom relatif sans antécédent *quoi* précédé d'une préposition. Commencez chaque phrase par «Comment? Expliquez-moi . . .».

1. Il tourne les pages avec *sa langue.* avec quoi
2. Il rit de *tout* et *de rien.* de quoi
3. Il veut jouer à *pigeon vole.* à quoi
4. Le bœuf blanc est consterné par *le spectacle d'un bœuf de six ans se livrant à des jeux imbéciles.* Par quoi
5. Leurs jeux finissaient par *un échange d'injures.* Par
6. Le sergent rougit de *ses passions.* quoi

☐

7. La folle parle de *son état-major de servants.* de quoi
8. La police dispose de *plusieurs volúptés.* de quoi
9. Chèvredent se méfie des *impostures d'Agnès.* de quoi
10. Le sergent est fier de *son uniforme.* de quoi
11. Le sergent note avec *son stylo à bille.* avec
12. Le noyé s'est jeté dans *une rivière.* dans

B.

LE PROFESSEUR: Voilà le livre. Il *le* lit.
L'ÉTUDIANT: Voilà le livre qu'il lit.
LE PROFESSEUR: C'est un jeu. Nous ne savons pas les règles *de ce jeu.*
L'ÉTUDIANT: C'est un jeu dont nous ne savons pas les règles.

L'étudiant joint les deux phrases du professeur en employant le pronom relatif *qui, que,* ou *dont.* Le mot ou la phrase que le pronom relatif remplace est en italique.

1. C'est une histoire. Nous avons lu le début *de cette histoire.* ~~dont~~

2. Il s'agit de deux petites filles. Nous avons appris les noms *de* ces filles. ~~dont~~

3. Ce sont deux petites filles. *Elles* demeurent dans une ferme. ~~qui~~

4. Elles ont un bœuf blanc. *Il* est intelligent. ~~qui~~

5. C'est un bœuf. Tout le monde va parler *de ce bœuf.* ~~dont~~

6. Elles ont un bœuf roux. Elles *le* préfèrent. ~~qu'elle~~

7. C'est un bœuf. Tout le monde envie la belle humeur *de ce bœuf.*

☐

8. Les petites lui apprennent des jeux. Il raffole *de ces jeux.* ~~dont~~

9. Voici les jeux. Il *les* connaît. ~~qu'il~~

10. Ce sont des jeux. Le bœuf blanc ne *les* aime pas. ~~qu'il~~

11. Voici les livres. Il *les* lit.

12. Voici un livre. Il tourne les pages *de ce livre.*

13. Ça, c'est une histoire! Je voudrais savoir la fin *de cette histoire.* ~~dont~~

Use or omission of prepositions before nouns (67)

C.

LE PROFESSEUR: *les jeux.* Le grand roux s'intéresse.
L'ÉTUDIANT: Il s'intéresse aux jeux.

Complétez les phrases suivantes en y ajoutant le nom indiqué, introduit par la préposition convenable, le cas échéant *(if need be)*. N'oubliez pas les contractions: *de + les = des,* à *+ les = aux.*

les jeux
1. Il raffole. ~~de (des)~~
2. Il réussit. ~~à (aux)~~
3. Il parle. ~~de (des)~~
4. Il se prête. ~~à (aux)~~
5. Il joue. ~~à (aux)~~
6. Il se souvient. ~~de (des)~~

les petites filles
1. Il regarde. —
2. Il obéit. ~~à (aux)~~
3. Il s'approche. ~~de (des)~~
4. Il plaît. ~~à (aux)~~
5. Il pardonne. ~~(aux)~~
6. Il cherche. —
7. Il écoute. —
8. Il permet tout. ~~à~~
9. Il refuse tout. ~~à~~

Use or omission of prepositions before infinitives (68)

D.

LE PROFESSEUR: Le bœuf blanc apprend.
L'ÉTUDIANT: Il apprend à étudier.

Complétez les phrases suivantes en y ajoutant le verbe *étudier* soit sans préposition, soit en utilisant *à* ou *de*.

1. Il aime. ‾
2. Il ne cesse jamais. *de*
3. Il passe son temps. *à*
4. Il se plaît. *à*
5. Il n'arrête pas. *de*
6. Il continue. *à*

7. Il sait. ‾
8. Il ne refuse jamais. *de*
9. Il ne néglige jamais. *de*
10. Il préfère.
11. Il essaie toujours. *de*
12. Mais le grand roux l'empêche. *de*

THEME D'IMITATION

Marcel Aymé, like Jacques Prévert, likes to make fun of the typical French school, and especially of the studious pupils who make astonishing progress (ll. 8–9) in school and who are not at all interested in games (l. 10). The things the white ox has learned (11B) in his books are the things that all French pupils learn in school. As for (l. 16) the big red one, he is the dunce (Lesson 4). The white one thinks he irritates him on purpose (l. 56), but that's not true. It is simply that he likes to play. He would play with anyone (*Etude de mots* 2, p. 227), even with the white ox, who says he doesn't have time to engage in games (l. 48) and who almost always loses (l. 54). Most of the time their games end in insults and kicks (ll. 58–59).

SUJET DE COMPOSITION

Vous aimez étudier. Votre camarade de chambre veut s'amuser. Vos discussions et querelles.

33
Les Bœufs [II]
Marcel Aymé

Bien entendu, le maître (le père de Delphine et de Marinette) s'est bientôt aperçu
du changement dans l'attitude de ses bœufs.
Un jour, sur la fin de l'après-midi, il a eu la
5 surprise de voir le bœuf blanc, assis sur le
pas de la porte de l'étable, qui paraissait
contempler distraitement la campagne.

—Par exemple,° a-t-il dit, qu'est-ce que
tu fais là, bœuf, et dans cette position
10 assise?

Et le bœuf, balançant la tête° et fermant
à demi les paupières,° a répondu d'une voix
douce:

J'admire, assis sous un portail
15 Ce reste de jour° dont s'éclaire
La dernière heure du travail . . .

Le maître ne savait pas, ou bien, il l'avait
oublié, que ce fussent là des vers de Victor
Hugo, et il a convenu:°
20 —Il parle bien, ce bœuf.
Mais le bœuf avait la tête si pleine de
beaux vers, de problèmes, de chiffres et de
maximes qu'il écoutait distraitement les
ordres donnés par son maître quand il
25 travaillait aux champs. Un matin de
labour,° il s'est arrêté brusquement au

par exemple well, well; my word!

balancer la tête to nod
la paupière eyelid

reste de jour remnant of light

convenir to agree, admit

le labour ploughing

301

milieu d'un sillon° et s'est mis à rêver tout   *le sillon* furrow
haut.° Voilà ce qu'il disait: *tout haut* aloud
—Deux robinets° coulent dans un réci-   *le robinet* water tap
30 pient cylindrique de soixante-quinze centi-
mètres de haut, et débitent° ensemble   *débiter* to discharge
vingt-cinq décimètres cubes à la minute.
Sachant que l'un des deux robinets, s'il
coulait seul. . . .
35 —Qu'est-ce que tu peux bien jargonner,°   *jargonner* to talk, speak in jargon
a interrompu le maître. Explique-moi donc
un peu ce que tu racontes. . . .
Mais le bœuf était si profondément absorbé par la recherche de sa solution qu'il
40 n'entendait rien et demeurait immobile en
marmonnant° des chiffres. Le maître se de-   *marmonner* to mutter
mandait si son bœuf avait bien toute sa
raison.°   *avoir toute sa raison* to be "all
                                                        there"
Le grand roux était encore plus insuppor-
45 table. Au travail, il s'arrêtait à chaque
instant pour rire à son contentement, ou
bien se retournait vers le maître pour lui
proposer une devinette.°   *la devinette* riddle
—Quatre pattes° sur quatre pattes. Qua-   *la patte* paw
50 tre pattes s'en vont, quatre pattes restent.
Qu'est-ce que c'est?
—Allons, nous ne sommes pas là pour
dire des bêtises. Hue!°   *Hue* Giddap
—Oui, disait le grand roux en riant, vous
55 dites ça parce que vous ne savez pas
trouver.°   *trouver* to find the answer
—Moi? Je ne veux même pas chercher.
Au travail!
—Quatre pattes sur quatre pattes,
60 voyons,° ce n'est pas difficile. . . .   *voyons* come on now
Le maître était au désespoir.

Mais l'histoire finit bien: il vend les deux
bœufs au cirque, et le lendemain toute la
famille va en ville et les applaudit dans un
65 très joli numéro.

LE CONTENU

1. Où le maître a-t-il trouvé son bœuf blanc un jour, sur la fin de l'après-midi?
2. Qu'est-ce qu'il lui a demandé?
3. Comment le bœuf a-t-il répondu?
4. Pourquoi le bœuf blanc faisait-il son travail distraitement?
5. Pourquoi la réponse du bœuf a-t-elle étonné le maître?
6. A quoi pensait le bœuf blanc quand il s'est mis à rêver tout haut?
7. Qu'est-ce que le maître s'est demandé quand il a entendu son bœuf qui marmonnait des chiffres?
8. Pourquoi le grand roux était-il encore plus insupportable que le bœuf blanc?
9. Qu'est-ce qu'il propose au maître?
10. Selon le grand roux, pourquoi est-ce que le maître ne répond pas à la devinette?
11. Que fait le maître, enfin, de ses bœufs?

LE SENS

1. Le bœuf blanc comme caricature de l'esthète, du savant, du pédant: A-t-il tous les défauts de ces types?
2. Caractérisez le grand roux. Selon la caractérologie conventionnelle quels sont les «traits typiques» des roux?
3. Dans une satire il y a souvent un observateur raisonnable qui se lamente sur les excès que l'auteur satirise. Qui serait-ce dans *Les Bœufs?* Commentez.
4. Peut-on définir l'attitude que l'auteur nous invite à prendre envers le fou rire du grand roux et la frénésie d'apprendre du bœuf blanc? Y a-t-il peut-être une moralité sur les effets de l'éducation dans la conclusion?

DIALOGUE

A. Le bœuf blanc dit à son maître qu'il veut lui proposer une devinette.
B. Le maître lui dit qu'ils ne sont pas là pour dire des bêtises.

A. Le bœuf blanc lui dit qu'il dit ça parce qu'il ne sait pas en trouver la réponse.

B. Le maître dit qu'il ne veut même pas chercher. Il dit au bœuf blanc de se mettre au travail.

ETUDE DE MOTS

absorbé par la recherche de sa solution	busy trying to figure out the solution
Ils sont partis à la recherche d'un restaurant.	They went off to look for a restaurant.
Il fait des recherches.	He's engaged in research.

EXERCICES

Relative pronouns (77)

A.

LE PROFESSEUR: Il propose une devinette. Au milieu de *cette devinette* le maître l'interrompt.

L'ÉTUDIANT: Il propose une devinette au milieu de laquelle le maître l'interrompt.

LE PROFESSEUR: Voici l'étable. Le bœuf est assis à la porte de *l'étable.*

L'ÉTUDIANT: Voici l'étable à la porte de laquelle le bœuf est assis.

LE PROFESSEUR: Je connais l'étudiant. Vous avez écrit votre composition avec l'aide de *cet étudiant.*

L'ÉTUDIANT: Je connais l'étudiant avec l'aide de qui vous avez écrit votre composition.

D'ordinaire *dont* doit suivre son antécédent directement. On ne peut pas l'employer après une locution prépositionnelle comme *au milieu de.* Son emploi est défendu également après une locution formée de nom + préposition + nom, si l'antécédent est le premier des deux noms. Dans ces cas on emploie *duquel, desquels, de laquelle,* ou *desquelles,* ou, si l'antécédent est un nom de personne, *de qui.* Le mot ou la phrase que le relatif remplace est en italique.

1. Il y a certains sujets. A propos de *ces sujets* on se dispute facilement.
2. Ils font un inventaire. Au cours de *cet inventaire* ils se lamentent
   sur le mauvais sort qui les poursuit.
3. Je connais bien le quai. Le jeune homme se promenait le long de
   ce quai.
4. Quelle est la solution? Le bœuf est absorbé par la recherche de *la
   solution.*
5. Il y a un niveau. On ne peut pas descendre au-dessous de *ce
   niveau.*
6. Il habite une étable. Au fond de *l'étable* il y a un râtelier.
7. Voilà la folle. J'aurais vite fini mon enquête sans les interruptions
   de *cette folle.*
8. Je dédie ce livre à ma femme. Je n'aurais jamais pu l'écrire sans
   l'aide de *ma femme.*
9. C'est le pays. On mange les meilleures choses du monde dans les
   restaurants de *ce pays.*
10. J'ai rencontré un jeune homme. J'ai fait la guerre avec le père de
    ce jeune homme.

B.

Certains verbes qui se construisent avec un complément direct en
anglais, se construisent en français avec une préposition, et vice versa.
Plusieurs de ces verbes sont utilisés dans l'exercice suivant:

s'approcher de	plaire à
chercher	regarder
écouter	répondre à
obéir à	se souvenir de
pardonner à	

Avec ces verbes il faut faire attention d'employer le pronom relatif
convenable.

the person I remember	la personne dont je me souviens
the person I know	la personne que je connais
the person I obey	la personne à qui j'obéis
the thing I ask for	la chose que je demande

Traduisez les expressions suivantes en tenant compte de la construction du verbe:

1. the person I like ...   7. the person I look for ...
2. the person I please ...   8. the person I look at ...
3. the person I listen to ...   9. the thing I like ...
4. the person I speak to ...   10. the thing I forgive ...
5. the person I answer ...   11. the thing I obey ...
6. the person I remember ...   12. the thing I approach ...

Ce or *Il* (22B, 24B)

C.

LE PROFESSEUR: Cette histoire est-elle intéressante?
L'ÉTUDIANT: Oui, elle est intéressante.
UN AUTRE ÉTUDIANT: C'est une histoire intéressante.

Devant le verbe *être* + adjectif, on emploie *il, elle, ils,* ou *elles* quand il y a un antécédent. Devant le verbe *être* + nom modifié, on emploie *ce.* Notez qu'il y a deux réponses de l'étudiant dans cet exercice:

> Adjectif: Oui, elle est intéressante.
> Nom modifié: C'est une histoire intéressante.

1. Le bœuf est-il intelligent?
2. Le vers est-il beau?
3. Le problème est-il difficile?
4. Le maître est-il bon?
5. La devinette est-elle facile?
6. Le numéro est-il joli?
7. Les petites filles sont-elles jolies?
8. Les bœufs sont-ils dociles?
9. Les bœufs sont-ils beaux?
10. Les jeux sont-ils amusants?
11. Est-ce que ces bouquins sont intéressants?

☐

D.

LE PROFESSEUR: américaine.
L'ÉTUDIANT: Elle est américaine.
LE PROFESSEUR: de bons étudiants.
L'ÉTUDIANT: Ce sont de bons étudiants.

Devant le verbe *être* + un nom sans article, on emploie *il, elle, ils,* ou *elles.* Si le nom est modifié on emploie *ce.*

1. anglais
2. un commandant anglais
3. général
4. professeur
5. père de famille
6. une folle
7. sergent

8. un sergent un peu bête mais gentil
9. percepteur
10. des bouchers
11. secrétaire
12. une bonne secrétaire

THEME D'IMITATION

I have a friend who has asked (Ex. B) many Frenchmen the answer to the riddle (l. 48) that the big red ox asks his master. No one was really able to enlighten him (l. 59, p. 225). Since the master won't even try to find the answer, the big red ox never gives it (9). My friend even did some research (*Etude de mots*), that is to say that he read many Aymé stories looking for (*Etude de mots*) the answer, but without unearthing it (ll. 48–49, p. 211). Someone ought to write to the author [and] ask him for the answer. As for the white ox's problem in which it is [a] question of water taps flowing into a cylindrical recipient (ll. 29-30), it would be easy to complete, but no one is interested in it (Ex. C, p. 237). What amuses me is the attitude of the master: he is not astonished that the white ox speaks, but only that he speaks so well. When his ox starts muttering numbers (l. 41) he wonders if the animal has not lost his reason (ll. 42–43). How can you lose what you have not got?

SUJET DE COMPOSITION

Vous êtes le maître. Expliquez à Delphine et à Marinette pourquoi il faut vendre les bœufs au cirque.

Je vous
demande un peu!

34

Le Loup
Marcel Aymé

Delphine et Marinette sont seules à la maison. Leurs parents leur ont dit de n'ouvrir la porte à personne. Mais voilà le loup qui les regarde par la fenêtre. Il
5 trouve les deux petites tellement jolies et attendrissantes° qu'il devient bon, tout à coup. Si bon et si doux qu'il ne pourrait plus jamais manger d'enfants. Marinette trouve que le loup est très gentil, mais
10 Delphine se méfie° un peu de lui.

    —Il a l'air doux, a-t-elle dit, mais je ne m'y fie° pas. Rappelle-toi *Le Loup et l'agneau.*° . . . L'agneau ne lui avait pourtant rien fait.
    Et comme le loup protestait de ses bon-
15 nes intentions, elle lui a dit:
    —Et l'agneau, alors? . . . Oui, l'agneau que vous avez mangé?
    Le loup n'en a pas été démonté.°
    —L'agneau que j'ai mangé, dit-il. Lequel?
20 Il disait ça tout tranquillement, comme une chose toute simple et qui va de soi,° avec un air et un accent d'innocence qui faisait froid dans le dos.[1]
    —Comment? vous en avez donc mangé
25 plusieurs! s'est écriée Delphine. Eh bien! c'est du joli!°

attendrissant moving; sweet

se méfier de to mistrust

se fier à to trust
un agneau lamb

démonté upset; abashed (colloq.)

ça va de soi it goes without saying

c'est du joli! a fine thing

[1]*qui faisait froid dans le dos*—that made chills run up and down their spines.

—Mais naturellement que j'en ai mangé plusieurs. Je ne vois pas où est le mal. . . . Vous en mangez bien, vous!

30 Il n'y avait pas moyen° de dire le contraire. On venait justement de manger du gigot° au déjeuner de midi.

un moyen a way, a means

le gigot roast leg of lamb

—Dites donc, Loup, dit Delphine, j'avais oublié le petit Chaperon° Rouge.[2] Parlons-
35 en un peu du petit Chaperon Rouge, voulez-vous?

le chaperon riding hood

Le loup a baissé la tête avec humilité. Il ne s'attendait pas à° celle-là.

—C'est vrai, a-t-il avoué,° je l'ai mangé, le
40 petit Chaperon Rouge. Mais je vous assure que j'en ai déjà eu bien du remords.° Si c'était à refaire.°. . .

s'attendre à to expect

avouer to admit

bien du remords a lot of remorse
si c'était à refaire if I had it to do over again

—Oui, oui, on dit toujours ça. Tout de même vous l'avez mangé.

45 —Je l'ai mangé, c'est entendu. Mais c'est un péché° de jeunesse. . . . Et puis, si vous saviez les tracas° que j'ai eus à cause de cette petite! Tenez, on est allé jusqu'à dire[3] que j'avais commencé par manger la grand'-
50 mère, eh bien, ce n'est pas vrai du tout. . . .

le péché sin
le tracas trouble; bother

Ici, le loup s'est mis à ricaner° malgré lui, et probablement sans bien se rendre compte° qu'il ricanait.

ricaner to snicker

se rendre compte to realize

—Je vous demande un peu!° manger de
55 la grand'mère, alors que j'avais une petite fille bien fraîche qui m'attendait pour mon déjeuner! Je ne suis pas si bête.°. . .

je vous demande un peu now I ask you

bête stupid

Cette remarque fait très mauvaise impression sur les petites. Mais tout finit
60 bien: elles le laissent entrer à la fin et ils jouent ensemble tous les trois.

---

[2]Since *chaperon* is a masculine noun, *le petit Chaperon Rouge* is in the masculine gender even though it refers to a little girl. Conversely, such feminine nouns as *la victime, la personne, la fripouille,* often refer to masculine persons.

[3]*Tenez, on est allé jusqu'à dire . . .*—Listen, they went so far as to say. . . .

LE CONTENU

1. Quelle recommandation les parents ont-ils faite à Delphine et à Marinette avant de sortir?
2. Qu'est-ce qui arrive au loup quand il voit les deux petites?
3. Pourquoi Delphine se méfie-t-elle de lui?
4. Le loup en est-il démonté quand Delphine lui parle de l'agneau?
5. Pourquoi les petites sont-elles choquées par sa réponse?
6. Que dit Delphine pour exprimer son indignation?
7. Comment le loup se défend-il?
8. Qu'est-ce que Delphine et Marinette viennent de manger au déjeuner?
9. Mais que fait le loup quand on lui parle du petit Chaperon Rouge?
10. Comment tâche-t-il de s'excuser?
11. Que ferait-il si c'était à refaire?
12. Quelle accusation fausse a-t-on faite contre le loup?
13. Pourquoi dit-il qu'il est ridicule de l'accuser d'avoir mangé la grand'mère?
14. Comment l'histoire finit-elle?

LE SENS

1. Le loup, chez Marcel Aymé comme dans la fable classique, c'est le proscrit (*the outcast*), l'homme condamné par la société. Montrez dans ce conte les allusions à l'hypocrisie des jugements moraux conventionnels, et aux exagérations de la presse quand elle dénonce le crime. Ces éléments satiriques sont-ils externes au conte ou en font-ils partie intégrale?
2. *Le Loup* est aussi l'histoire du criminel repenti. Montrez comment Aymé évoque ironiquement les difficultés que rencontre le proscrit qui veut changer de caractère, se justifier, et se réintégrer dans la société.

DIALOGUE

A. Delphine rappelle au loup qu'il a mangé l'agneau.
B. Le loup demande lequel.

A. Delphine est étonnée qu'il en ait mangé plusieurs, et exprime son indignation.

B. Le loup dit qu'il ne voit pas où est le mal et leur rappelle qu'elles en mangent elles-mêmes.

A. Delphine avoue que c'est vrai, et qu'elles viennent de manger du gigot.

ETUDE DE MOTS

1. *Il ne s'attendait pas à celle-là.*	He hadn't been expecting that one.
Je m'attendais à cette question.	I was expecting that question.
Mais lui, il ne s'y attendait pas.	But he wasn't.
Je m'attendais à ce qu'il me pose cette question.	I expected him to ask me that question.
2. *Mais naturellement que j'en ai mangé!*	But of course I've eaten some!
Mais naturellement que vous êtes invité!	But of course you're invited!
Mais naturellement que vous êtes déçu!	It's only natural that you should be disappointed.

EXERCICES

Ce **or** *il* **(22C; 24B; 25A); ca (23)**

A.

LE PROFESSEUR: On dit que tu as mangé le petit Chaperon Rouge. Que réponds-tu? (vrai)

L'ÉTUDIANT: C'est vrai.

LE PROFESSEUR: Tu as vu le petit Chaperon Rouge. Comment est-elle? (petit)

L'ÉTUDIANT: Elle est petite.

On emploie *ce* devant le verbe *être* + adjectif s'il représente un concept sans genre déterminé. On emploie *il, elle, ils,* ou *elles* s'il y a un antécédent ayant un genre déterminé.

1. Oui, je l'ai mangée. Qu'en dites-vous? (horrible)
2. Mais je n'ai pas mangé la grand'mère. (pas croyable)
3. Décrivez la ferme de Delphine et de Marinette. (joli)
4. Que pensez-vous de mon diamant? (petit)
5. Savez-vous qu'il existe encore des loups dans nos grandes forêts? (intéressant)
6. Quelle opinion avez-vous de Delphine? (charmant)
7. Pourquoi Agnès a-t-elle peur? (timide)
8. Pourquoi est-ce que les enfants aiment jouer à pigeon-vole? (amusant)
9. Pourquoi est-ce que les parents de Delphine et de Marinette ne leur achètent pas de joujoux? (pauvre)

B.

LE PROFESSEUR: Il est peu probable qu'il dise la vérité.
L'ÉTUDIANT: Oui, c'est peu probable.

Devant le verbe *être* + un adjectif + un infinitif ou une proposition, on emploie d'ordinaire *il*. Quand l'adjectif n'est pas suivi d'un infinitif ou d'une proposition et qu'il n'a pas d'antécédent de genre déterminé, on emploie d'ordinaire *ce*.

1. Il est vrai qu'il a changé.
2. Il est évident qu'il s'est repenti.
3. Il est normal de se le demander.
4. Il est important de ne pas l'oublier.
5. Il est amusant de la regarder.
6. Il est rare de rencontrer un loup si humain.

C.

LE PROFESSEUR: La vie est intéressante. (*Life is interesting.*)
L'ÉTUDIANT: C'est intéressant. (*That's interesting.*)
LE PROFESSEUR: Les trains vont vite. (*The trains go fast.*)
L'ÉTUDIANT: Ça va vite. (*It goes fast.*)

Ce ne s'emploie guère que comme sujet du verbe *être*. Devant les autres verbes on emploie *ça* (ou *cela*) quand il n'y a aucun antécédent de genre déterminé. Notez que *ce* et *ça* dans les réponses de l'étudiant ne se rapportent pas aux antécédents *vie* et *trains*; ils expriment un concept d'ordre général. Ils sont neutres et invariables. Répondez par *ce* (*c'*) ou *ça*.

1. Le restaurant me plaît.
2. La pièce est amusante.
3. La situation s'embrouille.
4. Son histoire est incroyable.
5. Tout ce qu'il dit est vrai.
6. La conversation devient ennuyeuse.
7. La cloche ne fonctionne pas.
8. Ces rendez-vous avec le loup ne peuvent pas continuer.
9. Le dialogue du bœuf et de son maître est bien amusant.
10. Ces injures perpétuelles sont fatigantes.

Prepositions (67)

D.

LE PROFESSEUR : (le loup) J'écoute.
L'ÉTUDIANT : J'écoute le loup.
LE PROFESSEUR : (pigeon vole) Elles jouent.
L'ÉTUDIANT : Elles jouent à pigeon vole.

Joignez les mots suivants d'après le modèle ci-dessus. S'il faut employer une préposition, n'oubliez pas les contractions *du, des,* et *au, aux.*

1. (le loup) Elles échappent.
2. (le piano) Elles jouent.
3. (la maison) Le loup s'approche.
4. (le loup) Elles regardent.
5. (leurs parents) Elles n'obéissent pas.
6. (la vérité) Elles ne se rendent pas compte.
7. (leurs parents) Elles se moquent.
8. (le loup) Elles devraient se méfier.
9. (le loup) Elles cherchent.

REVISION DES VERBES

Conditional (27, 28A, C)

E.

LE PROFESSEUR : Etudiez-vous la leçon?
L'ÉTUDIANT : Je devrais étudier la leçon.
LE PROFESSEUR : Que feriez-vous si vous étiez raisonnable?
L'ÉTUDIANT : J'étudierais la leçon.
LE PROFESSEUR : Faites-vous vos devoirs?

L'ÉTUDIANT: Je devrais faire mes devoirs.
LE PROFESSEUR: Que feriez vous si vous étiez raisonnable?
L'ÉTUDIANT: Je ferais mes devoirs.

Ne confondez pas le conditionnel (*would* ou plus rarement *should* + verbe) avec «je devrais» (*I should*), le conditionnel du verbe *devoir*.

1. Lisez-vous votre livre?
2. Que feriez-vous si vous étiez raisonnable?
3. Il est très tard. Vous couchez-vous?
4. Que feriez-vous si vous étiez raisonnable?
5. Vous levez-vous de bonne heure?
6. Que feriez-vous si vous étiez raisonnable?
7. Arrivez-vous à l'heure?
8. Que feriez-vous si vous étiez raisonnable?
9. Ecoutez-vous en classe?
10. Que feriez-vous si vous étiez raisonnable?
11. Prenez-vous des notes?
12. Que feriez-vous si vous étiez sage?
13. Allez-vous toujours en classe?
14. Que feriez-vous si vous étiez sage?
15. Ecrivez-vous votre composition?
16. Que feriez-vous si vous étiez sage?

THEME D'IMITATION

The wolf swore never to eat children any more (l. 8) and he was ready to repeat it before witnesses (ll. 10–11, p. 271). But the little [girls] wondered if he had the habit of keeping his word (ll. 13–14, p. 161). They (9) were suspicious. When they asked him to talk about the lamb he had eaten, he was surprised. He hadn't been expecting that question (*Etude de mots* 1). "Which one?" he asked. "I have eaten several of them!" The innocent way he said it made chills run up and down your spine (ll. 22–23). But he didn't see anything wrong with that (l. 28). "Look at your mother and father (See **78D**)," he said. *They* eat them (l. 29), don't they?" There was no way of denying it (ll. 30–31). The girls admitted (l. 39) that they liked a good leg of lamb (l. 32), and they would have opened the door if Delphine hadn't spoken to him about Little Red Riding Hood (l. 34).

SUJET DE COMPOSITION

Choisissez un des sujets suivants:

1. Vous êtes le loup. Racontez l'histoire du petit Chaperon Rouge de votre point de vue. Vos remords. Les exagérations de la presse.
2. Vous êtes le petit Chaperon Rouge. Vos souvenirs de votre célèbre rencontre avec le loup. Votre opinion de lui.

35

Le Paon[1]
Marcel Aymé

LE COQ: Je ne voudrais pas te faire de la
peine,° mais tu as quand même un drôle
de cou.[2]

te faire de la peine to hurt your feelings

L'OIE:° Un drôle de cou? Pourquoi, un
5 drôle de cou?

une oie goose

LE COQ: Cette question![3] mais parce qu'il
est trop long! Regarde le mien!

L'OIE: Eh bien, oui, je vois que tu as le cou
trop court. Je dirai même que c'est loin
10 d'être joli.

LE COQ: Trop court! Voilà que maintenant[4]
c'est moi qui ai le cou trop court! En
tout cas, il est plus beau que le tien.

L'OIE: Je ne trouve pas. Du reste,° ce n'est
15 pas la peine de[5] discuter. Tu as le cou
trop court et un point, c'est tout.[6]

du reste anyhow

LE COQ: [*En ricanant.*] Tu as raison. Ce
n'est pas la peine de discuter. Mais sans
parler du cou, je suis mieux que toi.[7]
20 J'ai des plumes bleues, des plumes noires
et mêmes des jaunes. Surtout j'ai un très
beau panache,° tandis que toi, je trouve

le panache tailfeathers

[1]*le paon*—peacock. The *o* is silent.
[2]*Tu as quand même un drôle de cou*—I must say you have a funny neck.
[3]*Cette question!*—what a question!
[4]*Voilà que maintenant . . .*—So now . . .
[5]*Ce n'est pas la peine de* (+ infinitive)—It's not worth (+ participle).
[6]*et un point, c'est tout*—Period. That's all.
[7]*Je suis mieux que toi*—I'm better looking than you are.

Voyons, mais le plus beau, c'est moi!

que tu finis drôlement.

L'OIE: J'ai beau te regarder,[8] je vois un petit
    tas° de plumes ébouriffées° qui ne sont
    guère plaisantes. C'est comme cette
    crête° rouge que tu as sur la tête, tu
    n'imagines pas, pour quelqu'un d'un peu
    délicat,[9] combien c'est écœurant.°

LE COQ: [*Furieux.*] Vieille imbécile! je suis
    plus beau que toi! tu entends! plus beau
    que toi!

L'OIE: Ce n'est pas vrai! Espèce de brim-
    borion!° C'est moi la plus belle!

LE COCHON:° [*En s'approchant.*] Qu'est-ce
    qui vous prend?[10] Est-ce que vous avez
    perdu la tête, tous les deux? Voyons,
    mais le plus beau, c'est moi! [*Delphine,
    Marinette, et toute la basse-cour° écla-
    tent de rire.*]

LE COCHON: Je ne vois pas ce qui vous fait
    rire. En tout cas, pour ce qui est de° savoir
    lequel est le plus beau, vous voilà d'ac-
    cord.°

L'OIE: C'est une plaisanterie.°

LE COQ: Mon pauvre cochon, si tu pouvais
    voir combien tu es laid!

UN PAON: [*S'approche, et, s'adressant aux
    deux petites:*] Depuis le coin de la haie,°
    j'ai assisté à° leur querelle et je ne vous
    cacherai pas° que je me suis follement
    amusé. Ah! oui, follement. . . . Grave
    question de savoir quel est le plus beau
    de ces trois personnages. . . . Ah! laissez-
    moi rire encore. . . . Mais soyons sérieux.
    Dites-moi, jeunes filles, ne pensez-vous
    pas qu'il vaudrait mieux, quand on est si
    loin de la perfection, ne pas trop parler
    de sa beauté?

le tas   heap; pile
ébouriffé   dishevelled

la crête   comb; crest

écœurant   disgusting; sickening

le brimborion   bauble; cheap toy
le cochon   pig

la basse-cour   farmyard

pour ce qui est de . . .   when it comes to . . .

d'accord   in agreement

la plaisanterie   joke

la haie   hedge
assister à   to hear; be present at
je ne vous cacherai pas que . . .   I won't deny that . . .

---

[8]*J'ai beau te regarder, . . .*—No matter how much I look at you, . . .
[9]*quelqu'un d'un peu délicat*—someone with a little taste.
[10]*Qu'est-ce qui vous prend?*—What's got into you?

[60] Toute la basse-cour admire le paon. Le
reste de l'histoire raconte les efforts qu'ils
font pour atteindre à° la même beauté en
suivant un régime.°

atteindre à to attain; achieve
le régime diet

LE CONTENU

1. Qui commence la querelle? Comment le fait-il?
2. Pourquoi le coq trouve-t-il le cou de l'oie drôle? Comment l'oie se défend-elle?
3. De quoi encore le coq se vante-t-il (*boast*)?
4. Quelle nouvelle remarque désobligeante fait-il à l'oie?
5. Comment l'oie décrit-elle le panache du coq? Et sa crête?
6. Que dit le coq quand il se fâche? Comment l'oie répond-elle?
7. Qu'est-ce que le cochon leur demande?
8. Pourquoi croit-il qu'ils ont perdu la tête?
9. Qui éclate de rire?
10. L'oie et le coq sont d'accord au moins sur un point. Lequel?
11. Comment répondent-ils au cochon?
12. Que pense le paon de la querelle?
13. Pourquoi la querelle lui semble-t-elle ridicule?
14. Selon le paon, quel sujet les autres devraient-ils éviter? Pourquoi?
15. Que fait la basse-cour sous l'influence du paon?

LE SENS

1. En général, les gens montrent-ils leur vanité aussi naïvement que les animaux dans ce conte? Comment la vanité se manifeste-t-elle d'ordinaire? Est-ce un péché grave?
2. Comment la vanité du paon diffère-t-elle de celle des autres animaux?
3. Le régime que les animaux suivront, réussira-t-il? Voyez-vous un certain rapport entre ce régime, la conversion du loup (Leçon 34) et l'éducation des bœufs (Leçons 32–33). Aymé est-il pessimiste?
4. La dispute du coq et de l'oie: Montrez-en les étapes (*stages*).

DIALOGUE

A. Le coq dit à l'oie que son cou est trop long et que le sien est plus joli.

B. L'oie dit des choses désobligeantes à propos du cou du coq.

A. Le coq lui dit qu'il est mieux qu'elle, et que son panache est plus beau que sa queue.

B. L'oie lui dit que sa crête est écœurante.

ETUDE DE MOTS

1. *un drôle de cou*	a funny (peculiar) neck
un drôle de type	a funny (peculiar) guy
un type drôle	a funny (amusing) guy
2. *Voilà que (maintenant) c'est moi.*	Now it is I.
Voilà qu'ils se disputent.	Now they're fighting.
Voilà qu'il pleut.	Now it's raining.
3. *J'ai beau regarder, je ne vois rien.*	It's no good looking (or, no matter how hard I look), I can't see anything.
J'ai beau parler...	No matter how much I talk....
Vous avez beau rire, c'est moi le plus beau.	You can laugh all you want to, I'm still the best-looking one.

EXERCICES

Interrogatives (47B); Demonstrative pronouns (30)

A.

LE PROFESSEUR: Et l'agneau que vous avez mangé?

L'ÉTUDIANT: Lequel? Celui-là?

LE PROFESSEUR: Je connais ces femmes.

L'ÉTUDIANT: Lesquelles? Celles-là?

1. Je voudrais manger quelques-unes de ces pâtisseries.

2. Je vais choisir un de ces journaux.

3. Je vais lire une de vos compositions.
4. Il y a une symphonie que je
préfère à toutes les autres.
5. Il y a certaines notes qui sont
difficiles à jouer.

6. Quelques-uns parmi vous ne
seront pas ici l'année prochaine.
7. J'ai trouvé un des chapitres
très difficile.

Interrogatives (45C)

B.

LE PROFESSEUR: Pourquoi est-ce que Delphine se méfie du loup?
L'ÉTUDIANT: Pourquoi Delphine se méfie-t-elle du loup?
LE PROFESSEUR: Où est-ce que les petites demeurent?
L'ÉTUDIANT: Où demeurent les petites?

On peut commencer une question par *Qu'est-ce que* ou par un adverbe interrogatif (*où, quand, combien, comment, pourquoi*) + *est-ce que* comme dans les phrases du professeur, ci-dessus. Mais il est plus élégant d'utiliser l'inversion. On place de préférence le sujet après le verbe si celui-ci n'a pas de complément ou si le complément est un pronom interrogatif. S'il y a une autre espèce de complément il faut placer le sujet avant le verbe, et faire suivre celui-ci du pronom convenable.

1. Quand est-ce que Delphine
ouvre la porte?
2. Comment est-ce que le loup
répond?
3. Qu'est-ce que Marinette dit?
4. Quand est-ce que le loup a du
remords?
5. Quand est-ce que le loup ricane?

6. Pourquoi est-ce que le loup
baisse la tête?
7. Quand est-ce que les petites
mangent du gigot?
8. Où est-ce que Delphine se
rend?
9. Qu'est-ce que l'oie répond?
10. Combien de fois est-ce que le
coq chante?

Imparfait; Passé Composé **(40)**

C.

LE PROFESSEUR: Ils se sont disputés. Puis le paon est arrivé.
L'ÉTUDIANT: Il se disputaient quand le paon est arrivé.

LE PROFESSEUR: L'oie a répondu. Puis le coq s'est mis à rire.
L'ÉTUDIANT: L'oie répondait quand le coq s'est mis à rire.

Dans la phrase du professeur il s'agit de deux actions achevées l'une après l'autre. Dans la phrase de l'étudiant une action inachevée (*ils se disputaient*) est interrompue par une autre action (*le paon est arrivé*).

1. Les petites ont joué. Puis le loup a frappé à la porte.
2. J'ai mangé. Puis j'ai entendu le coup de sonnette.
3. Je me suis apprêté à les séparer. Puis je les ai entendus éclater de rire.
4. Je me suis approché. Puis M. Taupin m'a invité à entrer chez lui.
5. Ils se sont dit au revoir. Puis je les ai quittés.
6. Le train est parti. Puis nous sommes arrivés.
7. Elle a souri. Puis il est tombé.

D.

LE PROFESSEUR: *jusqu'à l'âge de douze ans*. Elles jouaient tous les samedis.
L'ÉTUDIANT: Elles ont joué tous les samedis jusqu'à l'âge de douze ans.

On emploie l'imparfait pour exprimer une action d'une durée indéfinie ou illimitée. Quand la durée est délimitée par une expression comme *jusqu'à* ou *à partir de* on emploie d'ordinaire le passé composé, même s'il s'agit d'une action répétée et de longue durée. Ajoutez aux phrases suivantes les expressions indiquées et faites les changements de temps nécessaires.

jusqu'à l'âge de douze ans
1. Elles faisaient des progrès à l'école.
2. Elles parlaient avec les animaux.
3. Elles obéissaient à leurs parents.
4. Elles se promenaient dans les bois.
5. Elles **vivaient** à la campagne.

à partir du mois de septembre
1. La paix régnait dans la basse-cour.
2. Les animaux suivaient un régime.
3. Les petites devaient aller à l'école.
4. Il pleuvait constamment.
5. Les beaux jours disparaissaient.

E.

Le professeur raconte l'histoire au présent, l'étudiant la répète au passé.

1. Le coq dit à l'oie qu'elle a un drôle de cou.
2. L'oie répond
3. que c'est le cou du coq qui est trop court.
4. Le coq se met à ricaner.
5. Il dit avec sarcasme que l'oie a raison.
6. Ils échangent des injures quand le cochon intervient.
7. Il leur demande s'ils ont perdu la tête.
8. Le cochon est certain que c'est lui le plus beau.
9. Soudain un paon les interrompt.
10. Il leur dit
11. qu'il ne s'est jamais tant amusé,
12. qu'il n'a jamais tant ri,
13. qu'ils sont fous tous les trois,
14. et qu'ils ne savent pas ce dont ils parlent.
15. Les animaux sont si étonnés
16. que tout le monde décide d'imiter le paon.

THEME D'IMITATION

Delphine and Marinette witnessed (i.e., were witnesses of) a funny quarrel (ll. 2–3) the other day. All the farmyard (l. 39) was making fun of the pig because he thought he was (See **20B**) the most beautiful animal (See **2B**). He did not know how ugly he was (l. 47). No matter how much he (*Etude de mots* 3) repeated that he was the most handsome (l. 34), the others would not (**28B2**) believe him. The animals all agreed (ll. 43–44) that it wasn't worth discussing [the point] (l. 18). They said the pig was out of his mind (ll. 36–37). The goose thought he was even uglier than the rooster. As for finding out which was best-looking (ll. 42–43), all they had to do was (*Etude de mots* 4, p. 141) to look at the peacock. Even the pig admitted (l. 39, p. 310) that the peacock was better-looking than he.

SUJET DE COMPOSITION

Qui est la plus vaniteuse de ces créatures, le coq, le paon, l'oie, ou le cochon? Et qui est la moins sympathique? Répondez en tirant vos exemples du texte.

36

Le Canard¹ et la Panthère
Marcel Aymé

Le canard a fait le tour du monde.² Il
revient à la ferme avec une panthère. Il
la présente aux petites.

LA PANTHERE: Le canard m'a bien souvent
5   parlé de vous. C'est comme si je vous
   connaissais déjà.

LE CANARD: Voilà ce qui s'est passé. En tra-
   versant les Indes, je me suis trouvé un
   soir en face de la panthère. Et figurez-
10   vous° qu'elle voulait me manger. . . .   *figurez-vous* just imagine

LA PANTHERE: [*En baissant la tête.*] C'est
   pourtant vrai.

LE CANARD: Mais moi, je n'ai pas perdu
   mon sang-froid° comme bien des° ca-   *le sang-froid* nerve
15   nards auraient fait à ma place. Je lui ai   *bien des* many
   dit: «Toi qui veux me manger, sais-tu
   seulement³ comment s'appelle ton pays!»
   Naturellement, elle n'en savait rien.
   Alors, je lui ai appris qu'elle vivait aux
20   Indes, dans la province du Bengale. Je
   lui ai dit les fleuves,° les villes, les mon-   *le fleuve* (large) river
   tagnes, je lui ai parlé d'autres pays. . . .
   Elle voulait tout savoir, si bien que° la   *si bien que* so that
   nuit entière, je l'ai passée à répondre à

¹*le canard*—duck.
²*faire le tour du monde*—to take a trip around the world.
³*sais-tu seulement . . .*—I'll bet you don't even know . . .

325

²⁵ ses questions. Au matin, nous étions déjà
deux amis et depuis, nous ne nous sommes plus quittés d'un pas.⁴ Mais, par
exemple, vous pouvez compter° que je   *vous pouvez compter . . .* you can
lui ai fait la morale sérieusement!⁵   be sure

³⁰ LA PANTHERE: J'en avais besoin. Que voulez-
vous,° quand on ne sait pas la géo-   *que voulez-vous?* what do you ex-
graphie. . . .   pect?

MARINETTE: Et notre pays, comment le
trouvez-vous?

³⁵ LA PANTHERE: Il est bien agréable, je suis sûre
que je m'y plairai. Ah! j'étais pressée
d'arriver, après tout ce que m'avait dit le
canard des deux petites et de toutes les
bêtes de la ferme. . . . Et à propos,° com-   *à propos* by the way
⁴⁰ ment se porte° notre bon vieux cheval?   *comment se porte* how is

DELPHINE: [Se met à° pleurer.] Nos parents   *se mettre à* to start to
ont décidé de le vendre. Demain matin,
on vient le chercher pour la bou-   *la boucherie (chevaline)* butcher shop
cherie.° . . .   (selling horsemeat)

⁴⁵ LA PANTHERE: [Gronde.°] Par exemple!°   *gronder* (here) to growl
                                              par exemple! my word!
DELPHINE: Marinette a pris la défense du
cheval, moi aussi, mais rien n'y a fait.°   *rien n'y a fait* it didn't do any good
Ils nous ont grondées° et privées de°   *gronder* (here) to scold
dessert pour une semaine.   *priver de* to deprive of

⁵⁰ LA PANTHERE: C'est trop fort!° Et où sont- *c'est trop fort!* that's too much!
ils, vos parents?

MARINETTE: Dans la cuisine.

LA PANTHERE: Eh bien! ils vont voir . . .
mais surtout n'ayez pas peur, petites.

⁵⁵ Les parents ont peur de la panthère et
font tout ce qu'elle leur dit. «Pour le vieux
cheval, leur dit-elle, il n'est naturellement
plus question de la boucherie. J'entends°   *j'entends que (vous) . . .* I expect
qu'on soit avec lui aux petits soins⁶ et   (you) to . . .
⁶⁰ qu'il finisse ses jours en paix.» La panthère

---

⁴*Nous ne nous sommes plus quittés d'un pas*—We have been constantly together.
⁵*Je lui ai fait la morale sérieusement*—I gave her a serious talking to.
⁶*être aux petits soins avec . . .*—to take very tender care of . . .

reste à la ferme et tout le monde est
heureux, même les parents.

LE CONTENU

1. Que dit la panthère quand on lui présente les petites?
2. Racontez la rencontre du canard et de la panthère.
3. Selon le canard, qu'est-ce que bien des canards auraient fait à sa place?
4. Quelle question a-t-il posée à la panthère?
5. Qu'est-ce qu'il lui a appris?
6. Comment le canard a-t-il passé la nuit entière?
7. Qu'est-ce qu'il a fait à la panthère?
8. Qu'est-ce qu'ils sont devenus?
9. Comment la panthère explique-t-elle son manque de sens moral?
10. Quelle impression a-t-elle du pays? Pourquoi était-elle pressée d'y arriver?
11. De qui prend-elle des nouvelles? (*Whom does she ask about?*)
12. Pourquoi Delphine répond-elle en pleurant?
13. Qu'est-ce qui est arrivé aux petites quand elles ont pris la défense du cheval?
14. Que fait la panthère quand elle apprend ce qui leur est arrivé?
15. Quelle impression la panthère fait-elle sur les parents?
16. Désormais, comment faudra-t-il se conduire avec le cheval?

LE SENS

1. Montrez comment Aymé reprend ici les thèmes de la conversion de la bête sauvage (*Le Loup*) et des soi-disant bienfaits (*so-called benefits*) de l'éducation (*Les Bœufs*), et y ajoute un nouveau sujet de satire: le voyageur intrépide qui raconte ses aventures.
2. Comment les contes d'Aymé finissent-ils? Ces dénouements sont-ils heureux ou ironiques? Définissez le paradis terrestre tel qu'Aymé l'envisage dans ces contes.

DIALOGUE

A. La panthère s'enquiert de la santé du cheval.

B. Delphine explique ce que leurs parents ont décidé de faire, et ce qui doit arriver demain.

A. La panthère est choquée.

B. Delphine explique ce qui leur est arrivé quand elles ont pris la défense du cheval.

A. La panthère dit qu'elle va voir les parents. Elle dit aux petites de ne pas avoir peur.

ETUDE DE MOTS

1. *faire le tour de* — to take a trip around
   Il a fait le tour du monde. — He took a trip around the world.
   Faisons le tour de la ville. — Let's take a trip around the town.
   Nous leur avons fait faire le tour du campus. — We took them around the campus.
   Il nous a fait faire le tour du propriétaire. — He showed us around his house.

2. *Elle n'en savait rien.* — She didn't have any idea.
   Pourquoi est-il parti? Je n'en sais rien. — Why did he leave? I don't have the faintest idea.

3. *Vous pouvez compter que . . .* — You can be sure that . . .
   Vous pouvez compter sur moi. — Count on me.
   Comptez-y. — Count on it.
   Quand comptez-vous revenir? — When do you count on (plan on) coming back?

   Les parents ont compté sans la panthère. — The parents didn't take the panther into account.
   Ils comptaient envoyer le cheval à la boucherie. — They had been planning to send the horse to the butcher's.

EXERCICES

Prepositions (70)

A.

LE PROFESSEUR: Les Indes. La panthère vivait . . .

L'ÉTUDIANT: La panthère vivait aux Indes.

On omet l'article après *en* (et souvent après *de*) devant les noms de pays, de province, ou de continent qui sont du genre féminin. Devant un nom de pays ou de province masculin ou pluriel on emploie *à* + article et *de* + article. Devant un nom de ville on emploie *à* et *de*.

1. Le Bengale. Elle vivait . . .
2. La France. Elle accompagne le canard . . .
3. Les Etats-Unis. Ils passent quelques jours . . .
4. Le Canada. Ensuite ils vont . . .
5. Le Havre. Ils débarquent . . .
6. La Normandie. La ferme est . . .
7. Les Andelys. Elle est près . . .
8. L'Afrique. La panthère voulait aller . . .
9. L'Asie. Est-il vrai qu'on trouve les panthères seulement . .
10 Paris. Ils feront un séjour . . .

Adverbs (7B, C)

B.

LE PROFESSEUR: Il travaille bien.
L'ÉTUDIANT: Il a bien travaillé.
LE PROFESSEUR: Il parle constamment.
L'ÉTUDIANT: Il a parlé constamment.
LE PROFESSEUR: Il arrive tard.
L'ÉTUDIANT: Il est arrivé tard.

Aux temps composés les adverbes courts se placent généralement entre l'auxiliaire et le participe passé. Les adverbes en -*ment* (sauf *certainement*, *probablement*, *seulement*, et *vraiment*), les adverbes de lieu, comme *ici*, *partout*, et les adverbes de temps, comme *aujourd'hui*, *hier*, se placent après le participe passé. On peut les placer au début de la phrase cependant pour les mettre en valeur.

1. Le canard me parle bien souvent de vous.
2. Ils s'établissent ici.
3. Je lui fais la morale sérieusement.
4. Ils font mal de vendre le cheval.
5. Elles aiment beaucoup la visite de la panthère.
6. Ils voyagent partout.
7. Parfois ils grondent les enfants.
8. J'espère toujours.
9. Je pars immédiatement.
10. Vous avez certainement raison.
11. Vous comprenez vraiment?
12. Elle répond bien aujourd'hui.

Imparfait; Passé Composé **(40)**

C.

LE PROFESSEUR: Depuis combien de temps suivez-vous ce régime?
L'ÉTUDIANT: J'ai toujours suivi ce régime.
LE PROFESSEUR: Y croyez-vous?
L'ÉTUDIANT: J'y croyais mais je n'y crois plus.
LE PROFESSEUR: Depuis combien de temps demeurez-vous ici?
L'ÉTUDIANT: J'ai toujours demeuré ici.
LE PROFESSEUR: Vous y plaisez-vous?
L'ÉTUDIANT: Je m'y plaisais, mais je ne m'y plais plus.

1. Depuis combien de temps connaissez-vous la famille?
2. Les visitez-vous?
3. Depuis combien de temps vivez-vous à la campagne?
4. L'aimez-vous?
5. Depuis combien de temps avez-vous de la sciatique?
6. En souffrez-vous?
7. Depuis combien de temps achetez-vous des objets d'art?
8. En vendez-vous?
9. Depuis combien de temps jouez-vous au tennis?
10. Gagnez-vous?
11. Depuis combien de temps faites-vous de la musique?
12. Peignez-vous aussi?
13. Depuis combien de temps recevez-vous cette revue?
14. La lisez-vous?

D.

Le professeur raconte l'histoire au présent, l'étudiant la répète au passé.

1. Un canard qui a fait le tour du monde revient à la ferme.
2. Il a une amie avec lui.
3. C'est une panthère.
4. Le canard raconte aux petites l'histoire de leur rencontre.
5. D'abord la panthère a voulu le manger;
6. mais ensuite ils sont devenus les meilleurs amis du monde.
7. Quand la panthère demande comment se porte le bon vieux cheval
8. les petites se mettent à pleurer.
9. Quand la panthère apprend ce que les parents vont faire, elle gronde.
10. Pendant que les petites racontent tout cela à la panthère,
11. les parents sont dans la cuisine.
12. De là, on ne peut pas voir ce qui se passe dans la basse-cour.

étaient

13. Ils sont donc bien étonnés quand ils *ont entendu* entendent rugir (*roar*) la panthère.

14. Elle *est* entre dans la cuisine d'un bond.

15. Elle n'a *vait* pas de difficulté à persuader les parents

16. que les petites *avaient* ont raison

17. et que le cheval *devait* doit finir ses jours en paix.

THEME D'IMITATION

What is this all about? (ll. 22–23, p. 89) The girls say that you are going to sell the horse to the butcher's just because he is old, and that you scolded them (l. 48) when they took his side (ll. 46–47). You are the ones who ought to be scolded (*Etude de mots* 2, p. 213). A fine thing! (l. 26, p. 309) I am going to give you a serious talking to (l. 29). You certainly need it (l. 30). I intend for that horse to end his days in peace (l. 60). As soon as you don't need an animal any more [around] here, you sell him. Like the oxen you sold to the circus. How I would have liked to meet that white ox and discuss geography and morality with him! It is true that I used to be like you when I lived in India. Can you imagine (ll. 9–10) that when I met your duck I wanted to eat him? But now I have become good like my friend the wolf.

SUJET DE COMPOSITION

Voici comment Marcel Aymé finit l'histoire. Tout le monde aime la panthère; on joue à pigeon vole, on s'amuse. Mais un jour le cochon et la panthère se disputent. Quelques jours plus tard, le cochon disparaît. On se demande si la panthère l'a mangé. L'hiver vient, la panthère languit, et enfin elle meurt. Ses derniers mots sont: «Le cochon, le cochon . . .» Racontez cette conclusion ou une partie de la conclusion. Utilisez la forme de dialogue.

Review Lesson VII
Review of Lessons 32-36

VOCABULARY AND IDIOMS

TRANSLATE:

1. Now he's going crazy! (32) Voilà qu'il devient fou!
2. Is he all there, is he in full possession of his faculties? (33) Est-ce qu'il a toute sa raison?
3. I told him a riddle. (33) Je lui ai proposé une devinette.
4. I can't figure out (the answer). (33) Je ne peux pas trouver .
5. He's talking to himself, musing out loud. (33) Il rêve tout haut.
6. They went off to look for a hotel. (33) Ils sont partis à la recherche d'un hôtel.
7. But of course I've eaten some! (34) Mais naturellement que j'en ai mangé!
8. I don't see what's wrong with that. (34) Je ne vois pas où est le mal.
9. He hadn't been expecting that one. (34) Il ne s'attendait pas à celle-là.
10. If I had it to do over again . . . (34) Si c'était à refaire . . .
11. They went so far as to . . . (34) On est allé jusqu'à . . .
12. Now I ask you. (34) Je vous demande un peu.
13. What do you expect? (36) Que voulez-vous?
14. Nothing did any good, nothing worked. (36) Rien n'y a fait.

332

15. You will go without dessert. (36)   Vous êtes privé de dessert.

16. That's going too far! (36)   C'est trop fort!

17. That is no longer an issue, that is out of the question now. (36)   Il n'est plus question de cela.

REPLACE THE EXPRESSION IN ITALICS BY A SYNONYM.

1. *qui rend tendre* (34)   attendrissant

2. Elle *n'a pas confiance en lui.* (34)   se méfie de lui

3. Cela va *sans dire.* (34)   de soi

4. *On ne pouvait pas, c'était impossible.* (34)   Il n'y avait pas moyen.

5. le *regret (d'avoir fait une certaine chose)*   remords

6. Si vous saviez *les difficultés, les ennuis* qu'elle m'a causés! (34)   les tracas

7. *rire à demi d'une façon impolie* (34)   ricaner

8. Je dois *le confesser.* (34)   l'avouer

9. C'est étrange (ou *amusant*). (35)   drôle

10. *naturellement* (33)   bien entendu

11. Elle a les cheveux *en désordre.* (35)   ébouriffés

12. Les deux bœufs *ne s'accordent pas bien.* (32)   sont mal assortis

13. Ha! ha! faisait le grand roux, *pris* par un rire convulsif. (32)   tordu

14. *Quelle transformation* dans ses manières! (33)   Quel changement

15. Le bœuf blanc travaillait *sans penser à ce qu'il faisait.* (33)   distraitement

16. Il *avance* dans ses études. (32)   fait des progrès

17. Les *disputes* étaient fréquentes. (32)   querelles

18. Comment peux-tu être *telle-ment* bête? (32) — à ce point (*ou* si)

19. Parfois il *consentait* à ces jeux. (32) — se prêtait

20. D'ordinaire il se *consacrait* à ses études. (32) — livrait

21. Il le fait *exprès, parce qu'il veut le faire.* (32) — volontairement

22. Je lis un *livre.* (32) (colloq.) — bouquin

23. Je lui ai *fait promettre* de se taire. (32) — arraché la promesse

24. Il a *remué* la tête *d'avant en arrière.* (33) — balancé

25. *ce qui recouvre les yeux quand ils sont fermés* (33) — les paupières

26. Il y a encore un peu de *lumi-ère.* (33) — jour

27. Il *est d'accord.* (33) — en convient

28. *un jour où il creusait des sil-lons dans la terre.* (33) — de labour

29. Il *a commencé à* jargonner. (33) — s'est mis à

30. Il *murmure* entre ses dents. (33) — marmonne

31. *le pied d'un animal* (33) — la patte

32. On n'est pas là pour dire *des futilités, des choses stupides.* (33) — des bêtises

33. Le maître est *irrité* par son bœuf. (33) — agacé

34. Il *ne gagne pas, ne réussit pas aux jeux, ou aux examens.* (32) — s'y colle

35. Ils échangent des *insultes.* (32) — injures

36. Comment *est-ce qu'on trouve* la surface d'un rectangle? (32) — s'obtient

37. Veux-tu *garder le silence?* (32) — te taire

38. *seulement* cinq minutes (32) — rien que

39. Il *interrompt* mes travaux. (32)   trouble
40. Il le fait *avec intention*. (32)   exprès
41. Le grand roux *a un goût très vif pour les* jeux. (32)   raffole des
42. Cette crête est vraiment *dé-goûtante*. (35)   écœurante
43. *quant au* paon (35)   pour ce qui est du
44. Nous sommes *de la même opinion*. (35)   d'accord
45. Mais c'est *quelque chose que vous dites pour nous faire rire!* (35)   une plaisanterie
46. J'ai *été présent pendant* leur querelle. (35)   assisté à
47. Le paon *parle* aux deux petites. (35)   s'adresse
48. Ils font des efforts pour *parvenir* à la beauté. (35)   atteindre
49. Il suit *des règles qui gouvernent ce qu'il doit manger et boire*. (35)   un régime
50. *Imaginez-vous* qu'elle voulait me manger! (36)   Figurez-vous
51. Je n'ai pas perdu *ma présence d'esprit* . . . (36)   mon sang-froid
52. . . . comme *beaucoup de* canards auraient fait. (36)   bien des
53. Je lui ai *fait savoir* où elle demeurait. (36)   appris
54. Elle *ignorait tout cela*. (36)   n'en savait rien
55. *De sorte que*, la nuit entière, j'ai répondu à ses questions. (36)   Si bien que
56. *Ils ne s'éloignent jamais l'un de l'autre*. (36)   Ils ne se quittent pas d'un pas.
57. Il a *fait une réprimande à* l'enfant. (36)   fait la morale à (ou **grondé**)
58. Elle *avait hâte* d'arriver. (36)   était pressée
59. Comment *va* le bon vieux cheval? (36)   se porte

60. Ils *s'occupent de lui tendre-*   sont aux petits soins avec lui
    ment. (36)
61. Il proteste *que ses intentions*   de ses bonnes intentions
    sont bonnes. (34)
62. *Cela ne lui a pas fait perdre*   Il n'en a pas été démonté.
    son assurance. (34)
63. Cela me fait *frissonner d'hor-*   froid dans le dos
    reur. (34)
64. C'est *une honte!* (34)   du joli
65. Je ne voudrais pas te *blesser.*   faire de la peine
    (35)
66. un *cou bizarre* (35)   drôle de cou
67. Je suis *plus beau* que toi. (35)   mieux
68. *Je regarde en vain;* je ne vois   J'ai beau regarder
    rien. (35)
69. Est-ce que vous *êtes fou?* (35)   avez perdu la tête
70. Il a fait *un voyage autour* du   le tour
    monde. (36)

ANSWER BRIEFLY THE FOLLOWING QUESTIONS.

1. Qui est le plus beau des ani-   le paon
   maux de la basse cour? (35)
2. Comment le loup s'excuse-t-il   C'est un péché de jeunesse.
   d'avoir mangé le petit Cha-
   peron Rouge? (34)
3. Qu'est-ce que Delphine et   du gigot
   Marinette avaient mangé
   au déjeuner de midi? (34)
4. Où demeurent les animaux de   dans la basse-cour
   la ferme? (35)
5. Qui est l'ami inséparable de   le canard
   la panthère? (36)
6. Quelle recommandation les   N'ouvrez la porte à personne.
   parents font-ils à Delphine
   et à Marinette quand ils
   les laissent seules? (36)
7. Qu'est-ce qu'on ouvre pour   le robinet
   faire couler l'eau? (33)
8. Par quoi finissaient, la plupart   par un échange d'injures ou par

du temps, les jeux des deux   des coups de pied
bœufs? (32)

NEW GRAMMAR

1. Conditional

If I were you, I would study.	Si j'étais vous, j'étudierais. (28E.2)
You should study.	Vous devriez étudier. (28C)

2. Imparfait

He used to live in the country.	Il vivait à la campagne. (40C)
He lived in the country until he was twelve.	Il a vécu à la campagne jusqu'à l'âge de douze ans. (40C)
The train was leaving when we arrived.	Le train partait quand nous sommes arrivés. (40A.2)

3. Interrogatives

Translate without using *est-ce que*.

When does the train leave?	Quand part le train? (45C.1)
When do the little girls eat leg of lamb?	Quand les petites mangent-elles du gigot? (45C.2)

4. Prepositions

in the United States	aux Etats-Unis (70C)
in Provence	en Provence (70B)
in Canada	au Canada (70C)
in Paris	à Paris (70A)

5. Adverbs

He spoke well.	Il a bien parlé. (7B)
He spoke intelligently.	Il a parlé intelligemment. (7D)

He spoke here.	Il a parlé ici. (7C)
He spoke yesterday.	Il a parlé hier. (7C)
He certainly spoke.	Il a certainement parlé. (7D)

6. *Ce* **or** *il*

You were robbed yesterday? That's horrible.	On vous a volé hier? C'est horrible. (22C)
Here is the diamond. It is little.	Voici le diamant. Il est petit. (24B)
It's true that he has changed.	Il est vrai qu'il a changé. (25B)
It can't go on.	Ça ne peut pas continuer. (23)
She is a secretary.	Elle est secrétaire. (24A)
She is a good secretary.	C'est une bonne secrétaire. (22B)

7. Relative pronouns

the rule I obey	la règle à laquelle j'obéis (77C)
the person I remember	la personne dont (*ou* de qui) je me souviens (77D)
the person I see	la personne que je vois (77B.2)
the person who's talking	la personne qui parle (77B.1)
the subjects they fight about	les sujets à propos desquels ils se disputent (77E.1)
Tell me what he's laughing about.	Dites-moi de quoi (*ou* ce dont) il rit. (77H)
Tell me what he's writing with.	Dites-moi avec quoi il écrit. (77H)

REVIEW GRAMMAR

Prepositions (Review Lesson VI)
Demonstrative pronoun (Review Lesson VI)
Interrogative *lequel* (47B)

37

Le Bal des voleurs [I]
Jean Anouilh

Le Bal des voleurs est une comédie-ballet[1]
de Jean Anouilh. Les personnages sont:

PETERBONO, un voleur qui a de beaux dé-
    guisements,° mais qui ne réussit jamais   *le déguisement* disguise
5   à voler quoi que ce soit°   *quoi que ce soit* anything
HECTOR et GUSTAVE, ses deux apprentis
LADY HURF, une vieille dame très riche et
    très excentrique
ÉVA et JULIETTE, ses deux nièces
10 LORD EDGARD, un vieil ami de la famille
LES DUPONT-DUFORT, père et fils, financiers
    à la poursuite de la dot° d'une des nièces   *la dot* dowry

En voici le début:

    [*Le jardin d'une ville d'eaux*[2] *de style très*
15   *1880, autour du kiosque à musique.*[3]
    Dans le kiosque, un seul musicien, un
    clarinettiste, figurera° l'orchestre. Au le-   *figurer* to stand for; represent
    ver du rideau° il joue quelque chose de   *le rideau* curtain
    très brillant.
20   *La chaisière*[4] *va et vient. Les estivants° se*   *les estivants* summer tourists

[1]Anouilh borrowed the term *comédie-ballet* from Molière. It means a comedy in which
there is some music and dancing. In *Le Bal des voleurs* the clarinettist is on stage most of
the time, and makes brief musical commentaries on the action.
[2]*la ville d'eaux*—spa; fashionable resort known for mineral water.
[3]*le kiosque à musique*—outdoor bandstand.
[4]*la chaisière*—woman who collects rent for chairs in the park.

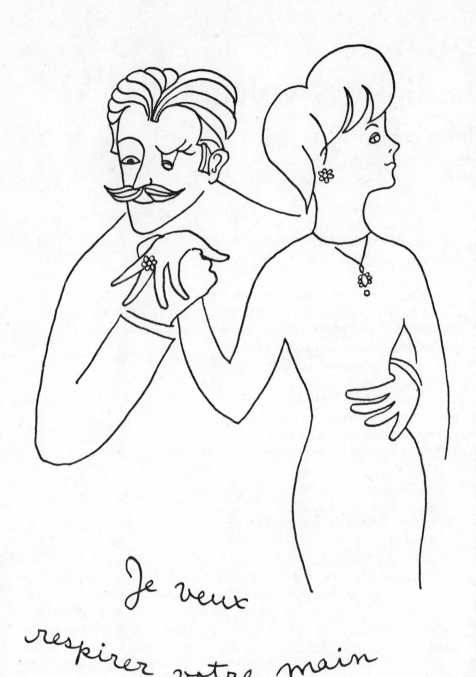

Je veux
respirer votre main

promènent sur le rythme de la musique.
Au premier plan,° Éva et Hector unis   au premier plan   in the foreground
dans un baiser° très cinéma. La musique   le baiser   kiss
s'arrête, le baiser aussi. Hector en sort un
25   peu titubant.° On applaudit la fin du   titubant   staggering
morceau.]

HECTOR: [Confus.°] Attention, on nous ap-   confus   embarrassed
plaudit.
ÉVA: [Eclate de rire.] Mais non, c'est l'or-
30   chestre! Décidément vous me plaisez
beaucoup.
HECTOR: [Qui touche malgré lui ses mous-
taches et sa perruque.° Il est déguisé.]   la perruque   wig
Qu'est-ce qui vous plaît en moi?
35 ÉVA: Tout. [Elle lui fait un petit signe
d'adieu.°] A ce soir, huit heures, au bar   faire un petit signe d'adieu   to wave
du Phœnix. Et surtout, si vous me ren-   goodbye
contrez avec ma tante, vous ne me reconnaissez pas.
40 HECTOR: [Langoureux.] Votre main encore.
ÉVA: Attention, lord Edgard, le vieil ami de
ma tante, est en train de lire son journal
devant le kiosque à musique. Il va nous
voir.
45   [Elle tend sa main, mais elle s'est détour-
née pour observer lord Edgard.]
HECTOR: [Passionné.] Je veux respirer votre
main.
[Il se penche sur sa main, mais tire fur-
50   tivement de sa poche une loupe de bijou-
tier° et en profite pour examiner les   la loupe de bijoutier   jeweler's mag-
bagues° de plus près. Éva a retiré sa main   nifying glass
sans rien voir.]   la bague   ring
ÉVA: A ce soir! [Elle s'éloigne.]
55 HECTOR: [Défaillant.°] Mon amour . . .   défaillant   swooning
[Il redescend sur scène, rangeant° sa   ranger   to put away
loupe et murmurant très froid:]
Deux cent mille. Ce n'est pas du toc.°   du toc   fake jewelry (colloq.)

LE CONTENU

1. Qui sont les personnages de la comédie?
2. Pourquoi les Dupont-Dufort s'intéressent-ils à Eva et à Juliette?
3. Où se passe l'action?
4. Qu'est-ce qu'on entend?
5. Que fait la chaisière? Et les estivants? Et Eva et Hector?
6. Pourquoi Hector est-il confus?
7. Où ont-ils rendez-vous?
8. Dans quelle circonstance Hector doit-il faire semblant de ne pas reconnaître Eva?
9. Pourquoi Eva dit-elle à Hector de faire attention quand il lui prend la main?
10. Que fait Hector quand il se penche sur sa main?
11. De quoi Hector parle-t-il quand il dit: «Deux cent mille. Ce n'est pas du toc.»?

LE SENS

Montrez ce que la musique, la stylisation, l'exagération comique, et la transformation théâtrale de la réalité contribuent à l'atmosphère de cette scène.

DIALOGUE

A. Hector demande à Eva ce qui lui plaît en lui.
B. Eva dit «Tout» et lui donne un rendez-vous pour plus tard. Elle lui dit de ne pas la reconnaître s'il la rencontre avec sa tante.
A. Hector lui demande sa main de nouveau.
B. Eva lui désigne lord Edgard, et lui dit de faire attention.
A. Hector dit qu'il veut respirer sa main.
B. Eva lui dit qu'elle le reverra ce soir.

ETUDE DE MOTS

Notez la différence entre *quoi que* et *quoique:*

quoi que ce soit	anything (*literally*, whatever it may be)

qui que ce soit	anyone (*literally*, whoever it may be)
quoi que vous fassiez	whatever you do
quoi qu'il dise	whatever he says
quoiqu'il dise	although he says
quoique vous fassiez	although you do

EXERCICES

A.

LE PROFESSEUR: Très brillant. Il joue quelque chose.
L'ÉTUDIANT: Il joue quelque chose de très brillant.
LE PROFESSEUR: Brillant. C'est une pièce.
L'ÉTUDIANT: C'est une pièce brillante.

Quand *rien*, *personne* (au sens de *nobody*), *ce qu'il y a*, *quelqu'un*, *quelque chose*, et *quoi* sont modifiés par un adjectif, l'adjectif est invariable et précédé de *de*.

 1. bon. Cela ne me dit rien ———.
 2. très vieux. Lady Hurf c'est quelqu'un ———.
 3. très vieux. La chaisière est ———.
 4. pas cher. Elle commande quelque chose ———.
 5. excentrique. Lady Hurf est une dame ———.
 6. magnifique. Elle porte une bague ———.
 7. étonnant. Je ne vois pas ce qu'il y a ———.
 8. neuf. Quoi ———?
 9. neuf. Elle porte une robe ———.
10. présentable. A Vichy il n'y a personne ———.
11. intéressant. Ici il ne se passe jamais rien ———.
12. confus. Quand ils applaudissent Eva est ———.

Avoiding the passive (21)

B.

LE PROFESSEUR: Les vins rouges se servent-ils avec le gigot?
L'ÉTUDIANT: Oui, on sert les vins rouges avec le gigot.

La voix passive s'emploie moins fréquemment en français qu'en anglais. Le verbe pronominal, ou *on* + verbe, s'emploient de préférence.

1. Ces choses se font-elles en France?
2. Ça se dit-il?
3. Ces vins se boivent-ils glacés?
4. Le gigot se vend-il à la boucherie?
5. Les œufs durs se mangent-ils comme hors-d'œuvre?
6. La consonne finale se prononce-t-elle?

C.

LE PROFESSEUR: Est-ce qu'on boit ces vins glacés?
L'ÉTUDIANT: Non, ces vins ne se boivent pas glacés.

1. Est-ce qu'on joue cette symphonie souvent?
2. Est-ce qu'on sert les huîtres avec du vin rouge?
3. Est-ce qu'on lit ce livre facilement?
4. Est-ce qu'on dit-ça?
5. Est-ce qu'on fait ça?
6. Est-ce qu'on pose cette question?

Infinitive (43)

D.

LE PROFESSEUR: J'écoute l'orchestre qui joue.
L'ÉTUDIANT: J'écoute jouer l'orchestre.
LE PROFESSEUR: J'écoute l'orchestre qui joue l'ouverture.
L'ÉTUDIANT: J'écoute l'orchestre jouer l'ouverture.
LE PROFESSEUR: Je vois les estivants qui dansent.
L'ÉTUDIANT: Je vois danser les estivants.
LE PROFESSEUR: Je vois les estivants qui dansent le tango.
L'ÉTUDIANT: Je vois les estivants danser le tango.

Dans la construction *laisser, sentir, voir, écouter, entendre,* ou *regarder*
+ verbe, l'infinitif est suivi de son sujet. Cependant, s'il y a un complément d'objet, le sujet précède l'infinitif.

1. Elle regarde les voleurs qui s'approchent.
2. Je vois le rideau qui se lève.
3. Il voit Eva qui vient.
4. Il écoute Juliette qui chante.
5. Il entend le train qui part.
6. Il écoute Juliette qui chante sa chanson.
7. Il regarde Hector qui sort sa loupe.
8. J'entends l'orchestre qui finit le morceau.

9. Je vois Peterbono qui met son déguisement.

10. Il regarde Hector qui examine les bagues.

REVISION DES VERBES

Etre **verbs (32D)**

E.

LE PROFESSEUR: Il sort.
L'ÉTUDIANT: Il est sorti.
LE PROFESSEUR: Il sort son crayon.
L'ÉTUDIANT: Il a sorti son crayon.

Les verbes qui sont conjugués normalement avec *être* se conjuguent avec *avoir* quand ils ont un complément d'objet direct.

1. Je sors. Je sors mon crayon.
2. Il descend. Il descend l'escalier.
3. Elle monte. Elle monte une pièce de théâtre.
4. Nous rentrons. Nous rentrons le linge à cause de la pluie.
5. Elle retourne. Elle retourne l'omelette.
6. Où passent les balles? Qui passe l'examen?
7. Ils rentrent au commissariat. Ils rentrent leurs armes.

Imparfait **(40)**

F.
Le professeur raconte l'histoire au présent, l'étudiant la répète au passé.

1. La chaisière va et vient.
2. Les estivants se promènent sur le rythme de la musique.
3. L'orchestre joue quelque chose de très brillant.
4. Soudain la musique s'arrête, le baiser aussi.
5. Hector en sort un peu titubant.
6. On peut entendre les gens qui applaudissent.
7. Hector devient confus.
8. Il croit que les gens ont remarqué leur baiser.
9. Eva éclate de rire.
10. Elle lui dit qu'il lui plaît.

11. Pendant qu'elle observe Edgard,
12. Hector sort sa loupe et examine ses bagues.
13. Ils se donnent rendez-vous pour ce soir-là.

THEME D'IMITATION

Spas (l. 14) in Europe still have music stands (l. 15) where the orchestra plays a concert every day for the summer people (l. 20). You (on) can see old people who rent (l. 1, p. 56) chairs from the chairlady (l. 20) and then, having enquired after each other's health (l. 28, p. 225), fall asleep or read the newspaper during the concert. Then they applaud the end of each piece (l. 26) as if they had been listening. Perhaps you will also see (See **45D**) a jewel thief like Hector, with a fine disguise (ll. 3–4) and in his pocket a magnifying glass (l. 50) with which he furtively examines rings to (See **71C**) see whether they are fake (l. 58). You could (See **28D**) even meet a beautiful girl like Eva with a tempting dowry (l. 12) and a weakness (l. 24, p. 271) for a man who wears a wig and a moustache (l. 33). But don't count on it (*Etude de mots* 3, p. 328).

SUJET DE COMPOSITION

Choisissez un des sujets suivants:
1. Vous êtes Hector. Vous racontez fièrement aux autres voleurs, Peterbono et Gustave, votre rencontre avec Eva. Elle est riche. Vous lui plaisez. Vos projets (*plans*).
2. Vous êtes Eva. Vous revenez du bar du Phoenix où vous avez eu un rendez-vous avec Hector. Qu'est-ce qui est arrivé? Vous racontez tout ça à votre sœur Juliette.

38

Le Bal des voleurs [II]
Jean Anouilh

[*Entrent les Dupont-Dufort, père et fils,
accompagnés par la clarinette de la petite
ritournelle qui leur est particulière.*[1] *Ils
voient Eva et Juliette.*]

5 DUPONT-DUFORT PERE: Voilà Eva et Juliette.
Suivons-les. Nous les rencontrerons «par
hasard» au bout de la promenade et nous
tâcherons de les emmener prendre un
cocktail. Didier, toi qui es un garçon pré-
10 cis et travailleur, et, qui plus est,° d'initiative,° je ne te reconnais plus.[2] Tu
délaisses° la petite Juliette.

DUPONT-DUFORT FILS: Elle m'envoie promener.°

15 DUPONT-DUFORT PERE: Cela n'a aucune espèce d'importance. D'abord tu n'es pas
n'importe qui, tu es le fils Dupont-Dufort.
La tante a beaucoup d'estime pour toi.
Elle est prête à faire n'importe quel place-
20 ment° sur ton conseil.

DUPONT-DUFORT FILS: Nous devrions nous
contenter de cela.

DUPONT-DUFORT PERE: Dans la finance, il
ne faut jamais se contenter de quelque

qui plus est   what's more
d'initiative   enterprising
délaisser   to neglect

envoyer promener   to snub

le placement   investment

[1]*la ritournelle qui leur est particulière*—the gay little tune which always accompanies
them; their *leitmotif.*
[2]*Je ne te reconnais plus*—I don't know what's got into you.

347

²⁵ chose. . . . Je préférerais mille fois le
mariage. Il n'y a que cela qui remettrait
vraiment notre banque à flot.° Ainsi du
charme, de la séduction.°

remettre à flot   make solvent again
de la séduction   be captivating

DUPONT-DUFORT FILS: Oui, papa.

³⁰ DUPONT-DUFORT PERE: Nous sommes ici
dans des conditions inespérées. Elles s'ennuient et il n'y a personne de présentable. Soyons aimables, extrêmement
aimables.

³⁵ DUPONT-DUFORT FILS: Oui, papa.

Un peu plus tard les Dupont-Dufort re-
trouvent Eva et Juliette. Eva a raconté à
Juliette sa rencontre avec Hector. Coïncidence! Juliette, elle aussi, a rencontré un
⁴⁰ beau jeune homme. (C'est Gustave, l'autre
voleur.)

JULIETTE: Eva, je ne t'ai pas raconté que
j'avais sauvé un enfant qui était tombé
dans le bassin des Thermes? J'ai fait la
⁴⁵   connaissance d'un jeune homme char-
mant qui avait voulu le sauver avec moi.
[*Les Dupont-Dufort se regardent, in-
quiets.*]

DUPONT-DUFORT PERE: Ce n'était pas toi?

⁵⁰ DUPONT-DUFORT FILS: Non.

JULIETTE: Nous nous sommes séchés au
soleil en bavardant.° Si tu savais comme
il est amusant! C'est un petit brun. Ce
n'est pas le même que toi, au moins?

bavarder   to chat

⁵⁵ EVA: Non. Moi, c'est un grand roux.

JULIETTE: Ah! tant mieux. . . .

DUPONT-DUFORT PERE: [*Bas:*] Fiston,° il faut
absolument que tu brilles.° [*Haut.*] Didier, as-tu été à la piscine° avec ces
⁶⁰   dames pour leur montrer ton crawl im-
peccable? C'est toi qui aurais sauvé aisément ce bambin!°

fiston   boy; son (colloq.)
briller   to shine
la piscine   swimming pool

le bambin   child

JULIETTE: Oh! le crawl était bien inutile. Le
bassin des Thermes a quarante centi-
65   mètres de profondeur.

LE CONTENU

1. Qu'est-ce que les Dupont-Dufort vont proposer à Eva et à Juliette?
2. Pourquoi est-ce que Dupont-Dufort père ne reconnaît plus Dupont-Dufort fils?
3. Qu'est-ce que Dupont-Dufort père dit à Dupont-Dufort fils pour lui donner confiance?
4. Qu'est-ce qui montre que Lady Hurf a de l'estime pour Dupont-Dufort fils?
5. Pourquoi Dupont-Dufort père veut-il arranger un mariage entre son fils et Eva ou Juliette?
6. Pourquoi croit-il qu'ils sont là dans des conditions inespérées?
7. Quelle coïncidence Eva et Juliette découvrent-elles dans leur conversation?
8. Comment Juliette a-t-elle rencontré son jeune homme?
9. Quelle peur soudaine lui traverse l'esprit?
10. Pourquoi est-ce que Dupont-Dufort fils aurait pu sauver le bambin aisément, selon son père?
11. Pourquoi le crawl n'était-il pas nécessaire?

LE SENS

1. Dupont-Dufort père et fils sont évidemment des personnages ridicules. Comment les envisagez-vous? Comment faudrait-il costumer et jouer ces deux rôles?
2. En quoi les Dupont-Dufort sont-ils typiques du couple comique?

DIALOGUE

A. Dupont-Dufort père accuse son fils de délaisser la petite Juliette.
B. Son fils lui explique pourquoi.

A. Le père dit que la tante compte sur lui pour ses placements.
B. Le fils dit qu'ils devraient se contenter de cela.
A. Le père explique pourquoi il préfère le mariage.

ETUDE DE MOTS

1. *Tu n'es pas n'importe qui.*	You aren't just anybody (*literally,* it doesn't matter whom).
Elle sort n'importe quand.	She goes out anytime she wants to.
Il mange n'importe quoi.	He eats anything he feels like.
Il va n'importe où.	He goes anywhere.
Il travaille n'importe comment.	He works in any way he feels like working.
n'importe quel placement	any investment
2. *Le bassin a quarante centimètres de profondeur.*	The basin is forty centimeters deep.
La piscine a quarante mètres de long.	The pool is forty meters long.
La piscine a douze mètres de large.	The pool is twelve meters wide.
Le plongeoir a deux mètres de haut.	The diving-board is two meters high.
3. *Ainsi, du charme, de la séduction.*	So show a little charm, make yourself appealing.
Allons, Jojo, de la tenue, du sang-froid.	Come on, Jojo, show a little nerve, buck up.
De l'imagination, de l'intuition.	Use some imagination, some intuition.

EXERCICES

A.

LE PROFESSEUR: Ce qui est important.
L'ÉTUDIANT: Je sais ce qui est important.
LE PROFESSEUR: un jeune homme.
L'ÉTUDIANT: Je connais un jeune homme.

Notez qu'on *connaît* les personnes, les pays, les auteurs, les œuvres.
Connaître peut se traduire *to be acquainted with*. Il est rarement suivi
d'une proposition.

Par contre *savoir* signifie une connaissance intellectuelle—*être con-
scient de, avoir dans l'esprit*—ou bien une aptitude: *to know how to*.
Remplacez les tirets dans les phrases suivantes par *je connais* ou *je sais*.

1. _____ la différence.
2. _____ nager.
3. _____ plusieurs personnes.
4. _____ pourquoi vous avez dit
   cela.
5. _____ la vérité.
6. _____ la musique française.
7. _____ jouer du piano.
8. _____ une piscine près d'ici.

9. _____ le restaurant dont vous
   parlez.
10. _____ le propriétaire.
11. _____ qu'il est fermé.
12. _____ où on pourrait aller.
13. _____ le quartier.
14. _____ parler à ces gens.
15. _____ ce qu'il vous faut.

REVISION DES VERBES

Conditional (28B)

B.

Notez les différents emplois du mot *would*:

a. *If it were cold, I would close the door.*
   S'il faisait froid, je fermerais la porte.
b. *When it was cold, I would (i.e., used to) close the door.*
   Quand il faisait froid, je fermais la porte.
c. *Would you kindly close the door?*
   Voudriez-vous fermer la porte?
d. *He wouldn't close the door.*
   Il n'a pas voulu fermer la porte.

would not = past of vouloir + infinitive

Complétez les phrases suivantes en traduisant les mots entre parenthèses.

1. (*I would save him*)

   Si je trouvais un enfant dans le
   bassin des Thermes _____.

2. (*she wouldn't*)

   Dupont-Dufort fils a invité Juliette
   à prendre un cocktail mais _____.

3. (*would you like to come?*)

   Il lui a dit: «Nous allons nous
   promener; _____.»

4. (*he would not do it*)   Le père aurait préféré que son fils épouse une fille riche mais ———.

5. (*they would applaud*)   Chaque fois que l'orchestre finissait un morceau ———.

6. (*he would marry her*)   S'il savait qu'elle était riche ———.

7. (*he would read his paper*)   Tous les jours il s'installait devant le kiosque et ———.

8. (*Would you look at it?*)   Je ne sais pas si cette bague est du toc. ———.

9. (*He wouldn't say.*)   On lui a demandé s'il portait une perruque. ———.

10. (*I would succeed*)   J'ai toujours cru que tôt ou tard ———.

11. (*I would like to read it.*)   J'ai toujours entendu parler de ce livre. ———.

12. (*you would listen*)   Vous n'auriez aucune difficulté à comprendre si ———.

13. (*we would go to the bar*)   L'été dernier nous suivions toujours la même routine: après le dîner ———.

14. (*he would play better*)   Si le clarinettiste savait qu'on écoutait, ———.

15. (*she would come*)   Je ne sais pas pourquoi elle n'est pas ici. Elle a dit qu' ———.

Formation of the subjunctive (80)

C.

LE PROFESSEUR: Voilà Eva et Juliette. On les suit? (*Shall we follow them?*)

L'ÉTUDIANT: Mais oui! Il faut que nous les suivions.

Commencez chaque phrase par: «Mais oui! Il faut que nous . . .».

1. On tâche de les rejoindre?
2. Alors, on les rejoint?
3. On donne des conseils à la tante?
4. On les retrouve?
5. On va au café avec elles?
6. On choisit une table à la terrasse?
7. Alors, on s'assied à la terrasse?
8. On bavarde avec elles?

9. On est aimable?

10. On leur fait des compliments?

11. On a de l'esprit?

12. On sait plaire?

13. Et on leur plaît?

14. On prend un cocktail avec elles?

15. On leur dit des choses spirituelles (*witty*)?

16. Et après, on sort ensemble?

17. On revient à la villa?

18. Et enfin, on remet la banque à flot?

Subjunctive (81E.2)

D.

LE PROFESSEUR: Il faut qu'il *épouse* Eva avant l'été.

L'ÉTUDIANT: Il faut qu'il ait épousé Eva avant l'été.

LE PROFESSEUR: Je veux que vous *arriviez* quand la cloche sonne.

L'ÉTUDIANT: Je veux que vous soyez arrivés quand la cloche sonne.

On emploie le parfait du subjonctif quand le fait exprimé par la proposition subordonnée est antérieur au fait exprimé par la proposition principale.

1. Je voudrais que vous *allumiez* quand les invités arrivent.

2. Il faut que vous *changiez* quand ils arrivent.

3. Je tiens à ce que tu *partes* quand ils arrivent.

4. Pour qu'ils *arrivent* à une heure, je les invite à midi.

5. Pourvu qu'ils me *comprennent*, ils arriveront vers une heure.

6. Quoique je les *invite* à midi, ils arriveront à une heure.

7. Il est incroyable qu'il se *couche* à huit heures du soir.

8. J'ai du mal à croire qu'il *puisse* faire une chose pareille.

9. Il vaut mieux qu'il *parte* à minuit.

10. Je regrette qu'ils vous *ennuient*.

11. J'ai peur qu'il ne *tombe*.

12. Je crains qu'il n'*ait* raison.

THEME D'IMITATION

My father gets on my nerves (l. 55, p. 296). He tells me to take (l. 8) Eva or Juliette—it doesn't matter which one (*Etude de mots* 1); they are both rich—to the bar for a cocktail, or the pool (l. 59) to admire my crawl. He doesn't realize that those two girls are always making fun of us. You can see that just by looking at them *(Etude de mots, p. 297)*. When I start chatting (l. 52) with Juliette, she takes a look (l. 33, p. 218) at her watch and says, "I must be running along (ll. 55–56, p. 225)." Yet I know she has nothing interesting (Ex. A, p. 343) to do. He insists *(Etude de mots, p. 275)* on my seeing her every day, but she snubs me (l. 13). Besides, I don't like her. If he wants to save the bank (ll. 26–27), he can marry her himself.

SUJETS DE COMPOSITION

Choisissez un des sujets suivants:

1. Vous êtes Juliette. Vous expliquez à votre sœur Eva pourquoi vous n'aimez pas Dupont-Dufort fils et pourquoi vous préférez le jeune homme que vous avez rencontré.

2. Vous êtes Dupont-Dufort père. Vous écrivez à votre associé à la banque. Vous espérez toujours arranger ce mariage avantageux mais les choses ne vont pas trop bien pour le moment.

39

Le Bal des voleurs [III]

Jean Anouilh

Lady Hurf entre en scène. Lord Edgard
lit son journal devant le kiosque à musique.

LADY HURF: Eh bien, mon cher Edgard,
qu'avez-vous fait de cette journée?

5 LORD EDGARD: [*Surpris et gêné° comme*   gêné uncomfortable
toujours, lorsque Lady Hurf lui adresse
la parole sur le mode brusque qui lui est
coutumier.°] Je. . . . J'ai. . . . J'ai lu le   qui lui est coutumier which is cus-
Times.   tomary with her

10 LADY HURF: [*Sévère.*] Comme hier?

LORD EDGARD: [*Ingénu.°*] Pas le même nu-   ingénu simple; naïve
méro qu'hier.

LADY HURF: Edgard, la situation est
grave. . . .

15 LORD EDGARD: Oui j'ai lu dans le *Times.* . . .
L'Empire. . . .

LADY HURF: Non, ici.

LORD EDGARD: [*Inquiet, regarde autour de*
lui.] Ici?

20 LADY HURF: Comprenez-moi. Nous avons
ici charge d'âme.[1] Or, il se trame° des   tramer to spin; weave
intrigues,° des mariages se préparent. Per-   une intrigue plot
sonnellement, je ne peux pas les suivre.
Cela me donne la migraine. Qui devra
25 les pénétrer, les diriger?

[1]*avoir charge d'âme*—to be responsible for the welfare of someone. Lady Hurf is referring to her nieces, Eva and Juliette.

LORD EDGARD: Qui?

LADY HURF: Juliette est une folle. Eva est
une folle. Moi, je n'y comprends rien et
cela m'ennuie au-dessus de tout.[2] D'ail-
30   leurs, je n'ai pas plus de bon sens que
ces enfants. Il reste vous, au milieu de
ces trois folles.

LORD EDGARD: Il reste moi.

LADY HURF: Autant dire° rien! Ah! je suis   *autant dire*   that is to say
35   perplexe, extrêmement perplexe ... Mais,
enfin, dites quelque chose, Edgard! Vous
êtes le tuteur° de ces deux petites, après   *le tuteur*   guardian
tout!

LORD EDGARD: Nous pourrions peut-être
40   demander conseil à Dupont-Dufort. C'est
un homme qui a l'air d'avoir du caractère.

LADY HURF: Oui. Beaucoup trop. Vous êtes
un benêt.° C'est à lui précisément qu'il   *un benêt*   ninny; simpleton
convient de ne pas demander conseil. Les
45   Dupont-Dufort veulent nous soutirer de
l'argent.°   *soutirer de l'argent à quelqu'un* to
                                                    squeeze money out of someone

LORD EDGARD: Mais ils sont riches?

LADY HURF: C'est précisément ce qui m'inquiète: ils veulent nous soutirer beau-
50   coup d'argent. Eva et Juliette ont des dots
exceptionnellement tentantes.

LORD EDGARD: Nous pourrions peut-être
télégraphier en Angleterre?

LADY HURF: Pour quoi faire?

55 LORD EDGARD: L'agence Scottyard[3] nous en-
verrait un détective.

LADY HURF: Ma foi, nous serions bien
avancés!° Il n'y a pas plus filou[4] que ces   *nous serions bien avancés!* a lot of
gens-là.   good that would do us!

60 LORD EDGARD: Alors la situation est, en
effet, irrémédiable.

LADY HURF: Edgard, vous devez avoir de

---

[2]*cela m'ennuie au-dessus de tout*—it bores me to tears. *Ennuyer* can mean either "bore"
or "bother, afflict."

[3]*l'agence Scottyard*—a detective agency whose name is meant to suggest Scotland Yard.

[4]*filou*—dishonest. Filou is usually a noun, meaning "thief."

l'énergie. Notre sort, à toutes, est entre
vos mains.

⁶⁵ LORD EDGARD: [*Regarde ses mains, très en-
nuyé.*] Je ne sais pas si je suis bien qua-
lifié.

LADY HURF: [*Sévère.*] Edgard, vous êtes un
homme et un gentleman?

⁷⁰ LORD EDGARD: Oui.

LADY HURF: Prenez une décision!

LORD EDGARD: [*Ferme.*] Bon! Je vais tout de
même faire venir un détective de chez
Scottyard en spécifiant que je le veux
⁷⁵ honnête.

LE CONTENU

1. Quelle est la réaction de Lord Edgard lorsque Lady Hurf lui adresse
   la parole?
2. Qu'a-t-il fait de sa journée?
3. Quand Lady Hurf dit que la situation est grave, de quoi parle-t-elle?
4. Qu'est-ce qui lui donne la migraine?
5. Qui faut-il protéger contre les coureurs de dot (*dowry-chasers*)?
   S'en croit-elle capable? Et Lord Edgard?
6. Que dit Lord Edgard au sujet de Dupont-Dufort?
7. Quelle est l'opinion de Lady Hurf au sujet des Dupont-Dufort?
8. Pourquoi Lord Edgard veut-il télégraphier en Angleterre?
9. Quelle objection Lady Hurf fait-elle?
10. Quelle décision Lord Edgard prend-il enfin?

LE SENS

1. Montrez comment cette scène utilise un des éléments fondamentaux du dialogue: le contraste entre un personnage dynamique et
   dominateur et un personnage timide et faible.
2. Le benêt est un personnage comique conventionnel. Enumérez les
   bêtises de Lord Edgard.

DIALOGUE

A. Lady Hurf dit à Lord Edgard de dire quelque chose. Elle lui dit qu'après tout il est le tuteur de ces deux petites.
B. Lord Edgard suggère qu'ils pourraient demander conseil à Dupont-Dufort. Il explique pourquoi il a confiance en lui.
A. Lady Hurf lui explique pourquoi les Dupont-Dufort sont précisément les personnes à qui il ne conviendrait pas de demander conseil.
B. Lord Edgard dit qu'ils pourraient faire venir un détective.
A. Lady Hurf rejette cette solution, avec une accusation dirigée contre les détectives en général.

ETUDE DE MOTS

1. *Il n'y a pas plus filou.* — There's no one more dishonest.
Il n'y a pas plus jolie que Juliette. — No one is prettier than Juliette.
Il n'y a pas plus bête que lui. — There's no one stupider than he.
Vous n'avez pas moins cher? — Haven't you got anything cheaper?

2. *Je le veux honnête.* — I want an honest one.
Choisissez-moi un melon. Je le veux mûr. — Choose me a melon. I want a ripe one.

EXERCICES

A.

LE PROFESSEUR: *Chaque fille a une dot.*
L'ÉTUDIANT: Chacune a une dot.
LE PROFESSEUR: *Quelques estivants écoutaient la musique.*
L'ÉTUDIANT: Quelques-uns écoutaient la musique.
LE PROFESSEUR: *Tous les voleurs portaient des déguisements.*
L'ÉTUDIANT: Tous portaient des déguisements.

Répétez les phrases suivantes en substituant un pronom à l'adjectif + nom. Voici les adjectifs de l'exercice avec les pronoms auxquels ils correspondent:

adjectif	pronom
chaque	chacun, chacune
quelques	quelques-uns, quelques-unes
tous (*s* muet)	tous (*s* prononcé)
toutes	toutes

1. *Chaque auteur* a son style.
2. *Tous les estivants* ont applaudi.
3. *Toutes les femmes* portaient des bagues.
4. *Quelques chaises* étaient vides.
5. *Quelques pickpockets* circulaient dans la foule.
6. *Tous les détectives* sont des filous.
7. *Tous ces personnages* se ressemblent.
8. *Chaque bague* valait deux cent mille.

B.

LE PROFESSEUR: Je connais *quelques voleurs.*
L'ÉTUDIANT: J'en connais quelques-uns.
LE PROFESSEUR: Je connais *tous ces voleurs.*
L'ÉTUDIANT: Je les connais tous.
LE PROFESSEUR: Il parle à *quelques amis.*
L'ÉTUDIANT: Il parle à quelques-uns.

Il faut employer le pronom complément *en* avec *quelques-uns,* et *les* avec *tous* quand *quelques-uns* et *tous* sont compléments d'objet directs. Mais on n'emploie aucun pronom complément quand *quelques-uns* et *tous* sont compléments d'objet indirect.

1. J'ai lu *quelques pièces* d'Anouilh.
2. Je lis *toutes ses pièces.*
3. Elle a perdu *toutes ses bagues.*
4. J'ai visité *quelques villes* d'eaux.
5. Je me suis adressé à *quelques banquiers.*
6. Connaissez-vous *quelques héritières* (heiresses)?
7. Il connaît *tous les musiciens.*
8. Il fera venir *quelques détectives.*
9. Il se méfie de *tous ses amis.*

Stressed pronouns (79)

C.

LE PROFESSEUR: Est-ce qu'on se promène beaucoup *à Vichy?*
L'ÉTUDIANT: Oui, on s'y promène beaucoup.

LE PROFESSEUR: Lady Hurf s'adresse-t-elle *à Edgard?*
L'ÉTUDIANT: Oui, elle s'adresse à lui.

Après un verbe pronominal + *à*, et après certains verbes comme *songer à, penser à, être à, venir à,* et *tenir à,* un nom désignant une personne est remplacé par un pronom personnel tonique. Mais *à* + un nom qui ne désigne pas une personne est remplacé par *y.*

1. Lady Hurf s'ennuie-t-elle *à Vichy?*
2. Lord Edgard s'intéresse-t-il *au journal?*
3. Eva s'intéresse-t-elle *à Hector?*
4. Et Hector s'intéresse-t-il *à Eva?*
5. S'intéresse-t-il *à ses bijoux?*
6. Se plaît-il *à Vichy?*
7. Lady Hurf s'adresse-t-elle *à Lord Edgard?*
8. Se fie-t-elle *à Lord Edgard?* (Non.)
9. Se fie-t-elle *aux détectives?* (Non.)

D.

LE PROFESSEUR: *Vous* en mangez bien.
L'ÉTUDIANT: Vous, vous en mangez bien.
LE PROFESSEUR: *Ils* comprennent.
L'ÉTUDIANT: Eux comprennent (*ou,* eux, ils comprennent).

Employez le pronom personnel tonique convenable pour mettre en valeur les mots en italiques.

1. *Il* en mangeait bien. *lui, il*
2. *Ils* ont compris. *Eux, ils*
3. *Nous* ne parlons jamais aux étrangers. *nous, nous*
4. *Je* préfère Anouilh à Giraudoux. *moi, je*
5. Je ne connais pas son mari, mais je *la* connais bien, *elle*.
6. Je *les* vois souvent, *eux*
7. J'aime beaucoup cette pièce. *moi*
8. Ça m'ennuie, *moi*

REVISION DES VERBES

Subjunctive (81); Future (36–37); Present (73B); *Imparfait* **(40); Conditional (28)**

E.

LE PROFESSEUR: *nous recevoir.* J'étais certain qu'il ———.
L'ÉTUDIANT: J'étais certain qu'il nous recevrait.

LE PROFESSEUR: *nous recevoir*. Il paraît douteux qu'ils ——.

L'ÉTUDIANT: Il paraît douteux qu'ils nous reçoivent.

LE PROFESSEUR: *nous recevoir*. Nous ferons partie du beau monde quand Lady Hurf ——.

L'ÉTUDIANT: Nous ferons partie du beau monde quand Lady Hurf nous recevra.

être à l'heure

1. Il tient à ce qu'on ——.
2. Je me serais pressé si j'avais su que vous ——.
3. Je monte prévenir Mademoiselle que vous ——.
4. Vous commencerez à faire des progrès quand vous ——.
5. Le jour arrivera-t-il enfin où vous ——?
6. Est-il possible que je ——?
7. Il se peut que je ——.
8. Le maître attend à ce que nous ——.
9. Le maître ne la gronde plus depuis qu'elle ——.

faire des progrès

1. Je veux que vous ——.
2. Je suis charmé qu'ils ——.
3. Je suis content d'apprendre qu'ils ——.
4. Son père le récompensera dès qu'il ——.
5. Son père le récompensera pourvu qu'il ——.
6. Son père le récompense depuis qu'il ——.
7. Si je suis content de vous ce n'est pas parce que vous ——.
8. Quand nous nous mettrons à travailler, nous ——.
9. Voilà deux semaines que je ——.
10. Mon professeur affirme que je ——.

THEME D'IMITATION

I have known Lady Hurf for forty years but when she speaks to me in her usual brusque way (ll. 7–8) I still feel uncomfortable (l. 5). She asks me for advice (l. 40) and when I give it to her she says I am a simpleton (l. 43). She says I ought to do something, but she knows I have never succeeded in doing anything at all (l. 5, p. 339). Besides, I cannot believe that a gentleman like young (**13B**) Dupont-Dufort is really pursuing Juliette (l. 12, p. 339) for her dowry, although it is true that her dowry is very tempting. He is a man who seems to have character (l. 41). But I don't know. Although I am the girls' guardian (l. 37) I [really] don't like to have the fate of others in my hands (l. 63). I would much prefer (l. 25, p. 348) listening to the music and reading *The Times*.

SUJETS DE COMPOSITION

Choisissez un des sujets suivants:

1. Vous êtes Lord Edgard. Vous écrivez à l'agence Scottyard. Pourquoi il vous faut un détective. Quelle sorte de détective vous voulez.
2. Vous êtes Lady Hurf. Vous dites à vos deux nièces pourquoi vous vous méfiez des Dupont-Dufort. Votre opinion de Lord Edgard.

40

Le Bal des voleurs [IV]
Jean Anouilh

Les trois voleurs se déguisent en nobles
espagnols. Ils ont l'intention de voler les
bijoux de Lady Hurf, d'Eva, et de Juliette.
Lady Hurf se rend compte tout de suite que
5 ce sont des voleurs déguisés, mais elle n'a
pas peur. Au contraire; pour s'amuser elle
fait semblant de° les reconnaître.   *faire semblant de*   to pretend

La musique commence une marche d'un
caractère à la fois héroïque et très espagnol.
10 Les voleurs s'approchent de Lady Hurf.

Soudain, celle-ci, qui regardait arriver cet
étrange trio, se lève, va à eux, et se précipite au cou de Peterbono.[1]

LADY HURF: Mais c'est ce cher duc de Mira-
15   flor!
    [*La musique s'arrête.*]
PETERBONO: [*Gêné et surpris.*] Heuh. . . .
LADY HURF: Voyons, souvenez-vous! Biar-
    ritz[2] 1902. Les déjeuners à Pampelune.[3]
20 Les courses de taureaux.° Lady Hurf.   *la course de taureaux*   bullfight
PETERBONO: Ah! Lady Hurf! . . . Les courses
    de taureaux. Les déjeuners. Chère amie.

[1]*se précipite au cou de Peterbono*—throws her arms around Peterbono's neck.
[2]*Biarritz*—a fashionable French summer resort near the Spanish border.
[3]*Pampelune*—Pamplona, a city in northern Spain.

Noyé.

... [*Aux autres:*] J'ai dû me faire la tête
de° quelqu'un qu'elle connaît.

se faire la tête de to disguise one-self as

²⁵ LADY HURF: Comme je suis heureuse! Je
m'ennuyais à périr. Mais la duchesse?

PETERBONO: Morte.

[*Trémolo à l'orchestre.*]

LADY HURF: Dieu! Et le comte, votre cousin!

³⁰ PETERBONO: Mort.

[*Trémolo.*]

LADY HURF: Dieu! Et votre ami l'amiral?

PETERBONO: Mort également.

[*A l'orchestre, début d'une marche fu-*
³⁵ *nèbre.*] [*Peterbono se tourne vers les*
autres.] Sauvés!

LADY HURF: Pauvre cher! Que de deuils!°

le deuil mourning

PETERBONO: Hélas! Mais il faut que je vous
présente mes fils, Don Hector et Don
⁴⁰ Gustave.

LADY HURF: [*Présente Lord Edgard.*] Lord
Edgard que vous avez connu. C'est lui
que vous battiez chaque matin au golf.

PETERBONO: Ha! le golf. . . . Cher ami. . . .

⁴⁵ LORD EDGARD: [*Affolé,° à Lady Hurf:*] Mais
ma chère. . . .

affolé panic-stricken

LADY HURF: [*Sévère.*] Comment? vous ne
reconnaissez pas le duc?

LORD EDGARD: C'est insensé! Voyons, sou-
⁵⁰ venez-vous. . . .

LADY HURF: Vous n'avez aucune mémoire.
N'ajoutez pas un mot, vous me fâcheriez.
[*A Peterbono:*] Mais comment votre cou-
sin est-il mort?

⁵⁵ PETERBONO: Comment il est mort?

LADY HURF: Oui, Je l'aimais tant.

PETERBONO: Vous voulez que je vous raconte les circonstances qui ont marqué
son trépas?°

le trépas death

⁶⁰ LADY HURF: Oui.

[*Il est affolé, il regarde Hector.*]

PETERBONO: Eh bien, il est mort. . . .

[*Hector lui mime°* un *accident d'auto,*   mimer to mimic, to show with ges-
mais il ne comprend pas cela.]   tures

65 Il est mort fou.

LADY HURF: Ah! le pauvre! Il avait toujours
été original. Mais la duchesse?

PETERBONO: La duchesse? [*Il regarde Hector
affolé.*] Elle est morte.

70 LADY HURF: Oui. Mais comment?

[*Hector se touche le cœur à plusieurs re-
prises.° Peterbono hésite à comprendre,*   à plusieurs reprises several times
*mais comme il n'a lui-même aucune
imagination, il se résigne.*]

75 PETERBONO: D'amour.

LADY HURF: [*Confuse.*] Oh! pardon. Et votre
ami l'amiral?

PETERBONO: L'amiral? Ah! lui. . . . [*Il regarde Hector qui lui fait signe qu'il n'a*

80   *plus d'idées. Il se méprend° encore sur*   se méprendre to misunderstand
sa mimique.] Noyé. Mais excusez-moi,
vous touchez de trop cuisantes plaies.°. . .   une plaie cuisante painful wound

LE CONTENU

1. Pourquoi les voleurs se déguisent-ils?
2. Que fait Lady Hurf quand elle les voit s'approcher? Pour qui fait-
   elle semblant de prendre Peterbono?
3. Selon elle, où se sont-ils connus?
4. Pourquoi est-elle heureuse de rencontrer le «duc»?
5. Quelle objection Lord Edgard fait-il pendant les présentations?
6. Quelles questions Lady Hurf pose-t-elle à Peterbono pour se moquer de lui?
7. Qui Peterbono regarde-t-il pour trouver une réponse à ces questions?
8. Qu'est-ce qu'Hector mime pour la mort du cousin?
9. Comment est-ce que Peterbono interprète sa mimique?
10. Et pour la mort de la duchesse, quelle mimique? ~~Quelle fausse
    interprétation?~~
11. Et pour la mort de l'amiral?
12. Peterbono a-t-il beaucoup d'imagination?

LE SENS

1. Cette scène commence par un coup de théâtre (voir l'Étude de mots de la Leçon 19). Quels effets sont produits par ce renversement de la situation?
2. Montrez comment cette scène utilise certaines techniques typiques de la comédie: la surprise, la répétition, l'erreur, la disproportion entre les desseins ambitieux d'un personnage et la nullité de ses capacités.
3. Pourquoi les gestes (*gestures*) sont-ils importants au théâtre? Y a-t-il un rapport entre les gestes d'Hector et l'interprétation que Peterbono leur donne?

ETUDE DE MOTS

1. *Je m'ennuyais à périr.* — I was bored to tears. I was bored enough to die from it.

   heureux à en mourir — terribly happy (*literally*, happy enough to die)

   Il est fou à lier. — He's completely mad (*literally*, mad enough to be tied up).

   Ils applaudissent à tout rompre. — They applaud wildly (*literally*, enough to break everything).

   Ils se ressemblent à s'y méprendre. — They look so much alike that one might take one for the other.

2. *Que de deuils!* — What a series of losses!

   Que de monde! — What a big crowd!

   Que de bruit! — What a lot of noise!

EXERCICES

REVISION DES VERBES

Subjunctive (80–81)

A.

LE PROFESSEUR: Il se souviendra. Il faut.
L'ÉTUDIANT: Il faut qu'il se souvienne.

LE PROFESSEUR: Il part aujourd'hui. Je suis fâché.
L'ÉTUDIANT: Je suis fâché qu'il parte aujourd'hui.
LE PROFESSEUR: Il comprend. Je sais.
L'ÉTUDIANT: Je sais qu'il comprend.

Dans cet exercice il faut distinguer entre les expressions suivies du subjonctif (**81A.1–4**) et les expressions suivies de l'indicatif (**81C**).

1. Ces messieurs sont des voleurs. Je suis fâché.
2. Lady Hurf s'en rend compte. Il est vrai.
3. Elle prend des précautions. Il faut.
4. Elle fait semblant de les reconnaître. Je suis étonné.
5. Peterbono est gêné. Ce n'est pas étonnant.
6. Edgard ne se souvient pas de Peterbono. Ce n'est pas étonnant.
7. Les voleurs viendront visiter Lady Hurf dans sa villa. Edgard est désolé.
8. Lady Hurf les recevra dans sa villa. Edgard est choqué.
9. Ils les rejoindront tout à l'heure. Lady Hurf décide.
10. Ils passeront une semaine dans la villa. Lady Hurf veut.
11. Ils iront ensemble au «Bal des Voleurs». Lady Hurf dit.
12. Elle y tient. Edgard est étonné.
13. Elle le veut. Edgard est étonné.
14. Peterbono ne sait pas lui répondre. C'est dommage.
15. Il ne comprend pas la mimique d'Hector. Il est évident.
16. Hector n'a plus d'idées. C'est gênant.
17. Peterbono se méprend sur sa mimique. Ce n'est pas étonnant.

B.

LE PROFESSEUR: J'ai trouvé un détective qui est honnête.
L'ÉTUDIANT: Je cherche un détective qui soit honnête.
LE PROFESSEUR: Il y a un objet que ces voleurs sont capables de voler.
L'ÉTUDIANT: Il n'y a rien que ces voleurs soient capables de voler.
               (*ou*, Y a-t-il un objet que ces voleurs soient capables de
               voler? *ou*, Il n'y a pas d'objet que ces voleurs soient
               capables de voler, *etc.*)

On emploie le subjonctif dans une proposition adjective si l'existence de l'antécédent est niée ou doutée. Notez que la proposition principale dans la phrase du professeur est affirmative (**81A.7**). Dans la phrase de l'étudiant elle doit être niée ou doutée.

1. Il y a une perspective qui fait peur à Lady Hurf.
2. Je connais quelqu'un qui pourrait jouer le rôle de Lady Hurf.
3. Il existe un déguisement qui est parfait.
4. Je connais quelqu'un à qui nous pourrions demander conseil.
5. Il a trouvé une femme qui le comprend.
6. Il y a une personne qui a raison.
7. J'ai trouvé un acteur qui sait le rôle.
8. Il y a quelque chose que je veux absolument.

C.

LE PROFESSEUR: Je connais un restaurant. C'est le meilleur.

L'ÉTUDIANT: C'est le meilleur restaurant que je connaisse.

LE PROFESSEUR: Une des mimiques est compréhensible. C'est la seule.

L'ÉTUDIANT: C'est la seule mimique qui soit compréhensible.

On emploie le subjonctif dans une proposition subordonnée quand l'antécédent est modifié par un superlatif ou par les mots *premier, dernier,* ou *seul.* (81A.6)

1. Hector peut réussir. Il est le seul.
2. Nous avons visité Venise. A mon avis c'est la plus belle ville.
3. Il a compris un mot. C'est le seul mot.
4. Il veut faire. Il prétend que c'est la dernière conquête.
5. Vous avez bu. Quel est le meilleur vin?

D.

LE PROFESSEUR: Je suis étonné de le remarquer.

L'ÉTUDIANT: Je suis étonné que vous le remarquiez.

LE PROFESSEUR: Je lis afin de comprendre.

L'ÉTUDIANT: Je lis afin que vous compreniez.

LE PROFESSEUR: Je viens vous visiter avant de partir.

L'ÉTUDIANT: Je viens vous visiter avant que vous ne partiez.

Notez que dans les phrases du professeur le verbe principal et l'infinitif ont le même sujet. Dans les phrases de l'étudiant *je* est toujours le sujet du verbe principal, mais le sujet du verbe subordonné est *vous.*

1. J'explique pour comprendre.
2. Je parle sans écouter.
3. Je pars sans dire au revoir.
4. Je fais des recherches afin de savoir la vérité.
5. Je lis en attendant de m'endormir.

6. J'ai peur de tomber.
7. Je veux partir.
8. Je répète sans comprendre.
9. Je répète afin de comprendre.
10. Je préfère lire à haute voix.
11. Je regrette de m'être trompé.

12. Je suis désolé de m'en apercevoir.
13. Je tiens à le faire.
14. Je me dépêche de peur d'être en retard.

THEME D'IMITATION

Dear Marthe,

I was terribly bored (l. 26) in Vichy until yesterday. There is no one presentable (l. 32, p. 348) here and dear old Edgar is a ninny (l. 43, p. 356) as he always has been (See 55). He often gets on my nerves. Do you remember the summer in Biarritz forty years ago when a Spanish duke was courting me! (l. 16, p. 203) Thinking of that summer (75A) I had a wonderful idea. There is an old fool here—probably a jewel thief or something like that—who had the idea of disguising himself as a Spanish nobleman (l. 1). I pretended to take him for the Duke of Miraflor. You should have (28C) seen him! I inquired after (l. 28, p. 225) his wife and he was panic-stricken (l. 45). He finally said she died—of love! What a simpleton!

SUJET DE COMPOSITION

Peterbono retrouve Hector et lui demande ce qu'il voulait dire par ses mimiques. Hector explique et accuse Peterbono d'être assez borné. [Hector et Peterbono se tutoyent (say tu to each other).]

41
Le Bal des voleurs [V]
Jean Anouilh

Lady Hurf invite les voleurs à passer
plusieurs semaines dans sa villa.

[*Lord Edgard entre. Il est en train de*
fouiller dans un tas° de papiers. Soudain le tas pile
5 *il se redresse,° pousse un grand cri, et* se redresser to straighten up
s'écroule évanoui.°] s'écrouler évanoui to fall over in a
faint
JULIETTE: [*Entre.*] Mon oncle. . . . Qu'avez-
vous, mon oncle? . . . Ses mains sont
froides. Quel est ce faire-part?[1] [*Elle le lit,*
10 *bouleversée,° et le cache précipitamment°* bouleverser to upset
dans sa poche. Elle sort en criant:] Ma précipitamment hurriedly
tante! vite, ma tante!
[*Tout le monde accourt.° Grande con-* accourir to come running
fusion.]
15 PETERBONO: [*A Hector.*] L'occasion rêvée.[2]. . .
HECTOR: Oui, mais que faire?
PETERBONO: Rien, bien entendu, mais c'est
tout de même l'occasion rêvée.
LORD EDGARD: [*S'est redressé lentement. Il*
20 *commence d'une voix blanche.*[3]] Mes
amis, j'ai une affreuse° nouvelle à vous affreux frightful

---

[1]*le faire-part*—announcement (of a death, wedding, etc.) Compare this with the verb
faire part, which occurs on l. 66.
[2]*l'occasion rêvée*— the perfect opportunity (to rob the villa during a moment of confusion).
[3]*d'une voix blanche*—in a toneless voice (because he is stunned).

annoncer. Le duc de Miraflor est mort à
Biarritz en 1904.

[*Tout le monde regarde Peterbono, qui*
25 *est très gêné. Petite ritournelle° gogue-*
narde.°]

PETERBONO: C'est ridicule.

HECTOR: [*Bas.°*] Tu parles d'une occasion
rêvée!⁴

30 PETERBONO: [*De même.°*] Ce n'est pas le
moment de plaisanter.° Approche-toi de
la fenêtre.

LADY HURF: Vous êtes fou, Edgard?

LORD EDGARD: Non, non. J'ai retrouvé le
35 faire-part. Je savais bien que je le re-
trouverais ce faire-part. Depuis le premier jour. . . . [*Il se fouille.°*] Où est-il?
Ah! ça par exemple, où est-il? Je l'avais à
l'instant! Oh! mon Dieu, je l'ai déjà
40 perdu!

DUPONT-DUFORT PERE: Tout se découvre!

DUPONT-DUFORT FILS: Nous sommes sauvés.
[*A Peterbono qui se dirige insensible-*
ment° vers la fenêtre:] Vous ne restez
45 pas pour prendre des nouvelles° de notre
hôte?

PETERBONO: Si, si.

LADY HURF: Edgard, vous faites une plaisanterie ridicule à ce cher duc.

50 LORD EDGARD: Mais chère amie, je vous
certifie. . . .

LADY HURF: [*Derrière lui, le pince.°*] Edgard,
je suis sûre que vous vous trompez. Faites
vos excuses.

55 LORD EDGARD: Mais enfin, chère amie. . . .

LADY HURF: [*Le pince plus fort.*] Je suis sûre,
entendez-vous, que vous vous trompez.

LORD EDGARD: [*Se frotte° le bras, puis ra-*
geur.°] Aïe! En effet,° maintenant que

la ritournelle	tune
goguenard	mocking; jeering
bas	in a low voice
de même	likewise
plaisanter	to crack jokes
se fouiller	to look in one's pockets
insensiblement	imperceptibly
prendre des nouvelles de	to inquire after
pincer	to pinch
frotter	to rub
rageur	in a rage
en effet	that's right

---

⁴*Tu parles d'une occasion rêvée*—Talk about a perfect opportunity!

⁶⁰ vous me le dites, je pense que j'ai dû con-
fondre° avec le duc d'Orléans.⁵

confondre to confuse

LADY HURF: C'est parfait. L'incident est
donc clos?°

clos closed

PETERBONO [*Soulagé.°*] Complètement clos.

soulager to relieve

⁶⁵ LADY HURF: Alors, passons tous sur la ter-
rasse. Je vais vous faire part° de mon
idée.

faire part de to inform; tell about

DUPONT-DUFORT PERE: Je trouve que c'est
une excellente idée!

⁷⁰ LADY HURF: [*Qu'il exaspère.*] Attendez, mon
cher, je ne l'ai pas encore dite. . . . Voilà,
on donne ce soir un Bal des Voleurs au
Casino. Nous allons tous nous déguiser
en voleurs et y aller. . . .

⁷⁵ DUPONT-DUFORT PERE ET FILS: [*Eclatent aus-
sitôt de rire.*] Hi! Hi! Hi! Dieu, que c'est
drôle!

DUPONT-DUFORT PERE: [*Sortant, à son fils:*]
Flattons ses moindres lubies.⁶

⁸⁰ PETERBONO: [*Furieux, en sortant à Hector:*]
Moi, je trouve cela de très mauvais goût.
Pas toi?

JULIETTE: [*Restée seule, relit le faire-part,
puis se demande:*] Son père n'est pas le
⁸⁵ duc de Miraflor, alors qui peut-il être?

LE CONTENU

1. Qu'est-ce que Lord Edgard est en train de faire quand il entre?
2. Que fait-il quand il trouve le faire-part?
3. Que fait Juliette du faire-part?
4. Comment Peterbono songe-t-il à profiter de la confusion?
5. Que dit Lord Edgard quand il revient à lui (*when he comes to*)?
6. Quelle remarque ironique Hector fait-il alors?
7. Selon Peterbono, qu'est-ce que ce n'est pas le moment de faire?

⁵*J'ai du confondre avec le duc d'Orléans*—I must have confused (the Duke of Miraflor)
with the Duke of Orléans.
⁶*Flattons ses moindres lubies*—Let us flatter her every whim.

8. Comment Lord Edgard sait-il que le duc est mort?
9. Que découvre-t-il quand il se fouille?
10. Pourquoi les Dupont-Dufort sont-ils contents?
11. Comment Lady Hurf explique-t-elle la scène que Lord Edgard vient de faire?
12. Que lui fait-elle?
13. Qu'est-ce qu'il dit enfin?
14. Comment Dupont-Dufort père exaspère-t-il Lady Hurf?
15. Quelle idée Lady Hurf a-t-elle?
16. Pourquoi les Dupont-Dufort éclatent-ils de rire?
17. Qu'est-ce que le vrai voleur, Peterbono, pense de l'idée de Lady Hurf?
18. Qu'est-ce que Juliette se demande à la fin? A qui pense-t-elle?

LE SENS

1. L'action se corse (*The plot thickens*). Montrez comment Anouilh utilise les artifices du théâtre conventionnel, avec ses revirements (*reversals*) inattendus et ses découvertes sensationnelles. Les prend-il au sérieux?
2. Commentez le parallélisme des couples Hector-Peterbono et Dupont-Dufort père et fils. Lequel est le plus sympathique?

DIALOGUE

A. Lord Edgard annonce son affreuse nouvelle.
B. Lady Hurf lui demande s'il est fou.
A. Lord Edgard dit qu'il a retrouvé le faire-part—puis il se rend compte qu'il l'a perdu.
B. Lady Hurf le pince, et lui dit qu'elle est sûre qu'il se trompe.
A. Lord Edgard, rageur, dit qu'en effet il a dû confondre.

ETUDE DE MOTS

J'ai dû confondre avec le duc   I must have taken (him) for the
d'Orléans.   Duke of Orléans.

Ne confondez pas avec des marques inférieures.	Don't confuse (our product) with inferior ones.
Ces deux mots se ressemblent. Ne les confondez pas.	These two words resemble each other. Don't get them mixed up.

EXERCICES

A.

LE PROFESSEUR: Vous ne restez pas?

L'ÉTUDIANT: Si, je reste.

LE PROFESSEUR: Vous comprenez, n'est-ce pas?

L'ÉTUDIANT: Oui, je comprends.

L'emploi de *si* au lieu de *oui* pour répondre à une question négative est obligatoire. Notez qu'une question suivie de *n'est-ce pas* n'est pas une question négative.

1. Vous ne pouvez pas venir?
2. Vous n'êtes pas le duc de Miraflor?
3. Vous êtes le duc, n'est-ce pas?
4. Vous n'allez pas au Bal des Voleurs?
5. Vous ne vous êtes pas amusé?
6. Vous ne buvez pas le cognac?
7. Vous mourez d'ennui à Vichy, n'est-ce pas?

Negatives (48, 51)

B

LE PROFESSEUR: Qui parle *de la situation politique?*

L'ÉTUDIANT: Personne n'en parle.

LE PROFESSEUR: A quoi pensiez-vous?

L'ÉTUDIANT: Je ne pensais à rien.

LE PROFESSEUR: Quelle actrice vous semble douée?

L'ÉTUDIANT: Aucune actrice ne me semble douée.

LE PROFESSEUR: Quelle pièce de Prévert connaissez-vous?

L'ÉTUDIANT: Je ne connais aucune pièce de Prévert.

LE PROFESSEUR: Etes-vous souvent allé *à Vichy?*

L'ÉTUDIANT: Non, je n'y suis jamais allé.

LE PROFESSEUR: Est-ce qu'il y a encore du monde sur la terrasse? (Employez deux négatifs.)

L'ÉTUDIANT: Non, il n'y a plus personne.

Répondez aux questions suivantes en employant l'expression négative convenable.

1. Qui veut déménager s'il est bien installé?
2. A qui les Anglais posent-ils *des questions personnelles?*
3. Qui avez-vous rencontré ce matin?
4. Qu'est-ce que vous avez dit?
5. A qui avez-vous montré *des photographies de la famille?*
6. Quelle nouvelle avez-vous à annoncer?
7. Quelle raison semble-t-elle avoir pour protéger les voleurs?
8. Est-ce qu'on voit encore *des vieilles dames excentriques comme Lady Hurf?*
9. Est-ce qu'il reste *du café?*
10. Est-ce qu'il y a encore quelque chose à faire? (Employez deux négatifs.)
11. Est-ce qu'il y a encore du monde dans le café? (Employez deux négatifs.)
12. Voyez-vous encore quelqu'un là-dehors? (Employez deux négatifs.)
13. Allez-vous souvent *au bar du Phœnix?* (Employez deux négatifs.)
14. Est-ce que Peterbono réussit souvent *à tromper les gens avec ses déguisements?*
15. Est-ce que Lady Hurf invitera *les Dupont-Dufort* plusieurs fois encore? (Employez deux négatifs.)
16. De quoi vous méfiez-vous?
17. Qui avez-vous invité pour ce soir?
18. Qui s'expose volontiers à la grippe?
19. A qui avez-vous parlé *de vos affaires?*
20. Qu'est-ce qui vous rassure?

Adjectives (1–2)

C.

LE PROFESSEUR: un homme naïf
L'ÉTUDIANT: une femme naïve
LE PROFESSEUR: une étudiante paresseuse
L'ÉTUDIANT: un étudiant paresseux

Substituez au nom indiqué le nom correspondant de l'autre genre en faisant tous les changements nécessaires.

1. une duchesse morte
2. une vache blanche
3. la grande rousse
4. un faux Anglais
5. un neveu charmant
6. ma tante favorite
7. une voleuse discrète
8. un séducteur dangereux
9. un vieil ami
10. une fille désobéissante
11. une enfant amusante
12. un monsieur sec
13. un vieux fou
14. mon grand cousin
15. une actrice vive
16. un comte français
17. ma grosse chatte

REVISION DES VERBES

Conditional (28A); Subjunctive (80)

D.

LE PROFESSEUR: Il a retrouvé le faire-part. Je savais bien.
L'ÉTUDIANT: Je savais bien qu'il retrouverait le faire-part.
LE PROFESSEUR: Il fallait bien.
L'ÉTUDIANT: Il fallait bien qu'il retrouve le faire-part.

Notez l'emploi du conditionnel après *je savais bien que* et l'emploi du subjonctif après *il fallait bien que.* Dans la langue littéraire on emploie l'imparfait du subjonctif après *il fallait,* mais dans le langage courant l'emploi du présent du subjonctif est normal.

1. Lord Edgard s'est méfié. Je savais bien.
2. Il fallait bien.
3. Il est venu en scène. Je savais bien.
4. Il fallait bien.
5. Soudain, il s'est écroulé. Je savais bien.
6. Il fallait bien.
7. Juliette a lu le faire-part. Je savais bien.
8. Il fallait bien.
9. Elle a fait beaucoup de bruit. Je savais bien.
10. Il fallait bien.
11. Les autres sont venus. Je savais bien.
12. Il fallait bien.
13. Les voleurs ont eu peur. Je savais bien.
14. Il fallait bien.
15. Ils ont voulu s'échapper. Je savais bien.
16. Il fallait bien.

☐

17. Edgard s'est redressé. Je savais bien.
18. Il fallait bien.
19. Peterbono a été très gêné. Je savais bien.
20. Il fallait bien.
21. Les Dupont-Dufort se sont réjouis. Je savais bien.
22. Il fallait bien.
23. Mais Edgard a perdu le faire-part. Je savais bien.
24. Il fallait bien.
25. Lady Hurf est intervenue. Je savais bien.
26. Il fallait bien.
27. Elle a su tout arranger. Je savais bien.
28. Il fallait bien.
29. Et ils sont tous allés au bal. Je savais bien.
30. Il fallait bien.

THEME D'IMITATION

Listen, Eva, I know that Gustave is not the son of a duke. I read the announcement (l. 9) Lord Edgar found when he was rummaging through that big pile of paper (l. 4). I am the one who took it. I didn't want our aunt to know (Ex. D, p. 369) that Gustave is a thief. He says he will never succeed as a robber. He is going to find honest work (l. 21, p. 56). I am going to go with him. We are going to hide for a year, long enough for me to come of age (ll. 39–40, p. 178). I want you to swear to me not to tell (55) our aunt. Anyhow, I think she knows that Gustave and his friends are not really Spanish noblemen. Did you see her pinch Lord Edgar's arm when he announced his dreadful piece of news (l. 22)? I don't know what's got into her (l. 21, p. 347).

SUJET DE COMPOSITION

Monologue de Lord Edgard. Il dit pourquoi il est certain que Peterbono est un imposteur, et que Lady Hurf veut le protéger.

Review Lesson VIII
Review of Lessons 37–41

VOCABULARY AND IDIOMS

TRANSLATE:

1. Take a closer look at them. (37)   Examinez-les de plus près.

2. She takes her hand away. (37)   Elle retire sa main.

3. whatever it may be (37)   quoi que ce soit

4. Let's have a cocktail. (38)   Prenons un cocktail.

5. She won't have anything to do with me, she snubs me. (38)   Elle m'envoie promener.

6. The pool is two meters deep. (38)   La piscine a deux mètres de profondeur.

7. Come, come, try to remember. (40)   Voyons, souvenez-vous.

8. She says good-bye with a little wave of the hand. (37)   Elle fait un petit signe d'adieu.

9. A lot of good that would do us! (39)   Nous serions bien avancés!

10. It bores me. (39)   Cela m'ennuie.

11. They squeezed money out of us. (39)   Ils nous ont soutiré de l'argent.

REPLACE THE EXPRESSION IN ITALICS BY A SYNONYM.

1. Edgard est *simple et naïf*. (39)   ingénu

2. Il reste vous; *c'est à dire* rien. (39)   autant dire

3. Elle dit qu'Edgard est un *sot*. (39)   benêt

4. Peterbono est un *voleur*. (39)   filou

5. Notre *destin* est entre vos mains. (39)   sort

6. Elle *embrasse Peterbono impétueusement*. (40)   se précipite au cou de Peterbono

7. *musique que l'on joue aux funérailles*. (40)   marche funèbre

8. C'est *fou!* (40)   insensé

9. Racontez les circonstances de *sa mort*. (40)   son trépas

10. Il se touche le cœur *plusieurs fois*. (40)   à plusieurs reprises

11. Il *prend une chose* (ou *une personne) pour une autre*. (40)   se méprend

12. Il *cherche soigneusement* dans un tas de papiers. (41)   fouille

13. Il pousse un cri et *tombe tout à coup*. (41)   s'écroule

14. *lettre pour annoncer la naissance, le mariage, la mort de quelqu'un*. (41)   faire-part

15. Quand elle lit la lettre elle est *très agitée*. (41)   bouleversée

16. Elle la cache *rapidement*. (41)   précipitamment

17. Il le regarde d'un air *railleur, moqueur*. (41)   goguenard

18. Ce n'est pas le moment de *dire des plaisanteries*. (41)   plaisanter

19. Il se dirige vers la porte *imperceptiblement*. (41)   insensiblement

20. Je reste pour *m'informer sur l'état de la santé* de mon hôte. (41)   prendre des nouvelles

21. Il *cherche dans ses poches*. (41)   se fouille

22. *ce qui se lève quand la pièce commence* (37)   le rideau

23. Quand on applaudit, Hector est *déconcerté*. (37)   confus

24. Il *remet* la loupe *à sa place*. (37)   range

25. Didier est un garçon *qui fait son travail.* (38)   travailleur

26. Tu *abandonnes* la petite Juliette. (38)   délaisses

27. Il veut *rétablir les affaires de la banque.* (38)   remettre la banque à flot

28. des conditions *meilleures que celles auxquelles on s'attendait* (38)   inespérées

29. Tu aurais sauvé *cet enfant.* (38)   ce bambin

30. Elle *se met à rire bruyamment.* (37)   éclate de rire

31. Tu n'es pas *le premier venu.* (38)   n'importe qui

32. *des bijoux faux* (37)   du toc

33. *la partie de la scène la moins éloignée du public* (37)   le premier plan

34. Tu es un garçon travailleur et —*ce qui est plus important*— d'initiative. (38)   qui plus est

35. Nous allons les rencontrer par *coïncidence* (38)   hasard

36. *parler de choses et d'autres* (38)   bavarder

37. un *habit que l'on met pour que les autres ne vous reconnaissent pas* (37)   déguisement

38. *la somme d'argent qu'une femme apporte en mariage* (37)   la dot

39. Un clarinettiste *représente* l'orchestre. (37)   figure

40. *station d'été où l'on prend les eaux* (37)   ville d'eaux

41. *pavillon ouvert où joue l'orchestre* (37)   kiosque à musique

42. *personne qui passe ses vacances d'été dans une station d'été* (37)   estivant

43. *marcher d'un pas incertain* (37)   tituber

44. Hector, *affaibli par l'émotion*, prend la main d'Eva. (37)   défaillant

45. *Je trouve qu'il a changé. Il n'est plus le même.* (38)   Je ne le reconnais plus.

46. Didier n'a pas l'air d'être un garçon *entreprenant*. (38)   d'initiative

47. Cette jeune personne a beaucoup de *charme*. (38)   séduction

48. *C'est vrai. Je me suis trompé.* (41)   En effet

49. J'ai dû *le prendre pour* le duc d'Orléans. (41)   confondre avec

50. Je vais vous *dire* mon idée. (41)   faire part de

51. Ils éclatent *immédiatement* de rire. (41)   aussitôt

52. Quand Lady Hurf voit les voleurs elle *agit comme si elle les reconnaissait.* (40)   fait semblant de les reconnaître

53. *perdre connaissance* (41)   s'évanouir

54. *approcher en courant* (41)   accourir

55. Edgard se *relève lentement.* (41)   redresse

56. *douleur causée par la mort de quelqu'un* (40)   deuil

57. Ils sont en train de *combiner* une intrigue. (39)   tramer

58. *exprimer par des gestes* (40)   mimer

59. Ils se ressemblent *tellement qu'on pourrait prendre l'un pour l'autre.* (40)   à s'y méprendre

60. Vous *me faites souffrir en abordant ce sujet douloureux.* (40)   touchez une plaie cuisante

61. Peterbono parle bas. Hector *aussi.* (41)   de même

62. Il se *frictionne* le bras.   frotte

ANSWER BRIEFLY THE FOLLOWING QUESTIONS.

1. Pourquoi Edgard devrait-il dé-   C'est leur tuteur.
   fendre ses nièces contre les
   financiers qui sont à la poursuite de leur dot? (39)

2. Quelle est toujours la réaction   Il est surpris et gêné.
   d'Edgard quand Lady Hurf lui
   adresse la parole? (39)

3. Qu'est-ce que Lady Hurf et le   les courses de taureaux
   duc de Miraflor allaient voir à
   Pampelune en 1902? (40)

4. Dans quoi Edgard est-il en   dans un tas de papiers
   train de fouiller avant de
   s'écrouler évanoui? (41)

5. Où Didier pourrait-il faire ad-   à la piscine
   mirer son crawl? (38)

6. Avec quoi Hector regarde-t-il   avec une loupe
   la bague? (37)

7. Pourquoi Hector peut-il exa-   parce qu'elle se détourne
   miner la bague sans qu'Eva
   s'en aperçoive? (38)

8. Sur quel sujet Didier donne-t-   sur ses placements
   il des conseils à Lady Hurf?
   (38)

9. Pourquoi Juliette et le jeune   pour se sécher
   homme restent-ils au soleil
   après avoir sauvé le bambin?
   (38)

10. Qu'est-ce qu'Hector examine   la bague
    sous la loupe? (37)

NEW GRAMMAR

1. Subjunctive

the best restaurant I know   le meilleur restaurant que je con-
                                naisse (81A.6)

| There is no one who can understand it. | Il n'y a .personne qui puisse le comprendre. (81A.7) |
| I want you to have left when I get there. | Je veux que vous soyez parti quand j'arrive. (81E.2) |

2. *Etre* verbs (32D)

| He went out. | Il est sorti. |
| He took out his pencil. | Il a sorti son crayon. |

3. Translation of *would*

When I was young, I would study.	Quand j'étais jeune, j'étudiais. (28B.1)
Would you like to study?	Voudriez-vous étudier? (28B.3)
He wouldn't (refused to) study.	Il n'a pas voulu étudier. (28B.2)

4. Avoiding the passive (21)

| That is not said. | Ça ne se dit pas (*ou*, On ne dit pas ça). |

5. *Savoir* and *connaître*

| I know him. | Je le connais. |
| I know the reason. | Je sais la raison. |

6. Distinction between adjectives and pronouns

Each girl is here.	Chaque fille est ici.
Each one is here.	Chacune est ici.
Some gentlemen are here.	Quelques messieurs sont ici.
Some are here.	Quelques-uns sont ici.
All the men are here.	Tous les hommes sont ici.
All are here.	Tous sont ici.

I know them all.	Je les connais tous.
I know some of them.	J'en connais quelques-uns.

7. Adjectives modifying *rien*, *quelqu'un*, etc.

something interesting	quelque chose d'intéressant
nothing good	rien de bon

8. *Laisser*, *sentir*, *voir*, etc. + infinitive (43A)

I listen to the orchestra playing.	J'écoute jouer l'orchestre.
I listen to the orchestra playing the overture.	J'écoute l'orchestre jouer l'ouverture.

9. Stressed pronouns (79D)

I'm leaving.	Moi, je pars.

10. *Si* after negative questions

Don't you want any?	Vous n'en voulez pas?
Yes, I do.	Si, j'en veux.

11. Combinations of negatives (51)

There's nothing left.	Il n'y a plus rien.
I'll never go there again.	Je n'irai plus jamais là-bas.

12. Object pronouns (59D, E)

I am interested in her.	Je m'intéresse à elle.
I go to her.	Je vais à elle.
I speak to her.	Je lui parle.

REVIEW GRAMMAR

1. Subjunctive (**81**)
2. Future (**36–37**)
3. Present (**73B**)
4. *Imparfait* (**40**)
5. Conditional (**28**)
6. Adjectives (**2A**)

LEÇON SUPPLEMENTAIRE (I)
Le Bal des voleurs [VI]
Jean Anouilh

Tout le monde sauf Gustave et Juliette va au Bal des Voleurs. Gustave est amoureux de Juliette. Puisqu'il ne peut pas l'épouser il va cambrioler° la villa et s'en aller. Mais *cambrioler* to rob; ransack
5 Juliette l'aime. Malgré les protestations de Gustave, elle part avec lui.

Les autres reviennent du bal. Les Dupont-Dufort sont ravis° de découvrir qu'on *ravi* delighted
a cambriolé la villa. Ils se rendent compte
10 que c'est Gustave le coupable, et que Peterbono et Hector sont ses complices. Ils téléphonent à la police, et ensuite appellent les autres à grands cris.

LADY HURF: Je ne veux pas de police chez
15 moi. . . .
DUPONT-DUFORT PERE: C'est trop tard. Ils sont certainement en route.
[*Hector et Peterbono tentent brusquement de se sauver.*]
20 DUPONT-DUFORT PERE: Tenez! Les voilà qui fuient!° *fuir* to run away
DUPONT-DUFORT FILS: Oh! C'est trop fort! Nous vous sauverons malgré vous. Haut les mains!° *haut les mains* stick 'em up
25 DUPONT-DUFORT PERE: Haut les mains!
[*Ils les menacent de leurs revolvers.*]

387

LADY HURF: Messieurs, je suis ici chez moi!
Je vous somme° de rentrer° ces armes!

sommer to command; summon
rentrer to put away

DUPONT-DUFORT FILS: Non!

30 DUPONT-DUFORT PERE: Non. Vous nous re-
mercierez plus tard. . . .

LADY HURF: Eva, je vais avoir une crise de
nerfs!° Appelle les domestiques!° Emile!
Quelqu'un vite! Joseph! quelqu'un!

une crise de nerfs hysterics
le domestique servant

35 LES AGENTS: [*Entrent sur ces cris.*] Nous
voici. Sosthène, à toi le gros![1]
[*Ils ont vu ces deux horribles têtes de
bandits[2] qui menaçaient ces gentlemen
de leurs armes. Ils n'ont pas hésité. Ils se
40 précipitent sur les Dupont-Dufort.*]

LES AGENTS: Ah! mes lascars,° Nous vous
tenons!

le lascar fellow, knave

DUPONT-DUFORT PERE ET FILS: [*Qui recu-
lent.*] Mais. . . Mais. . . Mais ce n'est pas
45 nous. . . . Pas nous! Au contraire. . . .
C'est nous qui avons téléphoné. C'est
insensé! C'est eux!
[*Les agents les attrapent et les chargent
sur leurs épaules.[3]*]

50 LES AGENTS: Et voilà! [*A Hector:*] Si vous
voulez nous donner un coup de main°
pour ouvrir la porte, monsieur, ce n'est
pas de refus![4]

donner un coup de main to give a
hand

HECTOR: Volontiers! Très volontiers!

55 [*Les agents emmènent les Dupont-Dufort, malgré leurs protestations déchir-
antes.°*]

déchirant piercing

LORD EDGARD: [*Affolé.*] Mais chère amie. . . .

LADY HURF: [*Sévère.*] Edgard, taisez-vous.

60 DUPONT-DUFORT PERE: [*Emporté,° hurle° en
vain.*] Mais dites-leur quelque chose,
voyons! Dites-leur quelque chose. . . .

emporté carried off
hurler to howl; yell

---

[1]*Sosthène, à toi le gros!*—Sosthène, you take the fat one!
[2]*ces têtes de bandit*—The Dupont-Duforts are still wearing the robber costumes they
wore to the Bal des Voleurs. The others are not.
[3]*Ils les chargent sur leurs épaules*—They lift them up onto their shoulders.
[4]*Ce n'est pas de refus*—It would be a great help.

DUPONT-DUFORT FILS: [*Passant près d'Eva.*]
Mademoiselle Eva. . . .

65   [*Les Dupont-Dufort sont sortis, sur le
dos° des agents, salués par leur petite   le dos   back
ritournelle.*]

LADY HURF: [*Tranquillement.*] Eh bien! je
suis très contente. Voilà trois semaines
70   que ces gens-là étaient chez moi et je ne
savais comment m'en débarrasser.°   se débarrasser de   to get rid of

LORD EDGARD: [*Vaincu° par ces émotions,*   vaincu   overcome
est tombé à demi évanoui dans un fau-
teuil.°] Et dire que je suis ici pour me   le fauteuil   armchair
75   soigner le foie!⁵

LE CONTENU

1. Qu'est-ce qui arrive pendant que tout le monde est au Bal des
   Voleurs?
2. Pourquoi les Dupont-Dufort sont-ils ravis quand ils reviennent?
3. Que font-ils?
4. Comment Lady Hurf continue-t-elle à protéger les voleurs?
5. Que font Hector et Peterbono?
6. Que font les Dupont-Dufort pour les arrêter?
7. Que fait Lady Hurf quand les Dupont-Dufort sortent leurs revolvers?
8. Pourquoi les agents se précipitent-ils sur les Dupont-Dufort?
9. Quelle objection les Dupont-Dufort font-ils?
10. Qu'est-ce que les agents demandent à Hector de faire?
11. Qu'est-ce que Dupont-Dufort père hurle?
12. Comment les Dupont-Dufort sont-ils sortis?
13. Pourquoi Lady Hurf est-elle contente?
14. Pourquoi Lord Edgard tombe-t-il dans un fauteuil?
15. Quelle exclamation fait-il?

LE SENS

1. Dans une pièce de théâtre il y a parfois un personnage qui crée
   l'action, qui la domine, et qui fait jouer les autres personnages

---

⁵*Et dire que je suis ici pour me soigner le foie!*—And to think that I came here to take
care of my liver! (Vichy water is said to be good for liver and other ailments.)

comme des marionnettes dont il tire les ficelles (*strings*). Il peut arriver que la situation qu'il a créée lui échappe momentanément, ou même qu'elle se retourne contre lui. Qui joue ce rôle dans *Le Bal des voleurs* et comment l'action se développe-t-elle?

2. Discutez les divers déguisements dans *Le Bal des voleurs*. Quelle est l'importance du déguisement dans l'intrigue? Quelle signification peut-on y attacher?

ETUDE DE MOTS

1. *tête*

sometimes means "face," "expression," often in a pejorative sense.

Il a une tête d'assassin. He looks like an assassin.
Quelle tête de lard! What a fathead!
Il en a fait une tête! He certainly looked surprised!

2. *Ils les chargent sur leurs épaules.* They load them onto their shoulders.
Leurs revolvers sont chargés. Their revolvers are loaded.
J'ai un programme chargé. I have a heavy program.
Il m'a chargé de vous dire. He told me to tell you.

EXERCICES

Interrogatives (45–47)

A.

Le professeur dit quelque chose mais vous n'entendez pas très bien la fin de sa phrase. Vous lui posez donc une question:

LE PROFESSEUR dit: L'ÉTUDIANT demande:
Je sortirai *demain*. Quand sortirez-vous?
J'ai invité *les Dupont-Dufort*. Qui avez-vous invité?

1. Tout le monde va *au Bal des Voleurs*.
2. Gustave est amoureux de *Juliette*.
3. Il va s'en aller *puisqu'il ne peut pas l'épouser*.

4. Mais elle part avec lui malgré *ses protestations*.
5. Les autres reviennent du *bal*.
6. Les Dupont-Dufort découvrent *qu'on a cambriolé la villa*.
7. Ils se rendent compte *que c'est Gustave le coupable*.
8. Ils téléphonent à *la police*.
9. Ils appellent les autres *à grands cris*.
10. Ils vont arrêter les voleurs malgré *Lady Hurf*.

☐

11. Elle va avoir *une crise de nerfs*.
12. Elle appelle *les domestiques*.
13. Les agents arrivent *à ce moment-là*.
14. Les Dupont-Dufort menacent les voleurs avec *leurs revolvers*.
15. Ils se précipitent sur *eux*.
16. Hector leur donne *un coup de main*.
17. Les agents emportent les Dupont-Dufort sur *leurs épaules*.
18. Ils sont salués en sortant par *leur petite ritournelle*.
19. Ils ont passé dans la villa *trois semaines interminables*.
20. Lady Hurf le dit *tranquillement*.
21. Edgard est vaincu par *ses émotions*.

Object pronouns (56–57, 59D)

B.
LE PROFESSEUR: Hector pense-t-il *à voler les bijoux d'Eva*?
L'ÉTUDIANT: Oui, il y pense.
LE PROFESSEUR: Parle-t-il *à Eva*?
L'ÉTUDIANT: Oui, il lui parle.

1. Hector plaît-il *à Eva*?
2. Et Eva plaît-elle *à Hector*?
3. Edgard répond-il *à Lady Hurf*?
4. Répond-il *aux questions qu'on lui adresse*?
5. Demande-t-il conseil *à Dupont-Dufort père*?
6. Dupont-Dufort inspire-t-il confiance *à Edgard*?
7. Lady Hurf réussit-elle *à convaincre Edgard*?
8. Lady Hurf fait-elle peur *à Edgard*?
9. Songe-t-il *à faire venir un détective*?
10. Edgard tient-il *à ce que son détective soit honnête*?
11. Dit-il *à Lady Hurf* qu'il est un gentleman?

Object pronouns (59F); Infinitive (42–43)

C.

LE PROFESSEUR: Promenez-vous avec moi.
L'ÉTUDIANT: Je ne veux pas me promener avec vous.
LE PROFESSEUR: Mentez à votre tante.
L'ÉTUDIANT: Je ne veux pas lui mentir.

1. Venez avec moi.
2. Asseyez-vous ici.
3. Ecoutez la musique.
4. Prenez le menu.
5. Lisez-le.
6. Dites-moi ce que vous voulez.
7. Choisissez.
8. Buvez ce cognac.
9. Sortez avec moi ce soir.
10. Montez dans mon automobile.
11. Faites-le.
12. Regardez-moi.
13. Souriez.
14. Partez avec moi.
15. Alors, rejoignez-moi tout à l'heure.

THEME D'IMITATION

The plot (l. 22, p. 355) of *Le Bal des voleurs* is full of disguises and (See **78E**) surprises. Lady Hurf pretends (l. 7, p. 363) to take Peterbono for the Duke of Miraflor. Then the policemen take the two financiers for robbers and, loading them on their shoulders (l. 49), they carry them off (l. 55) quickly, while the clarinet plays for the last time the little tune which always accompanies them (ll. 2–3, p. 347). The Dupont-Duforts are still wearing their robber costumes, which (**77F.4**) explains why the policemen misunderstand (l. 80, p. 366) the situation. But upon reflection one can ask if the truth is hidden or discovered by disguise. Aren't the Dupont-Duforts the real robbers? As Lady Hurf says, "They want to squeeze a lot of money out of us." (l. 49, p. 356) Whereas Peterbono never succeeds in robbing anything at all (l. 5, p. 339). He is happy simply to be a guest (l. 26, p. 82) at Lady Hurf's.

SUJET DE COMPOSITION

La rentrée des agents au bureau de police. Ils sont fiers de leur travail. Un coup de téléphone de la villa leur apprend leur erreur.

LEÇON SUPPLEMENTAIRE (II)
Le Bal des voleurs [VII]
Jean Anouilh

Lady Hurf regarde Peterbono, qui depuis l'arrestation des autres s'étrangle,° pris d'un fou rire inextinguible.[1]

LADY HURF: Mon cher, ce n'est pas la peine
5 de tant rire,[2] je sais parfaitement que c'est vous le vrai voleur.
   [*Il s'arrête net.° Elle fouille dans sa poche.*]
LADY HURF: Rendez-moi mes perles. Vous
10 n'êtes pas très fort.°
PETERBONO: Mais comment cela se fait-il?[3]
LADY HURF: Vous avez de grands bagages? Seront-ils longs à faire?
PETERBONO: [*Minable.°*] Oh, non. . . .
15 LADY HURF: Alors, je vous conseille° de monter vite là-haut.°
PETERBONO: Oh! oui. . . .
HECTOR: [*Entre, superbe.°*] Voilà milady, les coquins° sont en de bonnes mains.
20 [*Peterbono tousse.°*]
HECTOR: Vous n'êtes pas bien, mon cher père?
LADY HURF: Non. Il n'est pas très bien. Montez donc avec lui dans vos chambres.

s'étrangler to strangle; choke

s'arrêter net to stop cold

fort clever; able

minable pitiful, pathetic
conseiller to advise
là-haut upstairs

superbe in a lordly manner
le coquin knave
tousser to cough

[1]*pris d'un fou rire inextinguible*—shaken with uncontrollable laughter.
[2]*Ce n'est pas la peine de tant rire*—Don't bother laughing so much.
[3]*Comment cela se fait-il?*—How did it happen? (How did you find out?)

²⁵ HECTOR: Vraiment, mais d'où souffrez-vous?

LORD EDGARD: [*Qui est revenu à lui.*[4]] Vous
voyez bien que le duc de Miraflor était
mort en 1904!

LADY HURF: Je le savais depuis longtemps,
³⁰ mon cher.

HECTOR: [*Ne comprenant toujours pas les
signes de Peterbono, badin.*°] Ha, ha, ha.
. . . C'est cette vieille plaisanterie?

badin playfully

LADY HURF: Le duc est mort entre mes bras,
³⁵ ou peu s'en faut.° Je savais donc par-
faitement à qui nous avions affaire.[5] Seulement, je m'ennuie tant, mon vieil
Edgard!

peu s'en faut very nearly; almost

HECTOR: [*Se rapproche enfin de Peterbono.*]
⁴⁰ Mais enfin qu'est-ce que c'est?

PETERBONO: Imbécile, il y a une heure que
j'essaie de te le dire, nous sommes découverts, mais elle nous laisse partir.

HECTOR: Hein? Mais puisqu'on vient d'arrê-
⁴⁵ ter les autres?

LADY HURF: [*Va à eux, souriante.*] Je ne
pense pas, messieurs, que vous vouliez
attendre la visite du commissaire.

HECTOR: Mais c'est inadmissible!° De quoi
⁵⁰ nous accuse-t-on? Nous avons été avec
vous toute la soirée.

inadmissible unacceptable; unheard of

PETERBONO: Ne fais pas le malin.[6] Viens
donc!

LADY HURF: Allez donc, monsieur, puisque
⁵⁵ tout le monde vous le conseille. . . .

HECTOR: Mais. . . . C'est inconcevable. . . .

PETERBONO: [*Bas.*] Fais donc vite, idiot. Elle
m'a repris le collier,° mais j'ai conservé
la bague.

le collier necklace

⁶⁰ [*Ils sortent très dignes. Une petite mu-
sique allègre° salue leur départ.*]

allègre lively, cheerful

[4]*qui est revenu à lui*—who has come to.
[5]*à qui nous avions affaire*—with whom we were dealing (i.e., she knew all along that
they were crooks).
[6]*Ne fais pas le malin*—Don't try to be so smart.

LADY HURF: [*Les a regardés partir avec un sourire attendri.°*] Pauvre vieux! Je lui ai laissé ma bague. En somme,° ils sont

65   restés quinze jours ici à cause de moi.

attendri affectionate; fond

en somme after all

Quelques moments plus tard Juliette et Gustave reviennent et, pour eux, tout finit bien.

LE CONTENU

1. Que fait Peterbono à l'arrestation des Dupont-Dufort?
2. Pourquoi s'arrête-t-il net?
3. Pourquoi Lady Hurf fouille-t-elle dans la poche de Peterbono?
4. Pourquoi lui conseille-t-elle de monter dans sa chambre?
5. Que dit Hector en entrant?
6. Pourquoi Peterbono tousse-t-il?
7. Quelles questions Hector lui pose-t-il?
8. Que dit Lord Edgard?
9. Comment Lady Hurf sait-elle que le duc est mort? Que savait-elle donc parfaitement?
10. Pourquoi a-t-elle fait semblant de reconnaître le duc de Miraflor?
11. Que dit Peterbono à Hector quand celui-ce se rapproche enfin de lui?
12. Quelle objection Hector lui fait-il?
13. Quelle objection fait-il à Lady Hurf?
14. Qu'est-ce que Peterbono lui dit de faire? Pourquoi est-il pressé de partir?
15. Comment Lady Hurf les regarde-t-elle partir? Qu'est-ce qu'elle leur a laissé? Pourquoi?

LE SENS

1. Discutez le titre de la pièce. Est-il en effet question d'un bal des voleurs dans la pièce? Au sens plus large, qui sont les voleurs dans la comédie, et de quelles diverses façons ressemble-t-elle à un bal?
2. Anouilh appelle la pièce une comédie-ballet. Où a-t-il trouvé ce

nom? Par lesquels de ses aspects la pièce ressemble-t-elle à un ballet?

DIALOGUE

A. Hector demande à Peterbono ce que c'est.

B. Peterbono dit qu'il essaie de le lui dire depuis une heure, qu'ils sont découverts, mais qu'elle les laisse partir.

A. Hector demande de quoi on les accuse, et prouve son alibi.

B. Peterbono lui dit de ne pas faire le malin. Il explique pourquoi ils ne s'en iront pas les mains vides.

ETUDE DE MOTS

1. *Ne fais pas le malin.*   Don't pretend to be smart.
   Ne fais pas l'idiot. (Ou Ne fais   Stop acting like a fool (fooling
   pas l'imbécile.)   around).
2. *pris d'un fou rire*   overcome by laughter
   Elle fut prise d'une crise de   She broke out into hysterics.
   nerfs.
   Mais qu'est-ce qui vous prend?   What's got into you?

EXERCICES

Imparfait **(40)**

A.
Le professeur raconte l'histoire au présent; l'étudiant la répète au passé.

1. Depuis l'arrestation des autres Peterbono s'étrangle, pris d'un fou rire.
2. Soudain Lady Hurf s'adresse à lui.
3. Elle lui explique que ce n'est pas la peine de tant rire,
4. qu'elle sait parfaitement que c'est lui le vrai voleur.
5. Peterbono s'arrête net.
6. Quand il comprend que ses protestations sont inutiles, il change de ton.

7. Il se rend compte qu'il faut s'en aller.
8. Mais Hector, qui revient tout joyeux, ne sait pas ce qui s'est passé.
9. Enfin il se rapproche de Peterbono;
10. et celui-ci dit qu'ils doivent s'en aller tout de suite.
11. D'abord Hector demande de quoi on les accuse.
12. Il dit qu'ils ont été avec eux toute la soirée.
13. Mais enfin les deux voleurs s'en vont.
14. Lady Hurf leur laisse la bague,
15. parce qu'ils sont restés là quinze jours à cause d'elle.

Subjunctive (81); Future (36–37); Present (73B); *Imparfait* **(40); Conditional (28)**

B.

LE PROFESSEUR: *avoir la bague.* Je sais qu'il _____.
L'ÉTUDIANT: Je sais qu'il a la bague.
LE PROFESSEUR: *avoir la bague.* Je suis content qu'il _____.
L'ÉTUDIANT: Je suis content qu'il ait la bague.
LE PROFESSEUR: *avoir la bague.* Il est heureux depuis qu'il _____.
L'ÉTUDIANT: Il est heureux depuis qu'il a la bague.
LE PROFESSEUR: *avoir la bague.* Il sera heureux quand il _____.
L'ÉTUDIANT: Il sera heureux quand il aura la bague.

rendre les perles
1. Elle insiste pour qu'il *rende les perles.*
2. Il a l'air misérable quand il *rend les perles.*
3. Il ne sera plus coupable quand il *aura rendu les perles. (ou rendra)*
4. Il se sent innocent depuis qu'il *rendu*
5. Hector est étonné que Peterbono *rende les perles.*

s'en aller
1. Il faut que Peterbono et Hector *s'en aillent*
2. Je veux que ces deux voleurs *s'en aillent*
3. On va s'ennuyer dans la villa quand ils *s'en iront.*
4. La police les a arrêtés pendant qu'ils *s'en allaient*
5. Hector est malheureux parce qu'ils *s'en vont*

revenir du bal
1. Ils seront surpris quand ils *reviendront du bal*
2. Partons avant qu'ils *reviennent du bal*

3. Elle n'a pas encore découvert qu'on a cambriolé la villa. Cependant il y a dix minutes qu'elle _est revenue du bal._

4. J'attends jusqu'à ce qu'ils _reviennent du bal._

5. On les a cambriolés pendant qu'ils _revenaient du bals_

faire la cure à Vichy

1. Je vais beaucoup mieux depuis que je _fait la cure_

2. Si vous _faisiez_ vous iriez beaucoup mieux.

3. Si vous m'en croyez, vous _ferez la cure._

4. Je viendrai vous ~~visiter~~ _faire la visite_ quand vous _aurez fait la cure_

5. Vous reviendrez à Paris tout rayonnant de santé quand vous _ferez la cure._

Literary tenses (85)

C.

LE PROFESSEUR: Il *vint* me voir.
L'ÉTUDIANT: Il **est venu** me voir
Substituez le passé composé au passé simple.

1. Elle *fit* beaucoup de bruit.
2. Ils *prirent* leurs revolvers.
3. Ils *refusèrent*.
4. Ils ne se *turent* pas.
5. Ils *ouvrirent* la porte.
6. Nous *fûmes* surpris.
7. Je *vis* les agents.

8. J'*eus* peur.
9. Il *courut* vite.
10. Ils *vainquirent*.
11. Ils *moururent*.
12. Quand *vécut*-il?
13. Quand *naquit*-il?

D.

LE PROFESSEUR: Il aurait voulu que nous fussions à l'heure.
L'ÉTUDIANT: Il aurait voulu que nous soyons à l'heure.
LE PROFESSEUR: Je craignais que le train fût déjà parti.
L'ÉTUDIANT: Je craignais que le train soit déjà parti.

Le verbe de la phrase subordonnée dans la phrase de l'étudiant, comme dans celle du professeur, est au subjonctif, mais l'étudiant substitue le présent du subjonctif à l'imparfait du subjonctif, et le parfait du subjonctif au plus-que-parfait du subjonctif.

1. Je craignais qu'il ne *vînt*.
2. Il aurait fallu qu'il *parlât*.

3. Bien que nous fissions de notre mieux, nous ne réussîmes pas.
4. Il tenait à ce que tout fût en ordre.
5. Il a ordonné qu'on détruisît la ville.
6. J'étais étonné qu'ils eussent déjà mangé.
7. Il ne s'attendait pas à ce qu'elle fusse partie.
8. Il aurait fallu qu'on les appelât plus tôt.
9. J'aurais préféré qu'il mourût.
10. Que vouliez-vous qu'il fît?

THEME D'IMITATION

You should have seen Peterbono when Lady Hurf told him that he was the real robber (l. 6). He certainly looked surprised! (*Etude de mots* 1, p. 390) Lady Hurf had pretended to recognize him because she was bored to tears (l. 26, p. 365). She knew very well with whom she was dealing (l. 36). Hector could not remember which disguise he was wearing when Eva had told him she liked him and he still hoped to find it, but Peterbono realized it was time to pack their bags (l. 13) and leave while he still had the ring in his pocket. He finally went over to him (l. 39) and said, "Stop acting so smart (l. 52). She knows who we are." It is still Lady Hurf who has the last word, since she left him the ring on purpose (l. 56, p. 296), so that he would not have spent fifteen days in her house for nothing.

SUJET DE COMPOSITION

Lady Hurf explique à Lord Edgard pourquoi elle a invité les voleurs dans sa villa.

Grammatical Appendix

Each exercise refers to a part of the appendix that explains the point or points of grammar drilled. It is a good practice to read the explanation before or after doing the exercise. But remember that your object is not simply to understand the pattern drilled, but to be able to use it actively.

This appendix may also be used in the correction of compositions and *thèmes d'imitation*. If your instructor uses abbreviations on your compositions, look up the abbreviation in the table of contents and abbreviations, and read the part of the appendix to which it refers. This should enable you to make most of the corrections yourself, and to learn why what you have written is wrong. For example, if your instructor marks your composition as follows,

cond   S'il *viendrait*, je serais content.

look up *cond* (conditional) in the appendix, and you will discover that the *imparfait* and not the conditional should be used here. If the instructor wishes to refer you directly to the relevant rule, he will give you the paragraph number and letter, in this case, **28E**.

The appendix can also be used when you are writing compositions, when you are reviewing for an examination, or when you cannot remember a given rule or form. Become familiar with its organization. The headings are arranged alphabetically. Under each tense you will find the rules for the formation and use of that tense. Verbs which take *à* or *de* or no preposition before an infinitive are listed under *prepositions*. The partitive article is treated under *articles*. There are separate headings for *agreement* and *repetition* and the treacherous complexities of translating *would*, *could*, and *should* are listed under *conditional*.

TABLE OF CONTENTS AND ABBREVIATIONS

Other abbreviations which may be used in correcting compositions:

Id   French idiom used incorrectly or English idiom translated literally into French.

s   Improper syntax: words missing, superfluous words, or wrong word order.

sp   Spelling.

t   Wrong tense or wrong tense sequence.

v   Check verbs in verb tables.

Voc   Wrong word used. Cannot be used in this sense or is not a French word. Either restate the thought, or carefully consult a good dictionary.

?   Meaning unclear.

ADJECTIVES

1. Formation of the Feminine of Regular Adjectives

A.
If the adjective ends in an *-e* in the masculine, it remains unchanged in the feminine.

jeune–jeune   vide–vide   autre–autre

B.
To Spell the feminine form of other adjectives, add *-e* to the masculine form. Thus final consonants which are silent in the masculine are pronounced in the feminine, and final nasal vowels are denasalized.

petit–petite   féminin–féminine   chaud–chaude

2. Formation of the Feminine of Irregular Adjectives

A.
Adding the *-e* to the masculine form of certain adjectives causes other changes in the spelling and pronunciation. Note the following patterns:

(1) Doubling the consonant of adjectives ending in *-el*, *-eil*, *-en*, *-on*, and the *-s* of *bas, las, gras, gros, épais*

bon–bonne   gros–grosse   pareil–pareille

(2) *Accent grave* on the penultimate *-e* of adjectives ending in *-er* and of some ending in *-et*

premier–première   étranger–étrangère   secret–secrète

(3) x becomes s

heureux–heureuse   curieux–curieuse

(4) *f* becomes *v*

neuf–neuve   actif–active

(5) Usually *-eur* becomes *-euse,* and *-teur* becomes *-trice*

moqueur–moqueuse   directeur–directrice
Exceptions: meilleur–meilleure, supérieur–supérieure, inférieur–inférieure

(6) Exceptional spellings

blanc–blanche   frais–fraîche   doux–douce
franc–franche   sec–sèche   faux–fausse
long–longue

B.

Beau, nouveau, fou, mou, and *vieux* have special masculine forms used only before a vowel or a mute *h: bel, nouvel, fol, mol, vieil.* The feminine forms are pronounced like these special forms, but are spelled *belle, nouvelle, folle, molle, vieille.*

3. Formation of the Plural of Regular Adjectives

To spell the plural form add *-s;* add nothing to the masculine plural if the adjective ends in *-s* or *-x* in the singular.

grande–grandes   petit–petits   gros–gros

4. Formation of the Plural of Irregular Adjectives

The masculine plural ending of adjectives ending in *-al: -aux; eau: eaux.*

loyal–loyaux   beau–beaux

5. Position of Adjectives

A.
In general the adjective follows the noun.

B.
Certain common short adjectives usually precede the noun. Note that if an adjective precedes a noun its antonym often does so also.

jeune; nouveau	young; new	vieux	old
bon	good	mauvais	bad
meilleur	better	pire	worse
grand; gros	big; fat	petit	little
joli; beau	pretty; beautiful	vilain	ugly
autre	other	même	same
long	long		
haut	high		

If these adjectives are modified, however, they usually follow the noun.

une femme incroyablement belle   an incredibly beautiful woman
un étudiant beaucoup trop jeune   much too young a student

All numbers, *premier, dernier, deuxième, deux, trois,* and so on, precede the noun.

C.

Certain adjectives vary in meaning according to their position. Note that the meaning is often literal or physical if the adjective follows the noun, but figurative if it precedes it.

un ancien élève	a former student
une maison ancienne	an ancient house
un brave homme	a good man
un homme brave	a brave man
une certaine chose	a certain thing
une chose certaine	a sure thing
un cher ami	a dear friend
un restaurant cher	an expensive restaurant
le dernier samedi du mois	the last Saturday of the month
samedi dernier	last Saturday
un grand homme	a great man
un homme grand	a tall man
une nouvelle tasse	a new cup
une tasse nouvelle	a different cup
une pareille chose	such a thing
une chose pareille	a similar thing
un pauvre homme	an unfortunate man
un homme pauvre	a penniless man
ma propre chambre	my own room
ma chambre propre	my clean room
un sale coup	a dirty trick
les mains sales	dirty hands
un vrai désastre	a veritable disaster
une histoire vraie	a true story

ADVERBS

6. Formation of Adverbs

A.
Adverbs are formed by adding -*ment* to the feminine form of the adjective.
heureuse–heureusement   secrète–secrètement   active–activement

B.
-*ment* is added to the masculine form if the adjective ends in a vowel.
joli–joliment   poli–poliment

C.
If the adjective ends in -*ant* or -*ent*, the adverb ends in -*amment* or -*emmment*, pronounced *a-ment*.
évident–évidemment   indépendent–indépendamment

D.

There are a few irregularly formed adverbs, quite a number of which end in -*ément*.

bon–bien   confus–confusément   fou–follement
mauvais–mal   profond–profondément   mou–mollement
gentil–gentiment

7. Position of Adverbs

A.

In simple tenses the adverb usually comes directly after the verb. It may also come at the beginning of the sentence for emphasis or at the end. The adverb never comes directly in front of the verb, as it often does in English.

Elle porte toujours du vert.   She always wears green.
Il répond souvent.   He often answers.

B.

In compound tenses most short adverbs come between the auxiliary and the past participle.

Je n'ai pas encore vu ce film.   I have not seen that movie yet.
Est-il déjà parti?   Has he left already?

C.

Adverbs of time, such as *tard* and *demain*, adverbs of place, such as *ici* and *là*, and adjectives used adverbially, such as *bas* and *cher*, follow the past participle.

Cela a coûté cher.   It was expensive.
Je suis allé là-bas.   I went over there.
Elle est arrivée hier.   She arrived yesterday.

D.

Adverbs ending in -*ment* do not come between the auxiliary and the past participle. Exceptions: *certainement, probablement, seulement, vraiment*.

AGREEMENT

8. Adjectives

The adjective agrees with the noun it modifies.

des maison anciennes   old houses   Quelle idée!   What an idea!

9. Pronouns

The pronoun must correspond to the noun it represents.

J'ai lu la leçon. Elle est facile.	I read the lesson. It's easy.
Voilà Georges. Tu le connais?	There's George. Do you know him?

10. Verbs

The verb form must correspond to its subject.

Marie et Louise nous parlaient.	Marie and Louise were talking to us.
C'est nous qui avons parlé.	We are the ones who spoke.

11. Past Participles

A.
Etre verbs. The past participle agrees with the subject of the verb.

Elle est née. She was born.	Elle est morte. She died.

B.
Avoir verbs. The past participle agrees with the *preceding direct* object. Note: it must be the *direct* object and it must *precede* the verb. There is no agreement with *en*.

Les livres que j'ai lus. . . .	The books I have read. . . .
Quelle règle? Celle que j'ai apprise.	What rule? The one I learned.
Combien de films avez-vous vus?	How many movies have you seen?
Je l'ai vue.	I saw her.

But:

Avez-vous fait des remarques?	Did you make any remarks?
Oui, j'en ai fait.	Yes, I made some.

C.
Reflexive verbs. Reflexive verbs are conjugated with *être*.

(1) In most cases the past participle can be said to agree with the subject, just as it does in *être* verbs.

Elle s'est assise	She sat down.
Nous nous sommes lavés.	We got washed. (Literally, (We washed ourselves.)
Ils se sont lamentés.	They lamented.

(2) However, when the reflexive pronoun is an indirect object and there is no preceding direct object the past participle does ont agree:

Elle s'est offert un cadeau.   She gave herself a present.

Here *le cadeau* is the direct object. The reflexive pronoun *se* is the indirect object. Hence there is no agreement.

(3) If the reflexive pronoun is an indirect object and there is a preceding direct object the past participle agrees with the preceding direct object.

Les cadeaux qu'elle s'est offerts.   The presents she gave herself.

12. Present Participles

A.

When the present participle is adjectival it agrees with the noun it modifies.

une fille charmante   a charming girl

B.

When it is verbal it is invariable.

Elle réussit en charmant tout le   She succeeds by charming everyone.
monde.

ARTICLES

13. Definite Article

The definite articles (*le, la, l', les*) or their contractions (*au, aux, du, des*) are often required in French where they are not required in English:

A.

Before a noun in the general or abstract sense; before the name of a country.

J'aime le vin.   I like wine.
Nous avons parlé de la cuisine fran-   We talked about French cooking.
çaise.
La France et l'Allemagne étaient en   France and Germany were at war.
guerre.

B.

Before a title or adjective preceding a proper name, except in direct address.

J'ai parlé au commandant Dupont.   I spoke to Major Dupont.
Tu connais le vieux Charles, n'est-ce   You know old Charles, don't you?
pas?

C.

Before a noun designating a part of the body.

Il a levé la main.	He raised his hand.

But if the noun is preceded by an adjective the possessive adjective is used.

Il m'a donné sa petite main.	He gave me his little hand.

The possessive adjective is also used to avoid ambiguity.

Ses mains tremblaient.	His hands were trembling.

D.

With expressions indicating the day of the week or the time of the day when the verb expresses habitual action.

fermé le lundi	closed on Monday
Le soir, il sort.	He goes out evenings.
Les dimanches on allait à l'église.	Sundays we went to church.

14. Omission of the Definite Article

A.

Almost always after the preposition *en*. (*En* is used before feminine countries and in many idiomatic expressions.)

Je vais en France.	I am going to France.
Il est en prison.	He is in prison.

B.

After the preposition *de* in adjectival phrases.

un cercueil de paille	a straw coffin
une classe d'histoire	a history class
un curé de campagne	a country priest

C.

After certain verbs followed by *de*.

un village entouré de montagnes	a village surrounded by mountains
Il manque de tact.	He lacks tact.
Il a besoin de discipline.	He needs discipline
Je meurs d'ennui.	I'm dying of boredom.
Il se trompe de restaurant.	He goes to the wrong restaurant.

But:

Il se méfie du restaurant.	He is suspicious of the restaurant.
Il s'approche de la ville.	He approaches the city.

D.

In a list or enumeration of three or more nouns.

Prêtres, hommes d'état, maîtres d'école, militaires sont ses **victimes**.	Priests, statesmen, schoolteachers, military men are his victims.

E.

Before a noun in apposition.

Paris, capitale de la France	Paris, the capital of France

F.

After *parler* + name of language.

Il parle français.	He speaks French.

15. Indefinite Article

The indefinite articles are *un* and *une*. The plural forms is *des*. After a negative, *de* replaces the indefinite article.

Regarde! un chat!	Look! a cat!
Je ne vois pas de chat.	I don't see a cat.

But if the indefinite article is emphasized, *un* or *une* should be used.

Pas un chat dans les rues!	Not a (single) cat in the streets!

16. Omission of the Indefinite Article

A.

After *être, devenir,* and similar verbs followed by unmodified nouns of profession, nationality, or title.

Il est marin.	He is a sailor.
Elle est devenue professeur.	She became a professor.
Je suis Américain.	I am an American.

But if the noun is modified, an article is used.

M. Meyer est un médecin excellent.	Mr. Meyer is an excellent doctor.

B.

After *sans* and *avec* in adverbial or adjectival phrases; after *ni . . . ni . . .* (See **19**).

C.

In certain idiomatic expressions.

Il a bon cœur.	He has a good heart.
Il le trouve très gentil garçon.	He thinks he is a very nice boy.
Ils restent bons amis.	They remain good friends.

17. Partitive Article

A.

A noun used in the partitive sense is preceded by the partitive articles *du, de la, de l',* or *des.* The English partitive *some* (or *any*) is usually omitted, but the French is not. It is therefore important to know whether the noun is used in the partitive or in the general sense. A noun used in the general sense is preceded by *le, la, les.*

Il lit des livres.	He reads (some) books.
Il étudie la littérature.	He studies literature (in general).
Il tombe de la neige.	(Some) snow is falling.
La neige est blanche.	Snow (in general) is white.

B.

The partitive cannot be stressed in French. Where *some* + noun is stressed in English, use *il y a* + partitive article + noun or *certain(e)s* + noun in French.

Il y a des étudiants qui aiment ça.   *Some* students enjoy it.
(*Ou,* Certains étudiants aiment ça.)

18. The Partitive *de*

De alone is used instead of the partitive article in the following cases:

A.
After a negative.

Il n'a pas d'amis.	He has no friends.
Il n'y a jamais de neige ici.	There is never any snow here.

Note that *ne . . . que* is not a negative.

Il n'a que des amis.   He has only friends.

B.
After expressions of quantity.

beaucoup de vin	a lot of wine	un litre d'eau	a liter of water
assez d'argent	enough money	combien de temps?	how much time?
plein de vin	full of wine		

La plupart and *bien* are exceptions to this rule.

bien de la peine	much sorrow
bien des Français	many Frenchmen
la plupart du temps	most of the time
la plupart des Français	most Frenchmen

Note that *tout* meaning *all of* is followed by the definite article, not by *de*.

tout le vin	all of the wine

C.

Usually before an adjective which precedes a plural noun, whether the noun is expressed or omitted.

Voici d'autres livres.	Here are other books.
En voici d'autres.	Here are others.

It is permissible, however, to use the partitive article before a preceding adjective.

des bons livres	good books
des petits yeux	little eyes

If the adjective + noun form a set expression the use of the partitive article is preferable.

des bons mots	bons mots
des jeunes gens	young people
des petits pois	peas

D.

It is important to form the habit of using *de* automatically in the above situations. Phrases like *pas de livres, beaucoup de livres,* should become automatic. But one must remember that they are used only in the partitive sense. In the genenral sense or specific sense, the definite article is used.

Beaucoup des meilleurs livres sont déjà vendus	A lot of the better books are already sold. (The modifier *meilleur* makes the book specific.)
Je ne parle pas des livres que vous voulez.	I'm not talking about the books you want. (The dependent clause makes the book specific.)

19. Omission of the Partitive Article

A.

After the preposition *sans*.

une chambre sans fenêtres	a room without windows
Il répond sans confiance.	He answers without confidence.

But:

Il répond sans la confiance qui lui est habituelle.	He answers without his usual confidence. (The dependent clause makes the confidence specific.)

B.

After the preposition *avec* in an adverbial expression.

Enveloppez-le avec soin.   Wrap it up with care.

But:

Servez-le avec du vin.   Serve it with wine. ("With wine" is
                                             not an adverbial expression.)

C.

After the negative *ni . . . ni. . . .*

Nous n'avons ni vin ni bière.   We have neither wine nor beer.

AVOIDING DEPENDENT CLAUSES

20. Dependent Clauses

A.

One generally avoids using a dependent clause, if it has the same subject as the
main clause. Use the infinitive or, if the sense requires it, the past infinitive
instead. Note that this form is simple and shorter than the dependent clause
which must be introduced by a relative pronoun, and in many cases must be in
the subjunctive. The subjects of main and dependent clauses are in italics in
these examples.

Il croit comprendre.   *He* thinks *he* understands.
Vous prétendez ne pas le connaître?   Are *you* claiming that *you* don't know
                                             him?
Après l'avoir fini, je suis rentré.   After *I* finished it, *I* went home.
Elle l'a fait avant de partir.   *She* did it before *she* left.

B.

If the main verb is *penser, croire, considérer, estimer,* or a similar verb a dependent clause with a predicate adjective may be avoided by using an object
pronoun.

Il la trouve belle.   *He* thinks *she* is pretty.
Je nous croyais brouillés.   *I* thought *we* weren't friends any more.
Il se croit malin.   *He* thinks *he's* smart.

C.

When *quand, lorsque, aussitôt que,* and *pendant que* introduce dependent
clauses whose action is simultaneous or nearly simultaneous with the action of

the main verb, *en* + present participle can often be used instead of the dependent clause.

Je me suis couché tout de suite quand je suis rentré (*ou*, en rentrant).	I went right to bed when I got home.

D.

When the subject of the dependent clause and the subject of the main clause are different, a dependent clause is usually required. Sometimes a noun may be substituted for a dependent clause, however.

Elle l'a fait avant que je ne sois parti (*ou*, avant mon départ).	She did it before I had left (*or*, before my departure).
Nous avons attendu jusqu'à ce que le concert se termine (*ou*, jusqu'à la fin du concert).	We waited until the concert ended (*or*, until the end of the concert).

E.

When the main clause is in the past tense, the verb of a dependent clause introduced by *après que,* or other expressions of time like *quand, lorsque, aussitot que,* must be in the *passé antérieur,* that is, the *passé simple* + past participle, if it expresses action previous to the action of the main verb. Here too a noun may sometimes be substituted for the dependent clause.

Instead of:	*Say:*
On a commencé après que la cloche eut sonné.	On a commencé après la cloche.
(We began after the bell rang.)	(We began after the bell.)
On est parti après qu'ils furent arrivés.	On est parti après leur arrivée.
(We left after they arrived.)	(We left after their arrival.)

Note the *passé simple* of the auxiliary verbs.

avoir		être	
j'eus	nous eûmes	je fus	nous fûmes
tu eus	vous eûtes	tu fus	vous fûtes
il eut	ils eurent	il fut	ils furent

AVOIDING THE PASSIVE

21. The Passive

A.

A verb is passive when the subject does not act, but is acted upon. What acts upon the subject is called the agent. In *Marie was given a prize by the committee,* the agent is *the committee.* Often the agent is not stated: *Marie was given a prize*. The passive exists in French but is used less frequently than in English.

La maison a été vendue par le pro-   The house was sold by the owner.
priétaire.

In French the indirect object of a transitive verb cannot become the subject of a passive verb, as it can in English. In such sentences the passive cannot be used.

Le comité a donné un prix à Marie.   Marie was given a prize by the committee.

B.

When the agent is not stated, the passive can be avoided by making *on* the subject if the agent is a person.

On a volé sa bague.   Her ring was stolen.
On a vendu la maison.   The house was sold.
Il aime qu'on le rassure.   He likes to be reassured.

C.

When the agent is stated, the passive can be avoided by making the agent the subject of the sentence.

Giraudoux a écrit *Ondine*.   *Ondine* was written by Giraudoux.
Le propriétaire a vendu la maison.   The house was sold by the owner.

D.

On stands for a person. If the agent is not a person, the passive must be used. Note that in French as in English, the passive consists of the appropriate form of the *être* or *to be* plus the past participle.

On a détruit la maison.   The house was destroyed (by a person
                             or persons, not by natural causes.)
La maison a été détruite.   The house was destroyed (not neces-
                             sarily by a person or persons).

E.

A reflexive verb is often used in French where English uses the passive.

Comment ça se dit-il en français?   How is that said in French?
Ces vins se boivent avec le plat de   These wines are drunk with the meat
viande.   course.

CE **OR** IL

22. *Ce* + *Etre*

Ce, as a pronoun meaning *it, he, she,* or *they*, is used only as the subject of *être*. *Ce* + *être* is used in the following cases:

A.

Before a stressed pronoun, often for emphasis.

C'est moi qui ai dit ça.	I'm the one who said that.
Ce sera lui le président?	Will *he* be the president?

B.

Usually, before any noun preceded by an article. (Note that all nouns except those indicating profession and nationality *are* preceded by an article.)

C'est une jolie jeune fille.	She's a pretty girl.

C.

Before an adjective, adverb, or adjectival or adverbial phrase when *ce* refers to no specific antecedent. (The singular masculine form of the adjective is used.)

C'est à Paris que je l'ai rencontrée.	I met her in Paris.
Tout le monde a ri. C'était drôle.	Everybody laughed. It was funny.
Vous comprenez parce que c'est facile.	You understand because it's easy.

D.

Usually, when the subject of the sentence is a clause or an infinitive. (With verbs other than *être* use *cela*.)

Ce qui m'intéresse c'est la littérature.	What interests me is literature.
Parler rapidement c'est difficile.	Speaking fast is hard.

23. *Cela* (or *Ça*)

The demonstrative pronoun *cela* (or *ça*) is used rather than *ce* if the verb following is a verb other than *être*.

Qu'en pensez-vous? Ça m'intéresse.	What do you think of it? It interests me.
Cela devient ennuyeux.	It gets boring.

24. *Il, Elle, Ils,* **and** *Elles* + *Etre*

Il, elle, ils, or *elles,* meaning *it, he, she,* or *they,* are used in the following cases:

A.

Before a noun which is not preceded by an article, that is, a noun indicating profession or nationality.

Il est professeur.	He's a professor.

B.

Before an adjective, adverb, or adjectival or adverbial phrase which refers to a specific antecedent.

Et cette peinture-là? Elle est belle.	How about that painting? It's beautiful.

25. *Il*

The invariable and impersonal *il*, meaning *it*, is used in the following cases:

A.

In impersonal expressions. These may be verbs or expressions that can have no other subject but *il*: il pleut, il neige, il fait froid, il fait chaud, il faut, il s'agit de, il se peut, etc., or they may be verbs which can be used as impersonal expressions when preceded by *il*: il convient, il vaut mieux, il semble, il paraît, etc.

B.

Usually, before the verb *être* followed by (1) adjective + *de* + infinitive or (2) adjective + *que* + dependent clause. But *ce* is often permissible also, particularly before an adjective expressing an emotional reaction.

Il est impossible de la faire.	It is impossible to do it.
Il est étonnant que vous le disiez. (*ou*, C'est étonnant que vous le disiez.)	It is astonishing that you should say it.

COMPARATIVE AND SUPERLATIVE FORMS

26. Comparative and Superlative Adjectives and Adverbs

A.

The comparative and superlative forms of adjectives and adverbs (using *gentil* and *gentiment* as examples) are:

le moins gentil	the least nice	le moins gentiment	the least nicely
moins gentil	less nice	moins gentiment	less nicely
aussi gentil	as nice	aussi gentiment	as nicely
plus gentil	nicer	plus gentiment	more nicely
le plus gentil	the nicest	le plus gentiment	the most nicely

B.

The comparative forms of the adjective *bon* and the adverb *bien* are:

le moins bon	the least good	le moins bien	the least well
moins bon	less good	moins bien	less well
aussi bon	as good	aussi bien	as well
meilleur	better	mieux	better
le meilleur	the best	le mieux	the best

C.

The irregular comparative and superlative forms of *mauvais* (*pire, le pire*) and *mal* (*pis, le pis*) are used more frequently than the regular forms *plus mauvais* and *le plus mauvais, plus mal* and *le plus mal*.

CONDITIONAL AND PAST CONDITIONAL

27. Formation of the Conditional

The conditional is formed by adding the *imparfait* endings, *-ais, -ais, -ait, -ions, -iez, -aient,* to the infinitive, or in the case of irregular verbs, to the irregular future stem.

finir	infinitive: *finir*	*tenir*	irregular future stem: *tiendr-*
je finirais	nous finirions	je tiendrais	nous tiendrions
tu finirais	vous finiriez	tu tiendrais	vous tiendriez
il finirait	ils finiraient	il tiendrait	ils tiendraient

The past conditional is formed by the conditional of the auxiliary verb followed by the past participle.

voir   past conditional: *j'aurais vu,* I would have seen
aller   past conditional: *je serais allé,* I would have gone

28. Use of the Conditional

A.

Would + verb is usually translated by the conditional which is generally used the same way in French as in English.

Il a dit qu'il viendrait	He said he would come.
Le croiriez-vous?	Would you believe it?
Je n'y aurais jamais songé.	I would never have thought of it.
Voudriez-vous passer le sel?	Would you pass the salt?

B.

In some cases *would* may be translated either as the *imparfait* or as the *passé composé.*

(1) A l'école elle parlait beaucoup.   In school she would talk a lot.

Would here means *used to.* It expresses an habitual action in the past, which is expressed in French by the *imparfait.*

(2) Je lui ai servi une truite, mais elle   I served her a trout, but she would
n'a pas voulu la manger.   not eat it.

Would not eat it means she did not want to eat it; she refused to eat it.

C.

Should usually means *ought to,* which is the conditional form in English for *must* and therefore should be translated by the conditional of *devoir.* Similarly, *should have* should be translated by the past conditional of *devoir.*

Je devrais le lire.	I should read it; I ought to read it.
J'aurais dû le lire.	I should have read it; I ought to have read it.

Occasionally, however, *should* is used in place of *would* in the conditional. In this case, of course, it is translated by the conditional form of the verb it precedes.

J'aimerais vous voir.	I should like to see you.

D.

Could may be translated either as the conditional, the *imparfait,* or the *passé composé* of *pouvoir,* depending on the meaning.

Il pourrait le faire, s'il voulait.	He could do it, if he wanted to.
Il pouvait le faire, mais il n'a pas voulu.	He could have done it (was in a position to), but he didn't want to.
Il a pu le faire, et il en est fier.	He could do it (was able to, managed to), and he is proud of it.

E.

Conditional sentences. These sentences consist of an *if* clause and a *result* clause.

if clause	*result clause*
Si vous lui demandiez,	il répondrait.
If you asked him,	he would answer.

The tense sequence is normally the same in French as in English. There is more latitude in English, however, than in French. In English it is possible to use the conditional in an *if* clause (*if you would ask him* instead of *if you asked him*), or the future (*if you will ask him* instead of *if you ask him*). In French neither the conditional nor the future can be used in an *if* clause.

(1) When the *if* clause is in the present, the *result clause* is in the future:

PRESENT	FUTURE
if clause	*result clause*
Si vous l'invitez,	il viendra.
If you invite him,	he will come.

(2) When the *if clause* is in the *imparfait,* the *result clause* is in the conditional:

IMPARFAIT	CONDITIONAL
if clause	*result clause*
Si vous l'invitiez,	il viendrait.
If you invited him, (would invite him, were to invite him)	he would come.

(3) When the *if clause* is in the pluperfect, the *result clause* is in past conditional:

PLUPERFECT	PAST CONDITIONAL
if clause	*result clause*
Si vous l'aiviez invité,	il serait venu.
ᵗf you had invited him,	he would have come.

F.

The conditional, like the future, can be used to express probability or conjecture.

Elle parle si bien! Serait-elle Française?	She speaks so well! Could she be French?
Il aurait tout perdu en 1929.	It is alleged (or reported) that he lost everything in 1929.

DEMONSTRATIVE ADJECTIVES AND PRONOUNS

29. The Demonstrative Adjective

A.

ce moment	this moment, that moment. (masculine singular)
cet homme	this man, that man. *Cet* is used only before a masculine singular noun beginning with a vowel or with a mute *h*.
cette idée	this idea, that idea. (feminine singular)
ces personnes	these persons, those persons. (plural)

B.

To distinguish between *this* and *that* the suffix *-ci* or *-là* is added to the noun.

ce moment-là   that moment   cet homme-ci   this man

30. Demonstrative Pronouns

A.

The demonstrative pronoun must agree with its antecedent. Masculine: *celui* (singular) and *ceux* (plural). Feminine: *celle* (singular) and *celles* (plural). These forms cannot stand alone; they must be followed by one of the following: *-ci* or *-là*, *de* or another preposition, a relative pronoun.

(1) *-ci* or *-là*

Quelle robe? Celle-ci ou celle-là?	Which dress? This one or that one?
Quel chapeau préférez-vous? Celui-ci?	Which hat do you like best? This one?
Ceux-ci sont les meilleurs.	These are the best.

Note that the demonstrative pronoun + *-ci* can mean *the latter*, + *-là*, *the former*.

J'aime Prévert et Aymé; celui-ci pour ses pièces, celui-là pour ses poèmes.	I like Prévert and Aymé; the latter for his plays, the former for his poems.

(2) *de* or another preposition

celui de Robert	Robert's
ceux d'Italie	the Italian ones
celles des étudiants	the students'

(3) a relative pronoun

Ceux qui demeurent dans des maisons de verre ...	People who live in glass houses ...
Celui que je connais ...	The one I know ...
Celles dont tout le monde parle ...	The ones everyone talks about ...
Celle à qui je parle ...	The one I am talking to ...

B.

Ceci (this) and *cela* or *ça* (that) are the demonstrative pronouns without any definite antecedents.

Ceci m'intéresse.	This interests me.
Ça m'étonne.	That astonishes me.

DISJUNCTIVE PRONOUNS

See *Stressed Pronouns* (79)

ELISION

31. Before a Vowel or a Mute *h*

A.
La drops its *a*.

B.
Si drops its *i* before *il* and *ils*.

C.
Monosyllables ending in *e* drop the *e*: *je, me, te, se, de, le, ne, que,* and also longer words ending in *-que* such as *lorsque* and *puisque*.

D.
Ce as a pronoun drops its *e* (*c'est, c'était*), but as a demonstrative adjective it becomes *cet* before a masculine word beginning with a vowel or a mute *h* (*cet homme*).

ETRE VERBS

32. Verbs of Motion

A.

Certain intransitive verbs of motion are always conjugated with *être*. (Note that reflexive verbs are also conjugated with *être*.) Generally, these verbs indicate the direction of a motion but do not describe it. For example, *sortir* (to go out) tells *where* you are going and is conjugated with *être*. *Marcher* (to walk) tells *how* you are going and is conjugated with *avoir*. Learn them by using them in the *passé composé* and in the other compound tenses as they are listed below. Note that they form pairs of antonyms.

je suis venu	I came	je suis allé	I went
tu es arrivé	you arrived	tu es parti	you left
il serait monté	he would have gone up	il serait descendu	he would have gone down
nous étions entrés	we had gone in	nous étions sortis	we had gone out
vous êtes resté	you stayed	vous êtes rentré	you went home
ils sont nés	they were born	vous êtes retourné	you returned
je suis accouru	I ran up	il sont morts	they died
ell était tombée	she had fallen		

B.

The following forms of the above verbs are also conjugated with *être*:

repartir	rentrer
revenir	retomber
devenir	ressortir
remonter	

C.

Passer used intransitively **may** be conjugated with *être* or with *avoir*.

Où sont passées les balles?	What has happened to the bullets?
Il a passé.	He passed by.

D.

All of these verbs are intransitive, that is they do not take an object. Some of them can take an object, but when they do they are conjugated with *avoir*, and their meaning is altered to some extent.

J'ai descendu la valise.	I took the suitcase downstairs.
J'ai monté l'escalier.	I climbed the stairs.
Il a rentré les bagages.	He brought the luggage in.
Elle a retourné son fauteuil.	She turned her armchair around.
Il a sorti son stylo.	He took out his pen.

FAIRE + **INFINITIVE**

33. Causative Construction

Faire + infinitive means to have something done, to make someone do something.

A.

Faire is followed directly by the infinitive. Note the difference in word order between the French and the English.

J'ai fait cirer mes souliers.	I had my shoes shined.
Vous faites lire vos étudiants.	You have your students read.

B.

Object pronouns come before *faire*, not before the infinitive. Again note the difference in word order between the French and the English. Note also that there is no agreement of the past participle *fait* in the *faire* construction.

Je les ai fait cirer.	I had them shined.
Je les fais réciter.	I have them recite.

C.

If both the subject and the object of the infinitive are stated, the word order is *faire* + infinitive + object + *à* + subject.

J'ai fait cirer mes souliers au valet de chambre.	I had the valet shine my shoes.
Je fais lire Balzac aux étudiants.	I have the students read Balzac.

Note that *J'ai fait lire Balzac aux étudiants* could mean either, *I had the students read Balzac*, or *I had Balzac read to the students*. To avoid ambiguity one can say: *J'ai fait lire Balzac par les étudiants: I had the students read Balzac.*

D.

If the object of the infinitive is stated, and the subject is replaced by a pronoun, the word order is the *indirect* object pronoun + *faire* + infinitive + object.

Je lui ai fait cirer mes souliers.	I had him shine my shoes.
Je leur fais lire Balzac.	I have them read Balzac.
Il nous fait lire Balzac.	He has us read Balzac.

Note, however, that if the object of the infinitive is not stated, and the subject is replaced by a pronoun, the *direct* object pronoun + *faire* + infinitive is used.

Je l'ai fait travailler.	I had him work.
Je les fais lire.	I have them read.

FAMILIAR FORM

34. Use of *tu*

The familiar form *tu* is used when addressing a child, an animal, a close friend, or a relative. It has no plural form. If you are addressing more than one person or animal you must always use *vous*. Young people tend to use it among themselves, even upon casual acquaintance. Remember to use it consistently. That is, if you address someone as *tu*, you must use the object pronoun *te* (or *t'*), the stressed pronoun *toi*, the possessive pronouns, *le tien, la tienne, les tiens, les tiennes,* and the possessive adjectives *ton, ta, tes.*

Tu emmènes ta famille avec toi?   Are you taking your family with you?

FUTURE

35. Formation of the Future

A.

The future is formed by adding the endings *-ai, -as, -a, -ons, -ez, -ont* to the infinitive, or to the irregular future stem. Note that these endings are identical with the present of *avoir*, except that the *nous* and *vous* endings are *-ons* and *-ez*, rather than *avons* and *avez*. *Spelling*: when an infinitive ends in an *-e*, the *-e* is dropped. See also **60**.

parler future stem: *parler-*

je parlerai	nous parlerons
tu parleras	vous parlerez
il parlera	ils parleront

rendre future stem: *rendr-*

je rendrai	nous rendrons
tu rendras	vous rendrez
il rendra	ils rendront

B.

Irregular future stems. In certain verbs the infinitive is shortened or its vowel is weakened in the future form. These futures must be learned by frequent repetition and practice. They can be groupd according to whether the stem ends in *-dr, -vr, -rr,* or simply *-r.* Note that *-r* is the distinctive sound of all future (and conditional) forms, whether regular or irregular.

-dra

falloir	il faudra
tenir	il tiendra
appartenir	il appartiendra

-vra

devoir	il devra
pleuvoir	il pleuvra
recevoir	il recevra

-dra

venir	il viendra
se souvenir	il se souviendra
valoir	il vaudra
vouloir	il voudra

-rra		*-ra*	
courir	il courra	aller	il ira
envoyer	il enverra	avoir	il aura
mourir	il mourra	être	il sera
voir	il verra	faire	il fera
		savoir	il saura

36. Use of the Future

A.

Generally speaking, the future is used the same way in French as in English.

Note, however, the translation of these sentences:

Elle aura peur quand elle ira en avion.	She will be afraid when she takes a plane trip.
Toto comprendra dès qu'il grandira.	Toto will understand as soon as he grows up.

If the main clause is in the future the dependent clause introduced by *quand, lorsque, dès que, aussitot que,* or *à partir du moment où* is in the future when it is in the present in English.

Note that the use of the future in the dependent clause is logical since the the action expressed is in the future, not in the present.

B.

Similarly, the future is used in the dependent clause if future time is implied in the main clause.

Reviens quand le curé partira.	Come back when the priest leaves.

C.

The future, like the conditional, can be used to express probability.

Il sera fatigué après ce voyage.	He must be tired after that trip.

37. Future Perfect

A.

The future perfect is formed by the future of the auxiliary + past participle. As in English it expresses an event that will be completed before another future event.

Quand il arrivera, je serai déjà parti.	When he gets there, I will already have left.

B.

If the main clause is in the future the dependent clause introduced by *quand*, *dès que*, etc., is in the future perfect when in English it is in the present perfect.

Je me coucherai quand j'aurai fini mon travail.	I will go to bed when I have finished my work.

GENDER

38. General Rules for Gender; Formation of Feminine and Plural

When you learn a noun, try to learn it with some determiner in front of it—*un* or *une* if the noun begins with a vowel or a mute *h*—for then you can hear the difference in gender. It is hard to tell when you hear a noun without a determiner whether it is feminine or masculine. But certain general rules can be helpful, even though there are exceptions to them.

A.

Feminine nouns.

(1) Nouns designating female beings.

la vache	the cow	la mère	the mother

(2) Most nouns ending in -*e*, if preceded by a vowel or double consonant.

la baie	the bay	la hutte	the hut

(3) Abstract nouns ending in -*té*, -*tié*, -*eur*, -*tion*, -*on*, -*ance*, -*oire*, -*esse*.

la vérité	truth	la comparaison	the comparison
la nation	the nation	la chaleur	heat (but *le bonheur*,
la petitesse	smallness		*le malheur*)
la pitié	pity	la mémoire	memory
une espérance	a hope		

B.

Masculine nouns.

(1) Nouns designating masculine beings and professions.

le fils	the son	le marin	the sailor
le pompier	the fireman		

(2) Most nouns ending in a vowel other than mute -*e*, or in a silent consonant.

un abri	a shelter	le trou	the hole
le passé	the past	le remords	remorse

(3) Abstract nouns ending in *-isme*, *-asme*, and *-ment*.

le réalisme   realism   le mouvement   movement
un enthousiasme   an enthusiasm

(4) Concrete nouns ending in *-eur.*

le facteur   the mailman   le professeur   the professor

C.

Formation of feminine and plural.

(1) The formation of the feminine (where it exists) and of the plural of nouns generally follows the same rule as the formation of the feminine and plural of adjectives (See **2**, **3**, and **4**).

étranger–étrangère   voleur–voleuse
général–généraux   le repas–les repas

(2) A few nouns ending in *-ail* take a plural ending *-aux* (*travail–travaux*) and some ending in *-eu* or *-ou* add an *-x* to form the plural (*jeu–jeux*, *bijou–bijoux*, etc.). Family names are invariable (les Dupon-Dufort, les Thompson).

IMPARFAIT

39. Formation of the *Imparfait*

To the stem derived from the *nous* form of the present add the endings *-ais*, *-ais, -ait, -ions, -iez, -aient*. *Etre* has the only irregular *imparfait*.

finir. Nous form: finissons. Stem: finiss-   *être*

je finissais	nous finissions	j'étais	nous étions
tu finissais	vous finissiez	tu étais	vous étiez
il finissait	ils finissaient	il était	ils étaient

40. Use of the *Imparfait* **and of the** *Passé Composé*

A.

When the verb forms *was* ———-*ing*, *were* ———-*ing*, *used to* ———, or *would* ——— (when *would* means *used to*) are used in English, the *imparfait* is usually used in French. These uses of the *imparfait* are:

(1) To express habitual action in the past.

J'allais à l'école.   I used to go to school.

(2) To express an action that was going on in the past. This action is inter-

rupted, or an interruption is implied. (The event interrupting the action is expressed by the *passé composé.*)

Nous nous promenions.   We were taking a walk

The action is incomplete. The implication is that something happened, an event interrupted the walk, or took place during it. Compare with *we took a walk: nous nous sommes promenés,* where the action is complete.

B.

There are other uses of the *imparfait* which are not necessarily translated by *was* ———-*ing* or *used to* ————. These are:

(1) To express a condition, a mental or emotional state, an attitude, or a process.

Je savais qu'il avait raison.   I knew he was right.
Nous croyions qu'il comprenait.   We thought he understood.
Il aimait jouer au bridge.   He liked to play bridge.
Le restaurant avait des huîtres.   The restaurant had oysters.

(2) To *describe* something, or some condition, like the weather.

C'était une grande maison.   It was a big house.
Elle avait plusieurs chambres.   It had several rooms.
Elle donnait sur un parc.   It looked out on a park.
Il faisait froid.   It was cold.

(3) With *depuis* or *il y avait . . . que* to express an action that had been going on when another action, implied or expressed, occurred.

Il parlait depuis dix minutes quand   He had been talking for ten minutes
    j'y suis arrivé.   when I got there.
Depuis sa naissance il nageait.   He had . been swimming since his
                                          birth.

C.

A state of affairs or a repeated action in the past is expressed by the *imparfait* when no limit to its duration is stated. If a limit is stated, however, the *passé composé* is used. Note the contrast between these two sentences.

Je me couchais de bonne heure.   I used to go to bed early.
Jusqu'à l'âge de douze ans, je me suis   Until I was twelve years old, I went
    couché de bonne heure.   to bed early.

D.

Since the *imparfait* expresses a state or a condition, verbs which express a state or condition like *aimer, être, avoir, pouvoir, savoir, penser,* etc., are often used in the *imparfait.* Such verbs are used in the *passé composé,* however, when the condition they express is seen as taking place at a specific moment in the past.

J'avais peur.	I was afraid.
J'ai eu peur, et je me suis sauvé.	I was frightened (i.e., I suddenly became afraid) and I ran away.
Je n'y pensais pas.	I was not thinking about it.
Je n'y ai pas pensé.	I did not think of it (i.e., the thought did not occur to me).
Je le savais.	I knew.
Je l'ai su.	I found out.

IMPERATIVE

41. Formation of the Imperative

A.

The imperative has three forms. They are the *tu, nous,* and *vous* forms of the present, *with the pronoun omitted.*

dire—present	*imperative*	
tu dis	dis	say (familiar form)
nous disons	disons	let's say
vous dites	dites	say (polite form)

B.

There are four irregular imperatives, all derived from the subjunctive.

être		*avoir*	
sois	be	aie	have
soyons	let's be	ayons	let's have
soyez	be	ayez	have

savoir		*vouloir*	
sache	know	———————	
sachons	let's know	———————	
sachez	know	veuillez	be so kind as to

C.

Spelling: In *-er* verbs and in *aller,* the *-s* ending of the *tu* form of the present is dropped in the imperative.

present	*imperative*
tu parles	parle
tu l'invites	invite-la
tu vas	va

However, the *-s* is restored when the familiar form of the imperative is followed by *en* or *y.*

manges-en eat some   songes-y think of it   vas-y go ahead

INFINITIVE AND PAST INFINITIVE

42. Formation

Infinitives end in *-er, -ir, -re,* and *-oir.* There are no convenient rules whereby one can form the infinitive from other forms of the verb. The infinitive is a verb form which must be memorized. The many drills in the text in which you are called upon to use the infinitive are meant to help you do this.

43. Use of the Infinitive

The infinitive is used where we use the infinitive in English, and also in many cases where we use the verb form ending in *-ing:*

A.

In the infinitive construction, subject + verb + infinitive, as in English, *I like to swim, I want to leave.* (Sometimes *à* or *de* may come between the verb and the infinitive; see **68**.)

Je les ai invités à venir.	I invited them to come.
Je leur ai dit de ne pas rester.	I told them not to stay.

When the infinitive is *laisser, sentir, voir, écouter, entendre, regarder,* the subject of the infinitive follows it.

Il entend chanter les enfants.	He hears the children singing.
J'écoute parler la classe.	I listen to the class speaking.

But if the object is stated the subject must precede the infinitive.

Il entend les enfants chanter leur chanson.	He hears the children singing their song.
J'écoute la classe parler anglais.	I listen to the class speaking English.

B.

As a noun.

Voir c'est croire.	Seeing is believing.
Lire est son plus grand plaisir.	Reading is his greatest pleasure.

When the infinitive is the subject, *ça* (or *ce* if the verb is *être*) often precedes the verb (see **22D**).

Parler français ça devient facile.	Speaking French gets to be easy.

C.

After such prepositions as *au lieu de, avant de, pour,* and *sans* (but note that *en* is followed by the present participle).

avant de partir	before leaving
sans parler	without speaking
au lieu de travailler	instead of working

44. Use of the Past Infinitive

The past infinitive (for example, *to have spoken, to have given*) occurs more frequently in French than in English, because in English we often use the present infinitive (or an *-ing* form) where the past infinitive would render the meaning more precisely. In French, the past infinitive must be used whenever the action expressed is in the past.

On l'a accusé d'avoir tué sa femme.	He was accused of killing his wife.

The action is not in the present. Strictly speaking he was accused of *having killed* his wife. Hence the French: *avoir tué.*

après être parti	after leaving

Again the action is not in the present, but in the past. After *après* the past infinitive must always be used.

INTERROGATIVES

45. Interrogative Word Order

A.

A statement can be made into a question

(1) By a rising intonation on the last syllable.

Vous y êtes allé?	Did you go?
Le général répond?	Does the general answer?

(2) By beginning the statement with *est-ce que.*

Est-ce que vous y êtes allé?
Est-ce que le général répond?

(3) By inversion.

Le général répond-il?
Y êtes-vous allé?

Note that in compound tenses the subject pronoun comes after the auxiliary, and that in the third person a *t* is always heard between the verb and the inverted subject. Final *d* is pronounced *t* when linked to a following vowel. If the verb does not end in a -*t* or a -*d*, a -*t*- is inserted.

A-t-il répondu?   Did he answer?

B.

A noun subject cannot usually follow the verb. When inversion is used, the noun subject will remain in place, and the appropriate pronoun (*il, elle, ils,* or *elles*) will follow the verb.

Vos parents viennent-ils avec vous?   Are your parents coming with you?

C.

(1) After the interrogatives *où, combien, comment, quand, que,* and after *qui* or *quoi* preceded by a preposition, the noun subject preferably follows the verb, if the verb does not have an object.

A quoi rêvent les jeunes filles?   What do girls dream about?
Où demeurent vos parents?   Where do your parents live?
Quand part le train?   When does the train leave?
Que dit le père?   What does the father say?
A qui parle votre père?   To whom is your father talking?

(2) If, however, the verb has an object the noun subject precedes the verb and the appropriate pronoun follows it.

Quand Delphine ouvre-t-elle la   When does Delphine open the door?
porte?

D.

Interrogative word order is used after a quotation, and after *peut-être* and *aussi* (*therefore*).

"Non," a-t-il dit.   "No," said he.
Peut-être a-t-il raison.   Perhaps he is right.
Aussi a-t-il raison.   Therefore he is right.

46. Interrogative Pronouns

A.

Questions referring to persons.

(1) If the interrogative word is the subject of the verb, use either *qui* or *qui est-ce qui.*

Qui parle?   Who is speaking?
Qui est-ce qui comprend?   Who understands?

(2) If it is the object or follows a preposition, use either *qui est-ce que* or *qui* + inverted word order.

Qui accuse-t-il?	Whom does he accuse?
Qui est-ce qu'il accuse?	Whom does he accuse?
De qui parle-t-il?	Whom is he talking about?
A qui est-ce qu'il parle?	Whom is he talking to?

B.

Questions referring to things.

(1) If the interrogative word is the subject of the verb, use *qu'est-ce qui.*

Qu'est-ce qui intéresse les enfants?	What interests the children?

(2) If it is the object, use *qu'est-ce que* or *que* + inverted word order.

Qu'est-ce qu'il a perdu?	What did he lose?
Qu'a-t-il dit?	What did he say?

(3) If it follows a preposition, use *quoi* + inverted word order, or *quoi est-ce que.*

Dans quoi est-il tombé?	What did he fall into?
A quoi est-ce qu'il pense?	What is he thinking about?

47. *Quel, Lequel, Qu'est-ce que c'est que,* and *Quoi*

A.

Quel (quelle, quels, quelles) is an interrogative adjective. It precedes either the verb *être* or the noun it modifies.

Quel âge a-t-il? Quelle est la réponse?	How old is he? What is the answer?

B.

Lequel (laquelle, lesquels, lesquelles) is an interrogative pronoun. It corresponds to *which one, which ones.* It combines with *à* to form *auquel, auxquels,* and *auxquelles,* and with *de* to form *duquel, desquels,* and *desquelles.*

Voici deux pommes. Laquelle voulez-vous?	Here are two apples. Which do you want?
Il y a deux généraux. Duquel parlez-vous?	There are two generals. Which one are you talking about?

C.

Qu'est-ce que c'est que asks for a definition or an explanation and is followed by a noun, singular or plural.

Qu'est-ce que c'est que ces lumières?	What are those lights?
Qu'est-ce que c'est que ça?	What's that?

D.

In addition to being used after a preposition, *quoi* is used alone in the sense of the English *what.* (*Comment* is also used in this sense.)

Quoi? Je ne vous ai pas entendu.	What? I didn't hear you.

NEGATIVES

48. Negatives

A.

ne . . . pas	not	ne . . . guère	scarcely
ne . . . point	not at all	ne . . . plus	no longer
ne . . . jamais	never		

Ne comes before the verb, *pas* after it. *Point, guère, plus,* and *jamais* come where *pas* does in the sentence.

ne and *pas* around the verb:	Il ne parle pas.
around the auxiliary:	Il n'a pas parlé.
pas after inverted pronoun:	Ne parle-t-il pas?
ne before object pronoun:	Il ne le parle pas.
combination of the above:	Ne l'a-t-il pas parlé?

B.

ne . . . que only. This is not a true negative since it limits rather than negates. *Que* comes directly before the word or phrase which it modifies.

Il n'y a dans ce livre qu'un seul per-sonnage.	There is only one character in that book.

If *que* modifies the verb a special form is used.

Il ne fait que plaisanter.	He is only joking.

If *que* modifies the subject a special form is used.

Il n'y a que Jean qui sache la réponse *ou* Jean seul sait la réponse.	Only John knows the answer. (Note the subjunctive, required here in correct speech.)

C.

ne . . . personne nobody; *ne . . . rien* nothing. Like their English equivalents, *rien* and *personne* can be either the object or the subject of the verb. In either case, *ne* must precede the verb. As subjects they come at the beginning of the sentence.

Personne ne l'aime.	Nobody likes him.
Rien ne lui fait peur.	Nothing frightens him.

As an object, *rien* comes between the auxiliary and the past participle but *personne* follows the past participle.

Je n'ai rien fait.	I didn't do anything.
Je n'ai vu personne.	I didn't see anyone.

Rien and *personne* may also follow a preposition.

Je n'ai parlé à personne.	I didn't speak to anyone.
Je ne pensais à rien.	I wasn't thinking of anything.

D.

ne . . . *ni* . . . *ni* neither . . . nor. Each *ni* precedes the word or phrase it modifies. *Ne* precedes the verb. The partitive and the indefinite article are omitted after *ni*.

Ni Jean ni Louis ne viendront.	Neither Jean nor Louis will come.
Je ne l'ai ni lu ni vu.	I have neither read it nor seen it.
Je n'ai ni frère ni sœur.	I don't have a brother or a sister.
Je ne veux ni café ni thé.	I don't want any coffee nor any tea.

E.

ne . . . *aucun(e)*. *Aucun* may be an indefinite pronoun (often followed by a partitive phrase) or an adjective. It is an emphatic form meaning *not any, not a single one, none*.

Il n'a aucun talent.	He has no talent.
Aucun de ses films ne m'intéresse.	Not one of his movies interests me.
Je ne connais aucun de ses films.	I am not acquainted with any of his movies.

If the pronoun *aucun* is used as an object and is not followed by a partitive phrase, *en* is used before the verb:

Je n'en connais aucun.	I do not know any.

F.

jamais may come at the beginning of the sentence for emphasis.

Jamais je n'ai dit une chose pareille.	I *never* said such a thing.

49. Negative Infinitive

In the negative infinitive, both negative words come before the infinitive.

Il a dit de ne pas parler.	He said not to speak.
Il a promis de ne rien dire.	He promised not to say anything.

Ne . . . *personne* is an exception.

Il m'a dit de ne voir personne.	He told me not to see anyone.

50. Negative in Incomplete Sentences

If a statement has no verb, *ne* is dropped from the negative.

Pas de café.	No coffee.
Qui est là? Personne.	Who's there? Nobody.
Qu'est-ce qu'il y a? Rien.	What's wrong? Nothing.
Plus d'étudiants.	No more students.
Que des professeurs.	Only professors.

51. Combinations of Negatives

Negative expressions other than *ne . . . pas* and *ne . . . point* are often combined. Notice English translations of these expressions.

Je n'irai plus jamais là-bas.	I'll never go there again.
Il n'y a plus personne.	There's nobody left.
Il n'y a jamais rien de bon ici.	There's never anything good here.

52. Pleonastic *ne*

A.

A *ne* which has no meaning is required in a dependent clause following *plus . . . que* or *moins . . . que*.

Paris est plus grand qu'il ne l'était avant la guerre.	Paris is bigger than it was before the war.

B.

This *ne* is also used frequently in dependent clauses after expressions of fear, *empêcher que*, *à moins que*, and *avant que*. Note that these expressions take the subjunctive.

Je crains qu'il ne se fasse mal.	I'm afraid he may hurt himself.
Ecrivez-lui avant qu'il ne se fâche.	Write to him before he gets angry.

53. Omission of *pas*

Pas is often omitted with *cesser*, *oser*, *pouvoir*, and *savoir*.

Il ne cesse de parler.	He never stops talking.

OBJECT PRONOUNS

54. Outline of Personal Pronouns

Subject	Direct object	Indirect object	Reflexive object	Stressed
je	me (*moi* after verb)	me (*moi* after verb)	me	moi
tu	te (*toi* after verb)	te (*toi* after verb)	te (*toi* after verb)	toi
il, elle	le, la	lui	se	lui, elle
on	vous	vous	se	soi
nous	nous	nous	nous	nous
vous	vous	vous	vous	vous
ils, elles	les	leur	se	eux, elles

For the use of stressed pronouns see **79**.

55. *Le, La, Les*

Le, la and *les* are the third person direct objects.
The third person direct object pronoun is sometimes required where it is omitted in English.

Est-il riche? Il l'est.	Is he rich? He is.
Il me l'a dit.	He told me (so).

56. *Lui* **and** *Leur*

Only in the third person singular and plural is it necessary to distinguish between direct and indirect object pronouns. When English and French follow the same pattern it is easy to make this distinction.

Je lui parle.	I speak to him.
Je le vois.	I see him.

But the indirect object pronoun in English is not necessarily preceded by *to,* and furthermore, many verbs which take direct objects in English take indirect objects in French. Therefore mistakes are often made in translating sentences like *I answer him, I promise her, I obey them,* etc. To avoid these mistakes one must learn by frequent drill which verbs take indirect objects. See list, **67B.** Note that *lui* and *leur* refer only to persons. For things use y.

Je lui ai répondu.	I answered him.

57. Y

While *lui* and *leur* replace *à* + a noun referring to a person, y replaces *à* + a noun not referring to a person, or *à* + infinitive. It also replaces prepositions of place like *dans, en, sur,* etc. (but not *de*) + a noun of place.

J'obéis aux règles. J'y obéis.	I obey the rules. I obey them.
Je vais en France. J'y vais.	I'm going to France. I'm going there.
Je me résouds à le faire. Je m'y résouds.	I resolve to do it. I am resolved on it.

58. *En*

A.

(1) *En* replaces *de* + a noun or pronoun (but usually only when referring to things) and, in some cases, *de* + the infinitive.

Il a besoin de se reposer. Il en a besoin.	He needs to rest. He needs to.

Vous allez au restaurant? Mais
non j'en reviens. (*En* stands for
du restaurant)

Are you going to the restaurant? No,
I just came from there.

Je viens d'écrire un poème. Voulez-
vous m'en donner votre opinion? (*En* stands for *du poème.*)

I just wrote a poem. Will you give me
your opinion of it?

Vous parlez des examens? Oui,
nous en parlons.

Are you talking about the exams? Yes,
we are talking about them.

(2) But if a noun refers to a person, it is preferable to use the stressed pronoun.

Vous parlez de Marie?
  Oui, je parle d'elle.
Voici ce qu'il sait d'eux.

Are you talking about Marie?
  Yes, I am talking about her.
Here is what he knows about them.

B.

(1) *En* also replaces the partitive *de, de l', du, de la,* and *des* + a noun, referring either to things or to persons.

A-t-il des amis? Oui, il en a.
Y a-t-il encore du pain? Oui, il y
en a encore.

Does he have friends? Yes, he does.
Is there any more bread? Yes, there is
some more.

(2) If the noun preceded by a partitive or by *un, une* is modified, *en* may
replace the noun while the partitive + modifier remain.

J'ai des plumes bleues.
J'en ai des bleues.
J'ai un crayon rouge.
J'en ai un rouge.

I have some blue feathers.
I have some blue ones.
I have a red pencil.
I have a red one.

C.

En also replaces a noun preceded by a number, by *un* or *une,* or by an expression of quantity.

Il a trois livres. Il en a trois.

He has three books. He has three (of
them). (Note that *of them* may be
omitted. *En* may not.)

Combien de livres a-t-il?
Combien en a-t-il?
Avez-vous une voiture?
Oui, j'en ai une.

How many books does he have?
How many does he have?
Do you have a car?
Yes, I have one.

59. Position and Use of Object Pronouns

A.

Object pronouns come before the verb. In compound tenses they come before
the auxiliary. Two exceptions: the positive imperative, and certain verbs (see
D, E). In the case of a double object pronoun the order of object pronouns is:

me		le		lui				
te								
nous	before	la	before		before y	before en	before verb
vous		les		leur				
se								

Je vous le donne.	I give it to you.
Il se le dit.	He says it to himself.
Je les lui promets.	I promise them to him.
Il leur en parle.	He speaks to them about it.
Je l'y invite.	I invite him to it.
Voulez-vous m'en donner?	Will you give me some?

B.

Me, te, nous, vous, and *se* may not form double objects with each other o'
with *lui* or *leur.* Note that such combinations of personal object pronouns
(*you to me, me to him, us to them,* etc.) occur only with certain verbs: *to
present, to recommend, to give,* etc. In these cases the indirect object is expressed by *à* + stressed pronoun:

Je vous ai présenté à lui.	I presented you to him.
Il me recommande à eux.	He recommends me to them.
Il vous a enlevé à moi.	He took you away from me.
Présentez-vous à elle.	Present yourself to her.

C.

In the positive imperative the object pronoun follows the verb. *Me* becomes
moi and *te* becomes *toi.* Before *en,* however, they are *m'* and *t'.* In the negative
imperative, the object pronoun precedes the verb.

Parlez-moi.	Talk to me.	Parlez-m'en.	Talk to me about it.
Assieds-toi.	Sit down.	Donne-le-lui.	Give it to him.
Ne t'assieds pas.	Don't sit down.	Ne le lui donne pas.	Don't give it to him.

The order of object pronouns after the positive imperative is:

			moi			
			toi			
	le		nous			
verb before	la	before		before y	before en
	les		vous			
			lui			
			leur			

D.

Aller à, être à, penser à, songer à, tenir à. In these verbs, and a few others like
them, the pronoun referring to a person does not precede the verb. It comes
after the preposition *à,* and the stressed pronoun form is used.

Je vais à elle.	I go to her.
Je pense à eux.	I think about them (people, not things).
Il est à moi.	It's mine.
Vous songez à lui?	Are you thinking about him?

E.

In reflexive verbs followed by *à* or *de*, the indirect object pronoun referring to a person does not precede the verb. It comes after the preposition *à* or *de*, and the stressed pronoun form is used.

Il s'est adressé à moi.	He talked to me.
Fiez-vous à lui.	Trust in him.
Ils s'intéresse à eux.	He's interested in them (people, not things).
Je me méfie de vous.	I don't trust you.
Il s'est moqué de moi.	He made fun of me.
Qui va s'occuper d'eux?	Who is going to take care of them (people, not things)?
Il se souvenait de nous.	He remembered us.

Note, however, that with a reflexive verb one sometimes hears *en* referring to a person (never *y*). The form is probably somewhat less correct.

Et les enfants? Qui va s'en occuper?	How about the children? Who's going to take care of them?

F.

Object pronouns precede the verb of which they are the object.

Je voudrais vous l'offrir.	I would like to give it to you
Je lui dis de me le lire.	I tell him to read it to me.

ORTHOGRAPHIC CHANGING VERBS

60. Verbs Like *Appeler, Acheter, Espérer* and *Employer*

The stems of these verbs undergo certain changes in spelling and pronunciation whenever they are followed by a mute *e*. The mute *e* may be spelled *e, es,* or *ent*. Thus the stem of the *je, tu, il,* and *ils* forms of the present and of the subjunctive is distinct in spelling and pronunciation from the stem of the *nous* and *vous* forms.

A.

In some verbs, the consonant is doubled before the mute *e*. The most important of these are:

appeler	*jeter*
j'appelle	je jette
tu appelles	tu jettes
il appelle	il jette
nous appelons	nous jetons
vous appelez	vous jetez
ils appellent	ils jettent

B.

In other verbs, the preceding *e* takes an *accent grave*. Some of these are:

acheter	*achever* (to finish)	*lever*	*mener*
j'achète	j'achève	je lève	je mène
tu achètes	tu achèves	tu lèves	tu mènes
il achète	il achève	il lève	il mène
nous achetons	nous achevons	nous levons	nous menons
vous achetez	vous achevez	vous levez	vous menez
ils achètent	ils achèvent	ils lèvent	ils mènent

Verbs conjugated like the above: *élever, soulever, enlever, se promener, amener, emmener.*

C.

In verbs like *espérer*, the *accent aigu* changes to an *accent grave* when the stem is followed by a mute *e*. The most important of these are:

céder	*célébrer*	*espérer*	*s'inquiéter*
je cède	je célèbre	j'espère	je m'inquiète
nous cédons	nous célébrons	nous espérons	nous nous inquiétons

préférer	*protéger*	*régner*	
je préfère	je protège	je règne	
nous préférons	nous protégeons	nous régnons	

D.

In verbs ending in -*yer*, the *y* changes to an *i* when followed by a mute *e*. This change is optional, however, in verbs ending in -*ayer*. Typical -*yer* verbs are:

employer	*essuyer*	*appuyer*	*payer*
j'emploie	j'essuie	j'appuie	je paie or je paye
nous employons	nous essuyons	nous appuyons	nous payons

E.

In all future and conditional forms of -*er* verbs the stem is followed by a mute *e*. Therefore the changes mentioned above (doubling of the consonant, *accent grave* over the preceding *e*, *y* changing to *i*) occur throughout these forms:

appeler	*acheter*	*employer*	*payer*
j'appellerai	j'achèterai	j'emploierai	je paierai or je payerai

F.

Verbs like *espérer* form an exception to the above rule because they retain the *accent aigu* in the future and conditional forms:

espérer	*préférer*	*protéger*	*s'inquiéter*
j'espérerai	je préférerai	je protégerai	je m'inquiéterai

61. Verbs Like *Commencer* and *Manger*

In verbs ending in -*cer* and -*ger* the *c* and *g* are pronounced the same throughout the various forms and tenses. To retain the pronunciation, *c* is spelled *ç* whenever it is followed by *a, o,* or *u,* and *g* is spelled *ge* whenever it is followed by *a* or *o.*

commencer	*manger*
commençant	mangeant
commençons	mangeons
je commençais	je mangeais
tu commençais	tu mangeais
il commençait	il mangeait
ils commençaient	ils mangeaient

PASSÉ COMPOSÉ

62. Formation and Use.

A.

Formation. The *passé composé* is formed by the auxiliary verb *avoir* or *être* + past participle (see *Past Participle,* **63**).

B.

Use. See *Imparfait* (**40C, D**).

PAST PARTICIPLE

63. Formation

A.

Formation from regular verbs.

(1) -*er* verbs. The past participle has the same sound as the infinitive, but ends in -*é,* rather than -*er: parler–parlé.*

(2) -*ir* verbs. The past participle ends in -*i: finir–fini.*

(3) -*re* verbs. The past participle ends in -*u: rendre–rendu.*

B.

Formation from irregular verbs. Irregular past participles must be learned by frequent repetition and practice. Note that the past participles of all verbs ending in -oir, except *asseoir*, end in -u, and that irregular past participles are often one syllable shorter than they would be if they were formed regularly. The most frequently used irregular past participles are listed below. They are listed by endings, and in columns showing similarities of formation. Note, however, that these similarities are not absolute: *suivre–suivi* but *vivre–vécu; rire–ri* but *lire–lu*.

(1) Ending in -u

avoir–eu	appartenir–appartenu	connaître–connu
boire–bu		paraître–paru
croire–cru		
devoir–dû	souvenir–souvenu	
falloir–fallu	tenir–tenu	plaire–plu
pleuvoir–plu	venir–venu	taire–tu
recevoir–reçu		
savoir–su		
valoir–valu	courir–couru	vivre–vécu
voir–vu	lire–lu	
vouloir–voulu		

(2) Ending in -i, -is, -it (all pronounced *i* in the masculine)

rire–ri	mettre–mis	apprendre–appris
suffire–suffi	promettre–promis	comprendre–compris
suivre–suivi		prendre–pris
conduire–conduit	asseoir–assis	
dire–dit		
écrire–écrit		
réduire–réduit		

(3) Ending in -é

être–été	naître–né

(4) Ending in -ert

couvrir–couvert
découvrir–découvert
offrir–offert
ouvrir–ouvert
souffrir–souffert

(5) Ending in -int

atteindre–atteint
craindre–craint
éteindre–éteint
feindre–feint
joindre–joint
peindre–peint
plaindre–plaint

(6) Others

faire-fait	mourir–mort

PLUPERFECT

64. Formation and Use

A.

Formation. The pluperfect is formed by the *imparfait* of the auxiliary verb followed by the past participle.

voir   pluperfect: *j'avais vu*   *aller*   pluperfect: *j'étais allé*

B.

Use. The pluperfect, in French as in English, expresses what had already happened when another event occurred in the past.

Je suis sorti.	I went out. (An event in the past.)
Je suis sorti quand j'avais fini mon déjeuner.	I went out when I had finished my lunch. (Finishing my lunch is an event that occurred *before* I went out.)

POSSESSIVE ADJECTIVES AND PRONOUNS

65. Possessive Adjectives

	SINGULAR		PLURAL
	Before a masculine noun and before a feminine noun beginning with a vowel or a mute h	Before a feminine noun beginning with a consonant	Before any plural noun
my	mon	ma	mes
your	ton	ta	tes
his, her, its, one's	son	sa	ses

	Before any singular noun	PLURAL
our	notre	nos
your	votre	vos
their	leur	leurs

Note that linking will cause the final consonant to be pronounced before a vowel or a mute h in mon, ton, son, mes, tes, ses, nos, vos, leurs, and that the

-re of *notre* and *votre* is usually not pronounced before a consonant. *Votre père* is usually pronounced *vot' père*.

66. Possessive Pronouns

le mien	la mienne	les miens	les miennes
le tien	la tienne	les tiens	les tiennes
le sien	la sienne	les siens	les siennes
le notre	la notre	les notres	les notres
le votre	la votre	les votres	les votres
le leur	la leur	les leurs	les leurs

A possessive pronoun replaces a noun accompanied by a possessive adjective. Instead of *mon livre, le mien,* instead of *ton amie, la tienne.*

Moi, j'ai mon idée et lui, il a la sienne.   I have my idea and he has his.

After the verb *être* the possessive pronoun can be avoided as follows:

A qui est ce livre? Il est à eux?   Whose book is this? Is it theirs?

PREPOSITIONS

67. Use or Omission of Prepositions Before Nouns

A.

Many verbs that take a preposition before the noun in English do not take a preposition in French. The most important ones are:

listen to	I listen to the music.	J'écoute la musique.
wait for	I'm waiting for Louis.	J'attends Louis.
look for	I'm looking for my tie.	Je cherche ma cravate.
ask for	I ask for an answer.	Je demande une réponse.
pay for	What did you pay for your car?	Qu'est-ce que vous avez payé votre voiture?
look at	Look at John!	Regarde Jean!
tell about	He tells about his trip.	Il raconte son voyage.

B.

Conversely, many verbs which do not take a preposition before the noun in English do take one in French.

apprendre . . . à	J'apprends l'anglais aux enfants.	I teach the children English.
demander à	Je leur demande.	I ask them.
dire à	Que lui dites-vous?	What do you tell him? (or say to him)
échapper à	Il a échappé à ses ennemis.	He escaped his enemies.

jouer à (games)	Il joue au bridge.	He plays bridge.
obéir à	Vous leur obéissez?	Do you obey them? (people, not things)
pardonner à	Vous lui avez pardonné.	You pardoned him.
permettre à	Il permet aux enfants de jouer.	He allows the children to play.
plaire à	Ça lui plaît.	That pleases him.
promettre à	Il leur promet des bonbons.	He promises them candy.
refuser à	Il leur refuse des bonbons.	He refuses them candy.
répondre à	Je lui ai répondu.	I answered him.
reprocher à	Il leur reproche leurs manières.	He reproaches them for their manners.
résister à	Il résiste à l'attaque.	He resists the attack.
succéder à	Il succède à son père.	He succeeds his father.
Jouer de (instruments)	Il joue du piano.	He plays the piano.
s'approcher de	Il s'approche du mur.	He approaches the wall.
se douter de	Il s'en doute.	He suspects it.
manquer de	Il manque de tact.	He lacks tact.
se servir de	Il se sert de sa fourchette.	He uses his fork.
entrer dans	Il entre dans la chambre.	He enters the room.

C.

Other verbs take different prepositions before a noun than in English.

acheter à	Il achète un livre à son ami.	He buys a book *from* his friend.
remercier de	Il le remercie du compliment.	He thanks him *for* the compliment.
remplir de	Il remplit sa poche de bonbons.	He fills his pocket *with* candies.
ressembler à	Il ressemble à son frère.	He looks *like* his brother.
penser de	Voici ce que je pense de lui.	Here is what I think *about* him (i.e., my opinion of him).
penser à	Je pense à lui souvent.	I think *about* him often (i.e., he is often on my mind).

D.

Certain expressions which take a preposition in English do not take a preposition in French:

Parts of the body:

Ils entrent, les bras encombrés de pendules.	They come in with arms full of clocks.

Street address:

Il demeure place des Vosges.	He lives **on** place des Vosges.

68. Use or Omission of Prepositions Before Infinitives

A verb may be followed directly by the infinitive, or the infinitive may be preceded by *à* or *de*. Note that the infinitive may correspond to an English *-ing* form, or even to a dependent clause.

A.
Verbs followed directly by the infinitive.

aimer	Il aime parler.	He likes to talk.
aller	Il va partir.	He's going to leave.
croire	Il croit partir.	He thinks he's going to leave.
désirer	Il désire partir.	He wants to leave.
devoir	Il doit partir.	He must leave.
écouter	Il écoute chanter les enfants.	He listens to the children singing.
entendre	Il entend parler les enfants.	He hears the children speaking.
espérer	Il espère partir.	He hopes to leave.
falloir	Il faut partir.	One must leave.
laisser	Il nous laisse partir.	He lets us leave.
oser	Il n'ose pas partir.	He doesn't dare leave.
pouvoir	Il peut partir.	He can leave.
préférer	Il préfère partir.	He prefers to leave.
prétendre	Il prétend partir.	He claims he's going to leave.
savoir	Il sait nager.	He knows how to swim.
sembler	Il semble comprendre.	He seems to understand.
valoir mieux	Il vaut mieux partir.	It is better to leave.
venir	Il vient nous voir.	He's coming to see us.
voir	Il voit danser les enfants.	He sees the children dancing
vouloir	Il veut partir.	He wants to leave.

B.
Verbs followed by *à* + infinitive.

aider à	help to	enseigner à	teach to
s'amuser à	have fun	s'habituer à	get used to
apprendre à	learn to, teach to	hésiter à	hesitate to
arriver à	succeed in	inviter à	invite to
avoir à	have to	se mettre à	start to
chercher à	try to	parvenir à	succeed in
commencer à	begin to	réussir à	succeed in
consentir à	consent to	songer à	think about
continuer à	continue to	tarder à	delay

C.

Verbs followed by *de* + infinitive. Note that several of these verbs tell, command, or express emotion.

s'arrêter de	stop	négliger de	neglect to, forget to
avoir envie de	want to	ordonner de	order to
avoir peur de	be afraid of	oublier de	forget to
cesser de	stop	permettre de	permit to
commander de	order to	persuader de	persuade to
craindre de	be afraid to	prier de	ask to, beg to
défendre de	forbid to	promettre de	promise to
demander de	ask to	refuser de	refuse to
se dépêcher de	hurry to	regretter de	be sorry to, regret to
dire de	say to	remercier de	thank for (+ past infinitive)
essayer de	try to		
finir de	finish	tenter de	try to

69. Use of Prepositions After Adjectives

A.

Many adjectives, particularly those expressing emotion or certainty, are followed by *de* + infinitive.

Je suis heureux de vous voir. (Je suis content de vous voir.)	I am happy to see you.
Je suis désolé de vous le dire.	I am sorry to tell you.
Elle est certaine de comprendre.	She is sure she understands, *or,*
Elle est sûre de comprendre.	She is sure to understand.
Je suis fatigué de l'entendre.	I am tired of hearing it.
Je suis fier de le dire.	I am proud to say so.

B.

Other adjectives are followed by *à* + infinitive (but see **C**).

C'est facile à faire.	It is easy to do.
Il est lent à comprendre.	He is slow to understand.
Je suis habitué à me taire.	I am used to being quiet.

C.

After the impersonal expression *il est* the adjective is followed by *de* + infinitive. Note the contrast between the following pairs of sentences.

Je suis facile à convaincre. Il est facile de le faire.	I am easy to convince. It is easy to do it.
J'aime ce journal. Il est intéressant à lire.	I like this newspaper. It is interesting to read.

J'aime la lecture. Il est intéressant de lire.	I like reading. It is interesting to read.
Ce vin est bon à boire. Il est bon de boire du vin.	This wine is good to drink. It is good to drink wine.

70. Use of Prepositions Before Countries

The following prepositions are used to expressed *to* or *in*.

A.

à before cities: *à Paris.* If the name of the city begins with *le* the preposition contracts: *Le Havre, au Havre, du Havre.*

B.

en before feminine countries, provinces, and continents (all countries that end in *-e* are feminine except *le Mexique*): *en Asie, en Normandie, en France.*

C.

au or *aux* before masculine names of countries and provinces (countries that do not end in *-e* are masculine): *aux États-Unis, au Canada, au Maroc.*

D.

dans before the name of any country if it is modified: *dans la France du nord.*

71. Some Uses of *à, de, pour,* and *pendant*

A.

à often indicates the purpose for which a noun serves, or the way in which an adjective or adverb applies.

une salle à manger	a dining room	bon à manger	good to eat
un verre à vin	a wine glass	intéressant à lire	interesting to read
beaucoup à lire	a lot to read	assez à manger	enough to eat

B.

de often indicates the material of which an object is made, or what is in it.

un verre de vin	a glass of wine
un chapeau de paille	a straw hat

C.

pour with an infinitive means *in order to.* Remember to use *pour* when *to* means *in order to, with the purpose of.*

Contrast: Je veux comprendre.	I want to understand.
Je lis pour comprendre.	I read to understand.

D.

pendant means *for* with an expression of time and stresses duration. *Pour* may be used, however, with the verb in the present or future to indicate *for a period of*.

J'y suis resté pendant trois semaines.	I stayed for three weeks.
Les livres se prêtent pour deux se- maines.	Books are loaned for (a period of) two weeks.

PRESENT

72. Formation of the Present

A.

Singular forms. In the present tense (as in the conditional, the *imparfait*, and the subjunctive) the *je, tu,* and *il* forms all sound alike.

je parle	je prends	je veux
tu parles	tu prends	tu veux
il parle	il prend	il veut

There are only three exceptions to this rule:

être	*avoir*	*aller*
je suis	j'ai	je vais
tu es	tu as	tu vas
il est	il a	il va

Spelling of the singular forms:

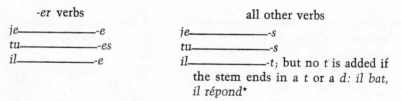

-er verbs	all other verbs
je―――――-e	je―――――-s
tu―――――-es	tu―――――-s
il―――――-e	il―――――-t; but no *t* is added if the stem ends in a *t* or a *d: il bat, il répond**

There are three exceptional spellings in the singular forms:

je veux	je vaux	je peux
tu veux	tu vaux	tu peux

B.

Plural forms.

(1) *Vous* form ends in *-ez;* three exceptions: *vous êtes, vous dites, vous faites.*
(2) *Nous* form ends in *-ons;* one exception: *nous sommes.*

---

*Note a few exceptional forms: vaincre―il vainc   résoudre―il résout.

(3) *Ils* form ends in silent -*ent;* four exceptions: *ils sont, ils ont, ils font, ils vont.*

C.

-*er* verbs. (Note that *ouvrir, couvrir, découvrir, offrir, souffrir,* and *cueillir* are conjugated like -*er* verbs in the present.) In -*er* verbs the singular forms and the *ils* form all sound alike. The *nous* and *vous* forms have the same stem as the other forms,* but add -*ons* and -*ez* respectively. Therefore to move from the *nous* or *vous* form to any other form, drop the last syllable.

vous parlez	nous oublions	vous ouvrez
je parle	il oublie	ils ouvrent

D.

Verbs not ending in -*er*. In most of these verbs a consonant is heard in the plural forms. *This sound is not heard in the singular forms.* (*Mourir* and *courir* are exceptions.) In the following examples, the consonant is italicized.

nous met*t*ons	nous choisis*s*ons	ils ser*v*ent	vous répon*d*ez
je mets	je choisis	il sert	tu réponds

Note that the consonant may appear in the spelling of the singular form, but it is not pronounced. Thus in moving from a plural to a singular form, one must drop the consonant. Conversely, to move from a singular to a plural form, one must know what consonant to use.

(1) -*re* verbs. Regular -*re* verbs take the consonant used in the plural from the infinitive; the consonant is not heard in the singular form, but appears in the spelling.

rendre	*battre*	*répondre*
nous rendons	vous battez	nous répondons
je rends	il bat	je réponds

(2) *Dormir, mentir, partir, sentir, servir, sortir,* like -*re* verbs, take the consonant used in the plural from the infinitive. The consonant is dropped in the singular; it does *not* appear in the spelling.

nous dormons	ils sentent	vous servez
je dors	tu sens	il sert

(3) -*ir* verbs. Regular -*ir* verbs take the consonants -*ss* in the plural. This sound is dropped from the singular.

polir	*finir*
vous polissez	nous finissons
il polit	je finis

(4) Irregular verbs

(a) The infinitives of -*ire*, -*aire*, and -*aître* verbs do not furnish any consonant for the plural. The most important of these verbs are listed below. Note that the consonant used in the plural is usually -*s* or -*ss*.

*Orthographic changing verbs form an exception to this rule. See **60**.

-ire:	dire	· lire	conduire	écrire
	je dis	je lis	je conduis	j'écris
	nous disons	nous lisons	nous conduisons	nous écrivons
	(but vous dites)			

-aire:	faire	plaire	se taire
	je fais	je plais	je me tais
	nous faisons	nous plaisons	nous nous taisons
	(but vous faites, ils font)		

-aître:	connaître	paraître
	je connais	je parais
	il connaît	il paraît
	nous connaissons	nous paraissons

(b) Some irregular verbs have one stem in the *nous* and *vous* forms and another stem in the remaining forms. All of these verbs, except *prendre* and *boire*, take the consonant used in the plural from the infinitive. Note that the *ils* form has the same stem as the singular forms, but can be distinguished from them because of the consonant: *il doit–ils doivent*. If the stem is nasal in the singular forms, it is denasalized in the *ils* form because of the consonant following it: *il vient–ils viennent, il prend–ils prennent*. The most important of these verbs are:

boire	devoir	mourir
je bois	je dois	je meurs
nous buvons	nous devons	nous mourons
ils boivent	ils doivent	ils meurent

pouvoir	recevoir	vouloir
je peux	je reçois	je veux
nous pouvons	nous recevons	nous voulons
ils peuvent	ils reçoivent	ils veulent

tenir (and appartenir)	venir (and se souvenir)	prendre (and apprendre, comprendre)
je tiens	je viens	je prends
nous tenons	nous venons	nous prenons
ils tiennent	ils viennent	ils prennent

(c) Some irregular verbs have one stem in the singular forms, and another throughout the plural forms. The most important of these are:

craindre (and *atteindre, éteindre, feindre, joindre, plaindre, peindre*)

je crains
nous craignons

s'asseoir	savoir	valoir
je m'assieds	je sais	je vaux
nous nous asseyons	nous savons	nous valons

(d) *être, avoir, aller, faire, dire.* The irregularities of these verbs are covered in **72A** and **B**.

73. Use of the Present

A.
Generally, the present is used the same way in French as in English, but while it has two distinct forms in English, it has only one in French.

I speak, I am speaking   je parle

B.
The present is used to express an action which began in the past and continues into the present. To indicate the duration the expressions *il y a . . . que, voilà . . . que,* and *depuis . . .* are used.

Il pleut depuis trois jours.	It has been raining for three days.
Il y a une semaine qu'il est ici.	He has been here for a week.
Voilà deux ans que nous travaillons.	We have been working for two years.

C.
The present can also be used to express the immediate future or the immediate past.

Les véritables propriétaires sortent d'ici.	The real owners just left.
Nous partons samedi.	We are leaving (will be leaving) Saturday.

PRESENT PARTICIPLE

74. Formation of the Present Participle

To the stem derived from the *nous* form of the present add *-ant.*

boire	*nous* form: *buvons*	stem: *buv-*	present participle: *buvant*
craindre	*nous* form: *craignons*	stem: *craign-*	present participle: *craignant*

avoir–ayant   savoir–sachant   être–étant

75. Use of the Present Participle

A.
The *-ant* ending of the present participle is the equivalent of *-ing.* But the *-ing* ending in English occurs in many different ways, whereas the present paritciple

is used in French only to express an action simultaneous or nearly simultaneous with the action of the main verb. It is usually preceded by *en*, meaning either *while* or *by*.

Il parle en mangeant.	He speaks while eating.
On apprend en lisant.	One learns by reading.

B.

The present participle can also be used as an adjective.

une jeune fille charmante.	a charming girl

REFLEXIVE VERBS

76. Formation and Use

A.

In a reflexive verb, the subject and object refer to the same person. Most verbs which can take objects can be reflexive; the reflexive pronoun may stand for a direct object or an indirect object.

Nonreflexive verb, direct object		*Reflexive verb, direct object*	
Je regarde Marie.	I look at Marie.	Je me regarde.	I look at myself.
Il a perdu.	He lost.	Il s'est perdu.	He lost himself, he got lost.

Nonreflexive verb, indirect object		*Reflexive verb, indirect object*	
Il parle à son frère.	He speaks to his brother.	Il se parle.	He speaks to himself.

B.

Me, te, nous, and *vous* are used both with reflexive and nonreflexive verbs, but in the third person singular and plural *se* is the reflexive object. All reflexive verbs are conjugated with *être* in compound tenses. Remember that the reflexive object must correspond to the subject before an infinitive as before any other verb form.

Je me suis mis à me raser.	I started to shave.
Tu es allé te promener?	Did you go for a walk?

C.

When *myself, himself, yourself, themselves,* are used as direct or indirect objects of the verb, they are translated by the reflexive pronoun.

Ils se regardent.	They look at themselves.
Vous vous êtes fait mal?	Did you hurt yourself?

Note, however, that when they are not direct or indirect objects they are translated by the stressed pronoun + -*même*.

L'avez-vous fait vous-même?	Did you make it yourself?
Il parle contre lui-même.	He speaks against himself.

RELATIVE PRONOUNS

77. Use of Relative Pronouns

A.

The relative pronoun introduces a **dependent clause**. It cannot be omitted, as it often is in English.

le livre que je lis	the book I'm reading
les choses dont il a besoin	the things he needs
la jeune fille avec qui vous parlez	the girl you're talking with

B.

(1) *Qui* is used as the subject of the dependent clause. It is never elided. The antecedent may be a person or a thing.

C'est un livre qui a coûté cinq   It's a book which cost five francs.
  francs.

(2) *Que* or *qu'* is used as the object of the dependent clause. The antecedent may be a person or a thing.

C'est un livre que j'ai acheté hier.   It's a book I bought yesterday.

C.

(1) *Lequel* is used after a preposition when there is a specific antecedent. *Lequel* must agree with its antecedent, and contract with *à* or *de,* as follows: *auquel, auxquels, auxquelles, duquel, desquels, desquelles.*

les principes pour lesquels il est mort	the principles he died for
la femme avec laquelle il parlait	the woman with whom he was talking
le pays auquel je pense	the country I am thinking about

Remember to use *lequel* with verbs followed by *à.*

obéir à   to obey   la règle à laquelle j'obéis   the rule I obey

(2) *Qui* may be used if the antecedent is a person.

la femme avec qui il parlait	the woman with whom he was talking
la personne à qui il obéit	the person he obeys

D.

(1) *Dont* replaces *de* + relative pronoun. The word order in the dependent clause following *dont* is always subject + verb + object, if there is an object. Do not let English word order mislead you.

la personne dont vous parliez	the person about whom you were talking
l'homme dont j'ai acheté la voiture	the man whose car I bought

Remember to use *dont* with verbs followed by *de*.

se souvenir de	to remember
la ville dont je me souviens	the city I remember

(2) *De qui* may be used if the antecedent is a person.

la personne de qui je parle	the person I am talking about

E.

(1) *Duquel* (*de laquelle, desquels, desquelles*) is used after prepositional phrases that end in *de*. (*Dont* cannot be used after a preposition.)

l'article à propos duquel je vous écris	the article about which I am writing you
les personnes à coté desquelles je me suis assis	the people next to whom I sat down

It must also be used after noun + preposition + noun when the relative pronoun refers to the first of the two nouns.

le square au centre duquel il y a une statue	the square in the center of which there is a statue

Duquel is used because the reference is to *le square,* the first of the two nouns.

la façade de la cathédrale dont je vous ai parlé	the facade of the cathedral about which I told you

Dont is used because the reference is to *la cathédrale,* the second of the two nouns.

(2) *De qui* may be used if the antecedent is a person.

le monsieur à coté de qui je me suis assis	the gentleman I sat down next to

F.

When the relative pronouns *qui, que,* and *dont* have no antecedent in the main clause they take the invariable *ce* as an antecedent.

(1) *With antecedent in the main clause (the antecedent is in italics):*

J'ai vu *le film* qui vous intéresse.	I saw the film which interests you.

Without antecedent in the main clause:

J'ai vu ce qui vous intéresse.	I saw what interests you.

(2) *With antecedent in the main clause:*

Je ne comprends pas *les mots* que vous me dites.	I do not understand the words you are saying to me.

Without antecedent in the main clause:

Je ne comprends pas ce que vous me dites.	I do not understand what you are saying to me.

(3) *With antecedent in the main clause:*

Les choses dont je me souviens le mieux . . .	The things I remember best . . .

Without antecedent in the main clause:

Ce dont je me souviens le mieux . . .	What I remember best . . .

(4) Note that *ce que, ce qui,* and *ce dont* are often translated by *what.* They are also used when the main clause itself is the antecedent. In this use they are translated by *which.*

Il a répondu tout de suite, ce qui m'a étonné.	He answered immediately, which surprised me.

G.

Où after a noun indicating place or time. (Do not use *quand* in this position.)

Le pays où vous allez est-il loin?	Is the country you're going to far off?
C'est la ville d'où je viens.	That's the city I come from.
Le jour où cela arrivera. . . .	The day that happens. . . .

H.

(1) *Quoi* as a relative pronoun is normally used after a preposition when there is no specific antecedent in the main clause.

Je me demande avec quoi il a écrit cette lettre.	I wonder what he wrote this letter with.

(2) *Quoi* preceded by a preposition may have the invariable *ce* as an antecedent.

Voici ce avec quoi il a écrit la lettre.	Here is what he wrote the letter with.

(3) *Quoi* may also be used instead of *lequel* when there is a specific antecedent.

la chose à laquelle je pense (*ou,* la chose à quoi je pense)	the thing I am thinking about

(4) *De quoi* is often used rather than *ce dont.*

Il sait de quoi il parle.	He knows what he's talking about.

REPETITION

78. Repetition of Articles, Adjectives, and Prepositions

Articles, adjectives, and prepositions which are often omitted in English must usually be repeated in French.

A.
Repetition of articles.

Les autobus et les trains arrivaient.	The buses and trains were arriving.

In a series of three or more, however, all articles may be omitted.

Autobus, trains, bicyclettes, motocyclettes, tous avaient disparu.	Buses, trains, bicycles, motocycles, all had disappeared.

B.
Repetition of the object pronoun.

Cela me surprend et me choque.	It surprises and shocks me.

C.
Repetition of the subject pronoun (preferable if there are two different auxiliaries, optional otherwise).

Je me suis levé et j'ai regardé par la fenêtre.	I got up and looked out the window.
Je traverse la rue et j'entre dans le café.	I cross the street and enter the café.

D.
Repetition of the possessive adjective.

ma mère et mon père	my mother and father
votre chapeau et votre pardessus	your hat and coat

E.
Repetition of the preposition.

le père de Marinette et de Delphine	Marinette and Delphine's father
en France et en Italie	in France and Italy

STRESSED PRONOUNS

79. Use of Stressed Pronouns

The stressed pronouns are: *moi, toi, lui, elle, soi, nous, vous, eux, elles.*

Note that subject pronouns are used for unstressed subjects, object pronouns for unstressed objects. Stressed pronouns are used in all other cases:

A.

After a preposition.

Allez avec eux.	Go with them.

B.

Alone.

Qui est là? Moi.	Who's there? I (am).

C.

After *ce* + *être.*

C'est lui.	It is he.

D.

To stress an object or a subject pronoun.

Moi, je reste.	*I'm* staying.
Il parle à toi, pas à moi.	He is talking to you, not to me.

When the stressed pronoun is used in the third person, the subject pronoun may be omitted.

Eux comprennent.	*They* understand.

E.

In compound subjects or objects.

Lui et elle viendront.	He and she will come.
Je les connais, eux et leurs amis.	I know them and their friends.

F.

After reflexive verbs that are followed by *à* or *de,* and a few other verbs which cannot be preceded by the object pronoun (see **59D**).

Je me souviens de lui.	I remember him.
Il s'adresse à eux.	He talks to them.
Il va à elle.	He goes to her.

G.

Preceding *même*, meaning self.

Il est venu lui-même.   He came himself.

SUBJUNCTIVE

80. Formation of the Subjunctive

A.

The *nous* and *vous* forms of the subjunctive are identical with the *nous* and *vous* forms of the imparfait (exceptions: see **D** and **E**).

venir   imparfait: *nous venions*   subjunctive: *que nous venions*

B.

The *je, tu, il,* and *ils* forms are identical in sound with the *ils* forms of the present (exceptions: see **C, D,** and **E**). *Spelling:* add the endings *-e, -es, -e,* and *-ent* to the stem of the *ils* form. Note that in *-er* verbs these forms are identical in the present and in the subjunctive.

venir: *ils* form of the present: *viennent;* stem: *vienn-*

que je vienne   que tu viennes   qu'il vienne   qu'ils viennent

parler   *ils* form of the present: *parlent;* stem: *parl-*

que je parle   que tu parles   qu'il parle   qu'ils parlent

C.

Aller, valoir, and *vouloir* have a special subjunctive stem, used in all forms except the *nous* and *vous* forms, which are regular, that is, identical with the *nous* and *vous* forms of the *imparfait.*

aller	*valoir*	*vouloir*
que j'aille	que je vaille	que je veuille
que tu ailles	que tu vailles	que tu veuilles
qu'il aille	qu'il vaille	qu'il veuille
que nous allions	que nous valions	que nous voulions
que vous alliez	que vous valiez	que vous vouliez
qu'ils aillent	qu'ils vaillent	qu'ils veuillent

D.

Faire, pouvoir, and *savoir* have special stems for all persons of the subjunctive.

faire	*pouvoir*	*savoir*
que je fasse	que je puisse	que je sache
que tu fasses	que tu puisses	que tu saches
qu'il fasse	qu'il puisse	qu'il sache
que nous fassions	que nous puissions	que nous sachions
que vous fassiez	que vous puissiez	que vous sachiez
qu'ils fassent	qu'ils puissent	qu'ils sachent

E.

Etre and *avoir* have special stems and also irregular endings in the subjunctive.

être	*avoir*
que je sois	que j'aie
que tu sois	que tu aies
qu'il soit	qu'il ait
que nous soyons	que nous ayons
que vous soyez	que vous ayez
qu'ils soient	qu'ils aient

81. Use of the Subjunctive

A.

The subjunctive is a mode of the verb used in dependent clauses following certain expressions. These expressions usually indicate a subjective attitude of the speaker towards the action expressed in the dependent clause. In English, for example, such expressions as *it is important that . . ., it is necessary that . . ., I suggest that . . .* are followed by the subjunctive. Study the contrasts between the indicative and the subjunctive:

Indicative	Subjunctive
He *studies* his French.	It is important that he *study* his French.
He *is* on time.	I insist that he *be* on time.
He *speaks* French in class.	It is necessary that he *speak* French in class.

Notice that the indicative sentences state facts, while the expressions *it is important that . . ., I insist that . . .,* etc., indicate a subjective attitude of the speaker toward the action expressed in the dependent clause. *I insist that he be on time* means I, the speaker, want him to be on time; but it does not necessarily mean that he is on time. French use of the subjunctive follows this same pattern, but there are many more expressions in French that require the subjunctive than in English. They may be categorized as follows:

(1) Expressions of emotion or personal opinion.

je suis heureux que	I am happy that
je suis content que	I am happy that
je suis charmé que	I am charmed that
je suis désolé que	I am very sorry that
je regrette que	I am sorry that
j'ai peur que	I am afraid that
c'est triste que	it's sad that
c'est dommage que	it's a pity that
il est étonnant que	it's surprising that
il est ridicule que	it's ridiculous that

(2) Expressions of desirability or undesirability.

il faut que	it is necessary that
il ne faut pas que	one must not
il vaut mieux que	it is better that
il est important que	it is important that
il est bon que	it is good that
je veux que	I want
je défends que	I forbid
je tiens à ce que*	I insist that
je m'oppose à ce que	I am opposed to
je consens à ce que	I consent to
je préfère que	I prefer that

(3) Contrary to fact expressions.

il n'est pas vrai que	it is not true that
il est impossible que	it is impossible that
il n'y a personne que (or qui)	there is no one whom (or who)
il n'y a rien que (or qui)	there is nothing which
⌈ je ne crois pas que†	I don't believe that
⌊ je ne pense pas que†	I don't think that

(4) Expressions of possibility or hypothesis.

il est possible que	it is possible that
il se peut que	it is possible that
serait-il arrivé que	could it have happened that
croyez-vous que	do you believe that
pensez-vous que	do you think that
y aurait-il quelqu'un qui	would there be someone who

---

*Verbs which are normally followed by *a* are followed by *a ce que* when they introduce a dependent clause.

†Note that *je pense* and *je crois* are followed by the indicative.

(5) Certain conjunctions. (Note that these conjunctions generally express emotion, desirability, contrary to fact condition, or possibility.)

afin que	so that	où que	wherever
à moins que	unless	pour peu que	if only
avant que	before	pour que	so that
bien que	although	pourvu que	provided that
ce n'est pas que	it's not that	quel que	whatever
de crainte que	for fear of	qui que	whomever
de peur que	for fear of	quoi que	whatever
en attendant que	until	quoique	although
jusqu'à ce que	until	sans que	without

(6) After a superlative, *le premier, le seul,* and *le dernier,* if the speaker is expressing a subjective attitude, rather than simply stating a fact.

C'est le meilleur acteur que je connaisse. — He's the best actor I know.

But: le dernier film que j'ai vu — the last film I saw (not subjunctive because it merely states a fact)

(7) In a dependent clause introduced by a relative pronoun when the main clause negates or expresses uncertainty about the existence of the antecedent of the relative pronoun.

Uncertainty:

Je cherche quelqu'un à qui je puisse le donner. — I am looking for someone to whom I can give it.

Certainty:

Je connais quelqu'un à qui vous pouvez le donner. — I know someone to whom you can give it.

Uncertainty:

Existe-t-il un livre qui soit sans erreurs? — Is there a book that is without errors?

Certainty:

Il existe un livre qui est sans erreurs. — There is a book that is without errors.

Negation:

Il n'y a personne qui puisse le faire. — There is no one who can do it.

Assertion:

Il y a quelqu'un qui peut le faire. — There is someone who can do it.

Negation:

Il n'y a aucun auteur que je connaisse bien. — There is no author that I know well.

Assertion:

Il y a plusieurs auteurs que je connais bien.	There are several authors that I know well.

B.

The subjunctive is used as the third person imperative with *que*. It is also used without *que* in a few idiomatic phrases expressing a wish or hope.

Qu'il vienne.	Let him come.
Soit.	So be it.
Vive le roi.	Long live the king.

C.

The subjunctive should not be used after expressions which indicate that a *fact* will follow.

Je savais que cela te ferait de la peine.	I knew that would upset you.
Il est certain qu'il a raison.	It is certain that he is right.
Je pense que vous avez tort.	I think you are wrong.

But if such expressions are in the negative or interrogative or express doubt or uncertainty they are followed by the subjunctive.

Il n'est pas certain qu'il vienne.	It is not certain that he is coming.
si j'avais su que cela te fasse tant de peine	if I had known that would upset you so much

D.

The subjunctive, strangely enough, is not used after *espérer* in the positive, nor after *se douter* in any form.

J'espère que vous viendrez.	I hope you will come.
Je ne me doutais pas que vous alliez venir.	I had no idea you were going to come.

E.

Sequence of tenses in the subjunctive.

(1) In spoken French the so-called present subjunctive is used whenever the action is simultaneous with the main verb, or future in relation to the main clause. Note that there is no future of the subjunctive.

Je doute qu'il vienne.	I doubt that he will come.
Je doutais qu'il vienne.	I doubted that he would come.

(2) The past subjunctive, formed by the subjunctive of the auxiliary + past participle, is used when the action occurred before the action of the main verb.

Je regrette que vous ne soyez pas venu.	I'm sorry that you didn't come.

VERB TABLES

82. Table of the Formation of Tenses

The various forms and tenses of most French verbs can easily be derived from the infinitive, the past participle, and the *je*, *nous*, and *ils* forms of the present. The way in which the other forms and tenses derive from these is summarized here.

A.
The infinitive. One can derive from it:
(1) The future. Add the endings *-ai, -as, -a, -ons, -ez,* and *-ont* to the infinitive. If the infinitive ends in *-re* drop the *e*. (Note, however, that some verbs have irregular future stems.)
(2) The conditional. Add the *imparfait* endings to the infinitive (or to the irregular future stem).

B.
The past participle. One can derive from it:
(1) All compound tenses. Add the past participle to the appropriate form of the auxiliary.

C.
The *je* form of the present. One can derive from it:
(1) The *tu* and *il* forms: same sound. For spelling differences see **72A.**
(2) The *tu* form of the imperative: same sound: For spelling differences see **41C.**

D.
The *nous* form of the present. One can derive from it:
(1) the *vous* form: *-ez* ending instead of *-ons.*
(2) The *nous* and *vous* forms of the imperative: identical with the *nous* and *vous* forms of the present.
(3) The present participle: *-ant* ending instead of *-ons.*
(4) The *imparfait:* drop the *-ons* and add the endings *-ais, -ais, -ait, -ions, -iez, -aient.*
(5) The *nous* and *vous* forms of the subjunctive: identical with the *nous* and *vous* forms of the *imparfait.*

E.
The *ils* form of the present. One can derive from it:
(1) The *je, tu, il,* and *ils* forms of the subjunctive: drop the *-ent* and add the endings *-e, -es, -e, -ent.*

83. Table of Regular Verbs

Infinitive		Passé Composé	Je Form	Nous Form
-er verbs	parler	j'ai parlé	je parle	nous parlons
-ir verbs	finir	j'ai fini	je finis	nous finissons
-re verbs	répondre	j'ai répondu	je réponds	nous répondons

84. Table of Irregular Verbs

Forms and tenses not given are regular, and can be derived from the table of formation of tenses (82). Literary tenses are not included.

Infinitive	Passé Composé	Je Form	Nous Form	Ils Form	Future	Subjunctive	Other Forms
accueillir	(see cueillir)						
acquérir	(see s'enquérir)						
admettre	(see mettre)						
aller	je suis allé	(Irregular Present) je vais / tu vas / il va	nous allons / vous allez / ils vont		j'irai	que j'aille / que tu ailles / qu'il aille / que nous allions / que vous alliez / qu'ils aillent	(Present Participle)
s'apercevoir	je me suis aperçu	je m'aperçois	nous nous apercevons	ils s'aperçoivent	je m'apercevrai		
apparaître	(see connaître)						
appartenir	(see tenir)						
apprendre	(see prendre)						
s'asseoir	je me suis assis	je m'assieds or je m'assois	nous nous asseyons or nous assoyons		je m'assiérai		
atteindre	j'ai atteint	j'atteins	nous atteignons				
avoir	j'ai eu	(Irregular Present) j'ai / tu as / il a	nous avons / vous avez / ils ont		j'aurai	que j'aie / que tu aies / qu'il ait / que nous ayons / que vous ayez / qu'ils aient	ayant / (Imperative) aie / ayons / ayez

boire	j'ai bu	je bois	nous buvons	ils boivent	
bouillir	j'ai bouilli	je bous	nous bouillons		
commettre	(see mettre)				
comprendre	(see prendre)				
concevoir	(see recevoir)				
conduire	j'ai conduit	je conduis	nous conduisons		
connaître	j'ai connu	je connais / il connaît	nous connaissons		
conquérir	(see s'enquérir)				
construire	j'ai construit	je construis	nous construisons		
contenir	(see tenir)				
convenir	(see venir)				
coudre	j'ai cousu	je couds	nous cousons		
courir	j'ai couru	je cours	nous courons		je courrai
couvrir	(see ouvrir)				
craindre	j'ai craint	je crains	nous craignons		
croire	j'ai cru	je crois	nous croyons	ils croient	
cueillir	j'ai cueilli	je cueille	nous cueillons		
découvrir	(see ouvrir)				
décrire	(see écrire)				
détruire	(see conduire)				
devenir	(see venir)				
devoir	j'ai dû	je dois	nous devons	ils doivent	je devrai
dire	j'ai dit	je dis	nous disons (vous dites)		
disparaître	(see connaître)				
dormir	j'ai dormi	je dors	nous dormons		
écrire	j'ai écrit	j'écris	nous écrivons		
s'endormir	(see dormir)				
s'enquérir	je me suis enquis	je m'enquiers	nous nous enquérons	ils s'enquièrent	je m'enquerrai
envoyer	j'ai envoyé	j'envoie	nous envoyons	ils envoient	j'enverrai
éteindre	(see atteindre)				

84. Table of Irregular Verbs (continued)

Infinitive	Passé Composé	Je Form	Nous Form	Ils Form	Future	Subjunctive	Other Forms
être	j'ai été	(Irregular Present) je suis tu es il est	nous sommes vous êtes ils sont		je serai	que je sois que tu sois qu'il soit que nous soyons que vous soyez qu'ils soient	(Present Participle) étant (Imparfait) j'étais tu étais il était nous étions vous étiez ils étaient (Imperative) sois soyons soyez
faire	j'ai fait	(Irregular Present) je fais tu fais il fait	nous faisons vous faites ils font		je ferai	que je fasse que tu fasses qu'il fasse que nous fassions que vous fassiez qu'ils fassent	
falloir	il a fallu	il faut			il faudra	qu'il faille	
feindre	(see atteindre)						
haïr	j'ai haï	je hais	nous haïssons				
inscrire	(see écrire)						
instruire	(see conduire)						
joindre	j'ai joint	je joins	nous joignons				
lire	j'ai lu	je lis	nous lisons				
maintenir	(see tenir)						
mentir	j'ai menti	je mens	nous mentons				
mettre	j'ai mis	je mets	nous mettons				

Infinitive	Compound past	Present	Plural present	3rd plural	Future	Subjunctive / Notes
mourir	je suis mort	je meurs	nous mourons	ils meurent	il mourra	
naître	je suis né	je nais {tu nais / il naît}	nous naissons			
obtenir	(see tenir)					
offrir	j'ai offert	j'offre	nous offrons			
omettre	(see mettre)					
ouvrir	j'ai ouvert	j'ouvre	nous ouvrons			
paraître	(see connaître)					
parcourir	(see courir)					
partir	je suis parti	je pars	nous partons			
parvenir	(see venir)					
peindre	(see atteindre)					
permettre	(see mettre)					
plaindre	(see craindre)					
plaire	j'ai plu	je plais {tu plais / il plaît}	nous plaisons			
pleuvoir	il a plu	il pleut			il pleuvra	qu'il pleuve — *[Present Participle]* pleuvant *[Imparfait]* il pleuvait
pouvoir	j'ai pu	*(Irregular Present)* je peux / tu peux / il peut	nous pouvons / vous pouvez / ils peuvent		je pourrai	que je puisse / que tu puisses / qu'il puisse / que nous puissions / que vous puissiez / qu'ils puissent
prendre	j'ai pris	je prends	nous prenons	ils prennent		
prescrire	(see écrire)					
prévenir	(see venir)					

84. Table of Irregular Verbs (continued)

Infinitive	Passé Composé	Je Form	Nous Form	Ils Form	Future	Subjunctive	Other Forms
promettre	(see mettre)						
recevoir	j'ai reçu	je reçois	nous recevons	ils reçoivent	je recevrai		
reconnaître	(see connaître)						
réduire	(see conduire)						
rejoindre	(see joindre)						
remettre	(see mettre)						
se repentir	je me suis repenti	je me repens	nous nous repentons				
résoudre	j'ai résolu	je résouds { tu résouds { il résout	nous résolvons				
retenir	(see tenir)						
rire	j'ai ri	je ris	nous rions				
satisfaire	(see faire)						
savoir	j'ai su	je sais	nous savons			que je sache que tu saches qu'il sache que nous sachions que vous sachiez qu'ils sachent	*(Present Participle)* sachant *(Imperative)* sache sachons sachez
sentir	j'ai senti	je sens	nous sentons				
servir	j'ai servi	je sers	nous servons				
sortir	je suis sorti	je sors	nous sortons				
souffrir	j'ai souffert	je souffre	nous souffrons				
soumettre	(see mettre)						
sourire	(see rire)						
soutenir	(see tenir)						
se souvenir	(see venir)						

Infinitive	Compound Past	Present	Present (plural)		Future	Present Subjunctive	Imperative
suffire	j'ai suffi	je suffis	nous suffisons				
suivre	j'ai suivi	je suis	nous suivons				
surprendre	(see prendre)						
se taire	je me suis tu	je me tais	nous nous taisons				
tenir	j'ai tenu	je tiens	nous tenons	ils tiennent	je tiendrai		
traduire	(see conduire)						
vaincre		je vaincs tu vaincs il vainc	nous vainquons				
valoir	j'ai valu	je vaux tu vaux il vaut	nous valons			que je vaille que tu vailles qu'il vaille que nous valions que vous valiez qu'ils vaillent	

(Irregular Present)

Infinitive	Compound Past	Present	Present (plural)		Future	Present Subjunctive	Imperative
venir	je suis venu	je viens	nous venons	ils viennent	je viendrai		
vivre	j'ai vécu	je vis	nous vivons				
voir	j'ai vu	je vois	nous voyons	ils voient	je verrai		
vouloir	j'ai voulu	je veux tu veux il veut	nous voulons vous voulez ils veulent			que je veuille que tu veuilles qu'il veuille que nous voulions que vous vouliez qu'ils veuillent	*(Imperative)* veuillez

85. Literary Tenses

Since the literary tenses are not often used in spoken French they are not included in the Grammatical Appendix and are not drilled actively in the exercises. They are included here, however, to enable students to recognize these tenses when they encounter them in their reading.

A.
Passé simple.

(1) Formation. Omit the infinitive ending (*-er, -ir,* or *-re*) and add these endings to the stem:

-er verbs		-ir and -re verbs	
parl -*ai*	parl -*âmes*	fin -*is*	fin -*îmes*
parl -*as*	parl -*âtes*	fin -*is*	fin -*îtes*
parl -*a*	parl -*èrent*	fin -*it*	fin -*irent*

Irregular verbs have an irregular stem in the *passé simple*. The endings added to it are:

eu -*s*   eû *mes*
eu -*s*   eû -*tes*
eu -*t*   eu -*rent*

Several irregular stems of the *passé simple* can be recognized by their relation to the irregular past participle.
   For example:

prendre	pris	je pris
avoir	eu	j'eus
vivre	vécu	je vécus
dire	dit	je dis

Other irregular stems of the *passé simple* are:

atteindre (and verbs like it)	j'atteignis
conduire (and verbs like it)	je conduisis
coudre	je cousis
couvrir (and verbs like it)	je couvris
écrire (and verbs like it)	j'écrivis
être	je fus
faire	je fis
mourir	je mourus
naître	je naquis
tenir (and verbs like it)	je tins
vaincre	je vainquis
venir (and verbs like it)	je vins
voir	je vis

(2) Use. Like the *passé composé* the *passé simple* differs from the *imparfait* because it expresses a completed action. It is essentially a narrative tense. It differs from the *passé composé* in that the action it expresses is represented taking place at a determined moment in the past and as having no contact with the present.

B.

The Imperfect and pluperfect subjunctive.

(1) Formation of the imperfect subjunctive. Omit the infinitive endings (*-er, -ir, -re*) and add these endings to the stem:

-er verbs		*-ir* and *-re* verbs	
parl *-asse*	parl *-assions*	fin *-isse*	fin *-issions*
parl *-asses*	parl *-assiez*	fin *-isses*	fin *-issiez*
parl *-ât*	parl *-assent*	fin *-ît*	fin *-issent*

For irregular verbs add these endings to the irregular stem of the *passé simple:*

eu *-sse*	eu *-ssions*
eu *-sses*	eu *-ssiez*
eû *-t*	eu *-ssent*

(2) Formation of the pluperfect subjunctive: imperfect of the subjunctive + past participle.

(3) Use.

In literary style when the main clause is in the past or conditional and the action expressed in the dependent clause is not previous to it, the *imparfait du subjonctif* is used.

Le maître ne savait pas que ce fussent là des vers de Victor Hugo.	The master didn't know that these were lines by Victor Hugo.

If the action expressed is previous, however, the pluperfect subjunctive is used.

Elle aurait voulu que les Dupont-Dufort fussent déjà partis.	She would have liked the Dupont-Duforts to have left already.

The pluperfect subjunctive may also be used in literary style in place of the perfect conditional.

Qui l'eût cru?	Who would have thought it?

C.

The *passé antérieur.*

(1) Formation: *passé simple* + past participle.

j'eus voulu   je fus allé

(2) Use. After *quand, lorsque, aussitot que, dès que, après que,* etc., to express an immediately preceding action when the main clause is in the *passé simple.*

Quand il eut fini, il partit.   When he had finished, he left.

Vocabulary

à to, with, in, by, against, from
abandonner to abandon, give up
aboiement m barking
d'abord first, at first
aboyer to bark
abri m shelter
absolument absolutely
absorber to absorb, engross
absurdité f absurdity
abuser to abuse, take advantage of
académicien m member of one of the Académies, esp. the Académie française
accepter to accept
accès m access, attack, fit
accessoire m prop
accompagner to accompany, go with
accompli, le fait accomplished fact, thing done and therefore beyond argument
d'accord agreed, in agreement
accourir to hasten, run up
accoutumer to accustom
s'accrocher à to cling to, hook on to
accueillir to greet, receive
accuser to accuse
acheter to buy
achever to finish, end, complete
acte m act, deed
acteur m actor
activement actively
activité f activity
actuel present-day, current
addition f bill, addition
adieu m farewell, goodbye
admettre to admit
admirer to admire
adopter to adopt

adoptif adopted, by adoption
adresse f address
s'adresser à to apply to, speak to
aérer to air out, ventilate
aérolithe m meteorite, aerolite
affaiblir to weaken
affaire f business, job, affair
    avoir affaire à to be dealing with
affirmer to state, affirm
affliger to sadden, afflict
affolé panic-stricken, crazy
affoler to panic
affreux frightful
agacer to irritate, annoy
âge m age
agence f agency
agent de police m policeman
agir to act, work
s'agir de to be a question of, to be about
agité excited, upset
agneau m lamb
agréable pleasant, agreeable
aide f help, assistance, aid
aider to help, aid
aie ouch
d'ailleurs moreover, besides
aimable pleasant, kind
aimer to love, like
ainsi thus, so, in a like manner
air m manner, look, air
    avoir l'air de to seem
aise f ease, comfort
aisément easily
ajouter to add
alcool m alcohol, strong drink
alibi m alibi
allègre cheerful, lively
allemand German

m masculine   f feminine   * aspirate h

aller to go, to suit
s'en aller to go away
allonger to reach out, stretch out, lengthen
allumer to light ·
amande f almond
amant m lover
amateur m customer, amateur
âme f soul, mind
américain American
ami m friend
amicalement in a friendly manner
amiral m admiral
amour m love
amoureux de in love with
amusant funny
s'amuser to enjoy oneself, have a good time
an m, **année** f year
anglais English
Angleterre f England
angoissant agonizing, painful
animal (animaux) m animal
annonce f announcement, notice
annoncer to announce
s'apercevoir to discover, be aware of
Apollon Apollo
apparaitre to appear
appartenir à to belong to
appeler to call
s'appeler to be called, be named
applaudir to applaud
apporter to bring
appréciation f evaluation
apprendre (à) to learn (to), to teach, to tell
apprenti m apprentice
s'apprêter à to prepare to
s'approcher to approach, draw near
appuyer to lean, press
après after
    et après? so what?
d'après according to
après-midi m afternoon
argent m money, silver
arme f arm, weapon
armoire f closet
armure f armour, suit of armour
arracher to pull out or away, draw
arranger to arrange, suit
arrestation f arrest

arrêt m stop
    sans arrêt without stopping
arrêter to stop, halt
s'arrêter to stop, come to a stop
arrière (en—) backwards
arriver to arrive, to happen
arroser to water, sprinkle
asperge f asparagus
assassin m assassin, murderer
s'asseoir to sit down
assez enough, rather
assiette f plate, dish
assister à to attend, be present at
associé m business partner
assorti varied, assorted, matched
assurance f confidence, assurance insurance
attaque f attack
attaquer to attack
atteindre to reach, attain
attendre to wait for
s'attendre à to expect
attendrir to soften, pity
attendrissant moving, sweet
attente f wait, waiting
atterrissage m landing, grounding
attraper to catch, seize
attristé saddened
au revoir goodbye
aucun any
    ne . . . aucun not any, no, none
audace f boldness, audacity, impudence
au-dessous (de) underneath
au-dessus (de) above
aujourd'hui today
auparavant before, previously
auquel, auxquels, auxquelles to which
aussi also, too, therefore
aussi . . . que as . . . as
autant as much
d'autant plus que the more so since
auteur m author
autochtone m native
autorité f authority
autour (de) around
autre other, another
autrefois formerly
avaler to swallow
d'avance in advance
avancé, être bien to have made fine progress (used ironically)
avancer to gain, advance

avant before
avant-guerre prewar
avantage *m* advantage
avantageux advantageous
avec with
avenir *m* future
aventure *f* adventure, chance
avertir to warn, inform
aveugle blind
aveugle *m* a blind man
avion *m* airplane
avis *m* opinion
    changer d'avis to change one's opinion
aviser to perceive, to catch a glimpse of
avoir to have
avoir beau to . . . in vain
avouer to confess, swear, avow

badin joyful, joking
bafouiller to stammer, hesitate
bagages *m pl* luggage
    grands bagages heavy luggage
bague *f* ring
baie *f* bay
bain *m* bath
    salle de bains *f* bathroom
baiser *m* kiss
baisser to lower
bal *m* ball, dance
balancer to balance, to swing
    balancer la tête to nod
balcon *m* balcony
balle *f* ball, bullet
ballerine *f* ballet dancer
bambin *m* little child, urchin
banc *m* bench
banque *f* bank
barque *f* boat
bas low
    en bas below
basse-cour *f* farmyard
bassin *m* basin, bowl, pool
bâtard *m* bastard, illegitimate son
bâtiment *m* building, structure
battre to beat
    se battre avec to fight with
bavarder to chat, gossip
beau, bel, belle handsome, beautiful
beaucoup much, very much, many
beau-père *m* father-in-law
beauté *f* beauty

belle-mère *f* mother-in-law
benêt *m* simpleton, boob
besoin *m* need
    avoir besoin de to need
bête *f* beast, animal
bête stupid
bêtise *f* stupid thing, blunder
beurre *m* butter
bien well, very well, fine, good-looking
bien du, de la, des much, many
bientôt soon
bienvenu *m* welcome person
bigrement very, extremely, terribly (colloquial)
bijou *m* jewel
bille *f* ball
    stylo à bille *m* ball-point pen
billet *m* ticket
bis! encore!
bise *f* cold wind
bizarre peculiar, odd, strange
blanc, blanche white
blesser to wound
bleu blue
bœuf *m* beef, ox
boire to drink
bois *m* wood, woods
boisson *f* drink, beverage
bon, bonne good, O.K., fine
bonbon *m* candy
bond *m* leap, bound
bonheur *m* happiness, good luck
bonhomme *m* fellow, chap
bonjour *m* good day, good morning
bonne *f* maid
bord *m* edge, border
borné stupid, limited
bouche *f* mouth
boucher to stop up, plug up
boucher *m* butcher
boucherie *f* butcher shop
bouchon *m* stopper, cork
bouder to sulk
bouger to budge, stir
bougre de galopin *m* young scamp (a term of abuse)
bouillir to boil
bouleverser to upset, overturn
boulot *m* work (colloquial)
bouquin *m* book (colloquial)
bousculer to knock things over, upset, shove, push around

bout *m* end, bit
   à bout portant point blank
bouteille *f* bottle
boxeur *m* boxer, prize fighter
braquer (sur) to aim, point at
bras *m* arm
brave *m* courageous man, good man
bredouiller to jabber, mumble
briller to shine
brimborion *m* trifle, bauble
brin *m* shoot (of a tree)
brin de causette bit of a chat
briser to break, smash, shatter
britannique British
brouhaha *m* brouhaha, noise
brouillé angry at each other, mixed up
bruit *m* noise, rumor
brun *m*, **brune** *f* person with brown hair
brusque abrupt, blunt
brusquement abruptly, suddenly
bureau *m* office, desk
buvard *m* blotter

ça that
cabane *f* shed, hut
cacher to hide
   se cacher to hide oneself
cadeau *m* gift
café *m* coffee
   café au lait coffee with milk
caisse *f* box, chest, cash box
calmement calmly
cambriolage *m* housebreaking, burgling
cambrioler to break into, burgle
campagne *f* (open) countryside
canapé *m* sofa, couch
canard *m* duck
cancre *m* dunce, poor student
capitaine *m* captain
capoter to overturn, crash
caractère *m* character, nature
carafe *f* carafe, water bottle
caresse *f* caress
carnet *m* notebook
carte *f* menu, card
   carte postale postcard
cas *m* case
   le cas échéant in case of need;
     should the case arise
casser to break
catéchisme *m* catechism

cause *f* cause
   à cause de because of
causer to talk, chat; to cause
causette *f* chat
cave *f* cellar
ce, cet, cette, ces this, that, that (f), these
cela, ceci that, this
ce qui, ce que what
céder to give, give way
célèbre famous
célèbrer to celebrate
celui, celle, celles, ceux the one, this
   one, that one, those, these
celle-ci, celle-là, celui-ci, celui-là the
   former, the latter
cendre *f* ash
cendrier *m* ashtray
censé supposed
cent one hundred
centimètre *m* centimeter
cercueil *m* coffin, casket
cérémonie *f* ceremony
certifier to certify, attest
cesser to cease, stop
cet, ce, cette, ces that, this, that (f), these
ceux, celles these, those
chacun each, each one
chair *f* flesh
   chair de poule goose pimples
chaisière *f* lady who rents chairs
chagrin *m* grief, sorrow
chagriner to grieve, distress
chaleur *f* heat
chambre *f* bedroom
champ *m* field
chance *f* luck, chance
changement *m* change
changer to change
chanson *f* song
chant *m* song, singing
chanter to sing
chapeau *m* hat
chaperon *m* riding hood
chapitre *m* chapter
charge *f* load, responsibility
charger (de) to load (with), to be responsible for
se charger de to undertake, to be responsible for
charmant charming
charme *m* charm, spell
charrette *f* cart

chasse f hunt, chase
chasser to hunt, chase
chat m cat
chat perché m a children's game
chaud hot
chauffeur m driver
chemin m way, path, road
cheminée f chimney, fireplace, mantel-piece
cher, chère dear (beloved), expensive
chéri dearest, darling
chercher to seek, look for, get
cheval m horse
chevalerie f knighthood, chivalry
chevalier m knight
chevaline of, or pertaining to horses
cheveux m pl hair
chez with, at (to) the home of, in the case of
chien m dog
chiffre m figure, number
choisir to choose
choix m choice
choqué shocked
choquer to strike, shock
chose f thing
ciel m sky
cinéma m movies, movie theatre
cinq five
cirage m wax, waxing, polishing
circonstance f circumstance
cirer to wax, polish
cirque m circus
citation f quotation, citation
citer to quote
citoyen m citizen
civilisé civilized
clair clear
clarinettiste m clarinet player
clé or **clef** f key
client m client, customer
cloche f bell
clos closed
cochon m pig
cœur m heart
coffre m box, coffer
coin m corner
col m collar, neck
colère f anger
    en colère angry
se coller to get stuck, to lose (a game)
collier m collar, necklace

colonne f column, pillar
combat m combat, fight
combien how much, how many
comble m the limit, the last straw, heaping measure
comble crowded
comédie f comedy
comité m committee, board
comique comic, funny
commandant m major, commanding officer
commander to order
comme as, like, since, because, how
commencer à to begin to
comment how, what
commissaire de police m police superintendent
commissariat m police station
commission f message, errand
commode easy to get along with, convenient, easy
compagnie f company
compagnon m companion, pal
comparaison f comparison
comparer à to compare to (with)
compartiment m compartment
complément m object
compléter to finish
complice m accomplice
compliment m compliment
se compliquer to become complicated
se comporter to behave
comportement m behavior
comprendre to understand
comprimé m pill
compter to count, count on, plan
comte m count, lord
concierge m & f house porter, caretaker
conditions f pl conditions, cost
conduire to lead, conduct
se conduire to conduct oneself, behave
conduite f behavior
confesser to confess
confiance f confidence
confident m person in whom one confides
confondre to mistake, confuse
conformisme m conformity
confus embarrassed, ashamed
conjuguer to conjugate
connaissance f acquaintance knowledge, consciousness

connaître to know, be acquainted with
consacrer to consecrate, dedicate
conseil m advice
conseiller to advise
consentir to consent, agree to
conséquence f consequence
conserver to save
considérer to consider, look at
consoler to console
consonne f consonant
constamment constantly
constant constant
consterné dismayed, amazed
constituer to constitute, make, form
construire to build
consulter to refer to, consult
conte m tale, story
contempler to contemplate, look at
contentement m contentment, satisfaction
se contenter de to be satisfied with
contenu m contents
continuer to continue
contradictoire contradictory
contrainte f constraint, lack of freedom
contraire m opposite, contrary
contrariété f vexation, hitch
contraste m contrast
contre against
se contredire to contradict oneself
contribuable m taxpayer
convenir to be suitable, to agree
convulsif convulsive
copier to copy, transcribe
coq m rooster
coquin m rascal, scamp
corne f horn
corps m body
côté m side
    à côté de beside
    de ce côté in that respect
    du côté de in the direction of
    d'un autre côté on the other hand
cou m neck
se coucher to go to bed
coudre to sew
couler to run, flow
couleur f color
coup m blow, knock, shot, trick
    coup de sonnette ring at the door
coup d'œil m glance
coupable m guilty person

couper to cut, interrupt
cour f court, courtyard
    faire la cour to court
cours m course
court short
craindre to fear
crête f coxcomb, crest
crise f crisis
    crise de nerfs attack of hysteria
    crise cardiaque heart attack
croire to believe
croiser to meet someone coming the other way
croquer to munch
cuiller or **cuillère** f spoon
cuire to cook, to burn
cuisine f kitchen, cooking
culte m cult, creed
    avoir le culte de to worship, to adore
curé m parish priest
cure-dent m toothpick
curieux curious, interesting
cuvette f wash basin, dish
cylindrique cylindrical

dame f lady
dangereux dangerous
dans in, into, inside, on
date f date
davantage more
de of, with, about, for, from
se débarrasser de to get rid of
débiter to turn out, utter, yield
debout standing
début m beginning
débutant(e) m & f beginner
décevoir to disappoint
déchirant piercing
déchirer to tear (up)
décidément definitely
décider (de) to decide (to)
décimètre m decimeter
déconcerter to disconcert
décourager to discourage
découverte f discovery
découvrir to discover
décrire to describe
défaillant failing, swooning
défendre to defend
défier to defy, challenge
définir to define

dégager to redeem, release, free, bring out

dégoûtant disgusting, loathsome

déguisement *m* disguise

déguiser (en) to disguise (as)

dehors out, outside

déjà already

déjeuner *m* lunch

déjeuner to have lunch

délaisser to forsake, desert, abandon

délicat delicate, refined

délicieux delicious

demain tomorrow

demande *f* request

demander to ask (for)

se demander to wonder

déménager to move house, change one's abode, move out

demeurer to remain, live, dwell

demi half

démonté upset, flustered (colloquial)

dent *f* tooth

dénicher to find, discover (colloquial)

départ *m* departure

dépasser to go beyond

se dépêcher to hurry

dépeindre to depict

dépense *f* expense

dépit *m* spite

 en dépit de in spite of

déplaire to displease

déposer une plainte to prefer a charge, to lodge a complaint

depuis since, for, from

se déranger to bother, move

dernier last

se dérober to escape, give way

derrière behind

dès que as soon as

désagréable disagreeable

descendre to descend, go down

désert *m* desert, wasteland

désespoir *m* despair

déshonoré disgraced, dishonored

désigner to point out

désintéressé not involved, disinterested

désirer to desire, want

désobligeant unkind, disagreeable

désolé grieved, very sorry

désordre *m* disorder, confusion

désormais henceforth, from now on

dessert *m* dessert

dessin *m* design, drawing, plan

dessiner to draw, sketch

dessous under, beneath

 au-dessous de below, under

dessus above, over

 au-dessus de above

destin *m* fate, destiny

détester to detest

se détourner to turn aside

détruire to destroy

dette *f* debt

deuil *m* grief, sorrow, mourning

 faire le deuil de to mourn for, to be resigned to the loss of

deux two

deuxième second

dévaliser to rob

devant in front of, before

devenir to become

deviner to guess, suppose

se deviner to be obvious

devinette *f* riddle

devoir *m* duty, assignment

devoir (devrais) to have to, to owe (ought to)

dévorer to devour

diable *m* devil

diagnostic *m* diagnosis

diamant *m* diamond

Dieu *m* God

différer to differ, defer

difficile difficult

digne dignified, worthy

dignement with dignity

dignité *f* dignity

dimanche *m* Sunday

diplôme *m* diploma

dire to say, tell, tell about

 se dire to call oneself

 autant dire that is to say, in other words

diriger to plan, direct

se diriger (vers) to head (towards)

discerner to distinguish

discours *m* speech

discrètement discreetly, cautiously

discuter *to* discuss

disparaître to disappear

disposer to dispose, display

se disputer to wrangle, argue

disque *m* phonograph record

distingué distinguished, refined
distraitement distractedly, absent-
  mindedly
divorcer to divorce, to get a divorce
dix ten
dix-huit eighteen
domestique *m* servant
domicile *m* residence
dommage a pity
  c'est dommage it's a pity
don *m* gift
donc thus, then, so
donner to give, produce
dont of which, whose
dormir to sleep
dos *m* back
dot *f* dowry
doucement softly, gently
doute *m* doubt
douter (de) to doubt
  se douter de to suspect
doux sweet, gentle
douzaine *f* dozen
douze twelve
dramatique dramatic
droit *m* right, law
droite *f* right
drôle funny
drôlement queerly, strangely
duc *m* duke
duchesse *f* duchess
duquel, desquels, desquelles of which
dur hard
durer to last

eau *f* water
ébouriffé rumpled, dishevelled
échanger to exchange
échapper to escape
échouer to fail
éclairer to light, enlighten
s'éclairer to light up
éclater to burst (out)
écœurant disgusting
école *f* school
économiser to economize
écouler to pass by, flow by
écouter to listen (to)
s'écrier to cry out
écrire to write
écriteau *m* placard, sign, notice
s'écrouler to drop, collapse

effacer to efface, erase
effet *m* effect, result
  en effet in fact, that's right
effrayant frightful, frightening
effrayer to frighten
effronté shameless, bold
également likewise
égard *m* regard
  à l'égard de with regard to
égoïste selfish
électricité *f* electricity
élégamment elegantly
élève *m* & *f* pupil
élever to lift, raise, bring up
elle, elles she, it, they
éloge *m* eulogy, praise
s'éloigner to go away, withdraw
embarrassé embarrassed, bothered
embrasser to embrace, kiss
s'embrouiller to tangle, get confused
emménager to move into a new house
emmener to take along (someone)
émotion *f* emotion
empêcher to prevent
emploi *m* use
employé *m* employee, clerk
employer to use
empoisonner to poison
emporter to carry off (something)
en of it, of them, some, any
en in, at, while, as
encombré encumbered, congested, full
encontre *f* opposite direction
  à l'encontre de unlike, contrary to
encore still, yet, again
s'endormir to go to sleep
endroit *m* spot, place
énergie *f* energy
enfant *m* & *f* child
enfin finally
engager (à) to make a commitment, to
  involve
enlever to abduct, take away, take off
ennemi *m* enemy
ennui *m* boredom, bother
s'ennuyer to be annoyed, bothered,
  bored
  s'ennuyer à périr to be bored to
    tears
ennuyeux boring, tiresome
énorme enormous
s'enquérir (de) to inquire (after)

enquête *f* inquiry
enseigner to teach, show
ensemble together
ensuite afterwards, then
s'ensuivre to follow, ensue
entendre to hear, to understand, to intend
s'entendre to understand one another, to get along
entendu understood
    bien entendu of course
enterrement *m* burial
s'entêter to be stubborn
enthousiasme *m* enthusiasm
entier entire, whole
entourer to surround
entraîner to carry along, lead
entre between, among
entrer to enter, go in
envelopper to envelop, wrap up
envers to, toward
envie *f* desire
    avoir envie de to want
envier to envy
environner to surround
envoler to take flight, fly away
envoyer to send
épaule *f* shoulder
épée *f* sword
s'éponger to mop, wipe, sponge
époque *f* period, epoch
épouser to marry
erreur *f* error, mistake
escalier *m* staircase
    escalier de service backstairs, service stairs
escorter to escort
espagnol Spanish
espèce *f* kind, sort, species
espérance *f* hope
espérer to hope
esprit *m* spirit
essayer (de) to try, attempt
essoufflé out of breath
essuyer to wipe, wipe up, dry
estime *f* esteem
estivant *m* summer visitor
étable *f* stable, cow shed
établir to establish
s'établir to settle down
état *m* state, condition
état-major *m* general staff
été *m* summer

éteindre to extinguish
éteint extinguished, toneless
étendre to spread, stretch out
étonnement *m* astonishment
étonner to stun, astonish
étrange strange, odd
être to be
être *m* being, existence, person
étude *f* study
étudiant *m* student
étudier to study
étymologie *f* etymology
eux them
évanouir to disappear, faint
éveiller to wake up
évidemment evidently
éviter to avoid
examen *m* examination
examiner to examine
exaspérer to aggravate
excentrique eccentric
exceptionellement exceptionally
excessivement excessively
s'excuser to excuse oneself
exemple *m* example
par exemple! my word! the idea!
exercé experienced, practiced
exercer to exert, practice
exercice *m* exercise
exister to exist
expliquer to explain
exprès on purpose
exprimer to express
extérieur exterior, outer

face *f* face
    en face de opposite
se fâcher to get angry
facile easy
facilement easily
façon *f* manner, mode
faible feeble, weak
faible *m* weakness
faiblesse *f* feebleness, weakness
faillir to fail, to come close to
faim *f* hunger
    avoir faim to be hungry
faire to do, make, say, have
    faire l'affaire to do the trick, to suit
    faire mal to harm, hurt
    faire part to inform
    faire semblant to pretend

se faire to develop, to get used to
faire-part *m* announcement
fait *m* fact, deed
fait accompli accomplished fact, thing done and therefore beyond argument
falloir to be necessary
familier familiar, colloquial
famille *f* family
fantaisie *f* fantasy
fantastique fantastic, full of fantasy
faribole *f* stuff and nonsense
fatiguer to tire
se fatiguer to grow tired
fauteuil *m* armchair
faux, fausse false
faveur *f* favor
favori, favorite favorite
fébrilement feverishly, deliriously
feindre to feign, pretend
féminin feminine
femme *f* woman, wife
fenêtre *f* window
ferme *f* farm
fermer to close
fessée *f* spanking
fiancée *f* fiancée
ficher to do (colloquial)
   se ficher de not to care about, to make fun of
fier proud
se fier to trust
fièvre *f* fever
figurer to represent
se figurer to imagine
file *f* file, line
filer to run, hurry along (colloquial)
filet *m* fillet, steak
fille *f* daughter, girl
   jeune fille girl
filou *m* thief
fils *m* son
   fils naturel illegitimate son
filtre *m* filter
   café filtre a cup of coffee with its own filter
fin *f* end
finir (de) to finish
fiston *m* son, youngster (colloquial)
flacon *m* bottle, flask
flair *m* flair, scent, sense of smell
flatter to flatter, please
flatteur *m* flatterer

fleur *f* flower
fleuve *m* river
flot *m* wave
   remettre à flot to restore to one's fortunes
foi *f* faith
   ma foi indeed, upon my word
foie *m* liver
foin *m* hay
fois *f* time
   à la fois both, together
folle *f* madwoman
follement madly, foolishly
fonction *f* function, office
fonctionnaire *m* official, civil servant
fond *m* bottom
   dans le fond after all
forcé forced
forêt *f* forest
former to form
fort strong, loud, very
fou mad, insane
fou *m* madman, lunatic
foudroyant striking, overwhelming
fouiller to search
se fouiller to search in one's pockets
foule *f* crowd
four *m* oven
fournir to furnish
fox *m* fox-terrier
frais, fraîche fresh
franc *m* franc
français French
frapper to hit, beat, strike, knock
frelater to adulterate (food)
fréquentation *f* frequentation, close acquaintaince
frère *m* brother
fripouille *f* rascal, cad
frisson *m* shiver
frissonner to shiver
frivole frivolous
froid cold
fromage *m* cheese
front *m* forehead, front
frotter to rub
fuir to flee
fumée *f* smoke
funèbre dismal, gloomy, funeral
funérailles *f pl* funeral
fureur *f* fury, rage
   en fureur in a rage

furieux furious
furtivement furtively, slyly
futilité f futility

gagner to earn, reach, win
gai gay, merry
gaieté f gaiety
galant gallant, attentive to women
galopin m scamp
garantie f guarantee
garantir to warrant, guarantee
garçon m boy, waiter
garde f guard
    prendre garde to beware, take care
garder to keep, guard
gardien m guardian, caretaker
gardien de la paix policeman
gare f railway station
gare à beware of
gascon of, or pertaining to Gascony
gâter to ruin, spoil
gauche left, clumsy
gaz m (heating) gas
géant m giant
gémir to groan, moan
gêne f discomfort
    sans gêne inconsiderate, free and
      easy
gêné embarrassed
généreux generous
génie m genius
genou m knee
gens m or f pl people
gentil nice
gentillesse f graciousness
géographie f geography
germanique Germanic
geste m gesture, motion
gesticuler to gesticulate
gibier m game, quarry
gigot m leg of lamb
glacé iced
goguenard mocking, jeering
gorge f throat
goût m taste
gouverner to govern, rule
gracieux graceful, gracious
graffito (pl **graffiti**) graffito, drawing or
    writing scratched on wall
grand large, big, great
grandir to grow tall, grow up
grand-mère f grandmother

grange f barn
gras fat
    en être plus gras to be better off
      for it
grippe f flu
grippé suffering from flu
grogner to grunt
gronder to growl, scold
gros big
guère (ne . . .) scarcely
guérir to cure, heal
guerre f war
gueule f mouth (of an animal); face,
    mug (colloquial)
guillotiner to guillotine

habile clever
s'habiller to dress
habit m suit of clothes
habitant m inhabitant
habiter to live, dwell
habitude f habit, custom
s'habituer à to get used to, grow accus-
    tomed to
*****haie** f hedge
*****haïr** to hate
*****halte** f stop, halt
    faire halte to make a stop
*****haricot** m bean
*****hasard** m chance, luck
    par hasard by chance
se hâter to hasten
*****hausser** to raise, lift, shrug
*****haut** high, aloud
    du haut de from the top of
*****hauteur** f height
*****hein?** eh?
hélas alas
hésiter to hesitate
heure f hour
    de bonne heure early
    à l'heure on time
heureusement happily, luckily
    heureusement que it's a good
      thing that
heureux happy
hier yesterday
histoire f story, history
homme m man
homme d'état m statesman
honnête honest
honneur m honor

*honte f shame
horloge f clock
horreur f horror
*hors-d'œuvre m hors d'oeuvre, side-dishes served as first course
hôte m host, guest
hue giddap
huées f pl jeers, booing
huit eight
huître f oyster
humain m human
humeur f mood, humor, bad humor
humilité f humility
humoriste m humorist
hurler to howl, bawl
hurluberlu m scatter-brain
*hutte f hut, shed
hypocrite hypocritical

ici here
idée f idea
s'identifier to identify oneself
ignorer to be ignorant of, not to know
il, ils he, it, there, they
il y a there is, there are, ago
illogique illogical
illogisme m illogicality
imaginer to imagine
imbécile imbecile, foolish
imiter to imitate
immobile motionless, still
imparfait unfinished, imperfect
s'impatienter to grow impatient
impératif imperative, imperious
imperméable m raincoat
impétueusement impetuously
impoli impolite
importer to be of importance, to matter
n'importe it doesn't matter
imposteur m impostor
imposture f imposture, deception
impôt m tax
imprévu m unforeseen event, the un-predictable
à l'improviste unexpectedly
    pris à l'improviste taken unaware
inadmissible inadmissible, unheard of
inanimé inanimate, lifeless
inaperçu unseen, unnoticed
inattendu unexpected
s'incliner to bow
incohérent incoherent

inconcevable inconceivable, unthinkable
inconnu m unknown person, stranger
inconvénient m disadvantage, drawback
incroyable incredible, unbelievable
indécis unsettled, undecided
indépendamment independently
les Indes f pl India
indicateur m timetable
indiquer to indicate, point
inespéré unhoped for, unexpected
inextinguible inextinguishable, irrepres-sible
infaillible certain, unfailing
inférieur inferior, below
infini infinite, endless
infinitif m infinitive
influencer to influence
informer to inform, inquire
ingénu ingenuous, naive
initiative f initiative
injure f insult
innocemment innocently
inquiet restless, fidgety, worried
inquiétant disturbing, upsetting
s'inquiéter to become anxious, trouble oneself
insensé mad, insane
insensiblement imperceptibly
insister to insist, go on trying
insolemment impudently
inspirer to inspire
s'installer to settle down
instant m instant
    à l'instant a moment ago
instruire to inform, teach
insulte f insult
insupportable unbearable
intelligemment intelligently
intéresser to interest
    s'intéresser à to become interested in
intérêt m interest
interlocuteur m speaker (engaged in conversation)
interpréter to interpret
interrompre to interrupt
intervenir to intervene
intimité f intimacy, closeness
intitulé entitled
intrigue f plot, intrigue
introduire to introduce, to show in
inutile useless

inventaire m inventory
inventer to invent, find out
invité m guest
inviter to invite
ironique ironic, ironical
irrémédiable irreparable
isolé isolated, lonely
ivre drunk

jamais ever, never
    ne . . . jamais never
jambe f leg
jardin m garden
jargonner to talk jargon
jasmin m jasmine
jaune yellow
je I
jeter to throw
jeu m game
jeu de mots m play on words, pun
jeune young
jeunesse f youth
joie f joy, pleasure
joindre to join
joli pretty
jouer to play
jour m daylight
jour m, **journée** f day
journal (journaux) m newspaper
joyeux joyful, happy
juge m judge
juger to judge
jurer to swear
jusqu'à (ce que) until
juste right, just
justement justly, rightly, just so
justifier to justify

képi m military cap
kiosque m newstand
    kiosque à musique bandstand

la the, her, it
là there, here
là-bas over there
labour m tillage, ploughing
lac m lake
lâche m coward
laid ugly
laisser to let, leave
lait m milk
laitier m milkman, dairyman

se lamenter (de) to lament, wail (over)
langage m language
langoureux languid
langue f language, tongue
languir to languish
large wide
largeur f width
lascar m scoundrel
laver to wash
le the, him, it
lécher to lick
leçon f lesson
légende f legend
Légion d'honneur f the Legion of Honor
légume m vegetable
lent slow
lentement slowly
lenteur f slowness
lequel, lesquels, laquelle, lesquelles
    which, who, whom
les the, them
lettre f letter
leur their, to them
le leur, la leur, les leurs theirs
lever m rise
se lever to get up
liberté f liberty
libre free
lier to tie
lieu m place
    au lieu de in place of, instead of
    avoir lieu to take place
se limiter to limit oneself, restrict one-
    self
lire to read
lit m bed
litre m liter
littéralement literally
littérature f literature
livre m book
se livrer à to engage in
locataire m & f tenant, occupant
logique logical
loin far, far away
lointain distant, remote
long long
    de long in length
    le long de along
longtemps long, long time
longueur f length
lorsque when
louer to rent

loufoque loony, eccentric (colloquial)
loup *m* wolf
loupe *f* (**de bijoutier**) jeweler's glass
lourd heavy
loyer *m* rent
lubie *f* whim, fad
lui him, to him, to her
lumière *f* light
lune *f* moon

ma, mon, mes my
magnifique magnificent, grand
main *f* hand
    haut les mains! stick 'em up!
maintenant now
maire *m* mayor
mais but
maison *f* house, home
maître *m* master, teacher
maître d'hôtel headwaiter
maîtresse *f* mistress
majeur of age, over twenty-one
mal badly
mal *m* evil, difficulty, pain
maladie *f* illnes, sickness
malentendu *m* misunderstanding
malgré in spite of
malheur *m* misfortune, bad luck, un-
    happiness
malheureusement unfortunately
malin sly, clever
maman *f* mama
manger to eat
manière *f* manner, way, mannerism
manque *m* lack
manquer (à) to miss, to fail to
manteau *m* coat
    manteau de pluie raincoat
marchand *m* merchant, shopkeeper
    marchand des quatre saisons street
      vendor, hawker
marche *f* march
marché *m* market
marcher to walk
mari *m* husband
mariage *m* marriage
marié married
se marier to get married
marin *m* sailor
marmonner to mumble, mutter
marque *f* mark, brand
marquer to mark, stand out

masqué masked
masquer to mask, cover
massif *m* solid mass, mountain range
match *m* game, match
mathématiques *f* mathematics
matin *m* morning
mauvais bad
maxime *f* maxim
me me, to me
mécanique mechanical
méchant bad, mean
mécontent discontent, unhappy
médecin *m* doctor
médecine *f* medicine
médiocrement moderately, indifferently
méfiant suspicious
se méfier de to distrust
meilleur better
    le meilleur best
même same, even, self
    tout de même all the same
mémoire *f* memory
menace *f* threat, menace
menacer to threaten
ménage *m* housework, married couple
ménagère *f* housewife, housekeeper
mener to lead
mensonge *m* lie
mentalement mentally
mentionner to mention
mentir to lie
se méprendre to be mistaken
mépriser to scorn
merci thank you
mère *f* mother
mérite *m* merit
mettre en valeur to emphasize
merveille *f* marvel, wonder
merveilleux marvelous, wonderful
messieurs *m pl* gentlemen
mesurer to measure, calculate
méthode *f* method
métier *m* trade, profession, craft
mètre *m* meter
mettre to put, put on
se mettre à to begin
meublé furnished
midi *m* noon
le mien, les miens, la mienne, les
    miennes mine
mieux better, best, better looking
migraine *f* migraine headache

milieu m center, middle
militaire m soldier
mille thousand
milligramme m milligram
mimer to mime, ape, mimic
mimique f mimic, mimicry
minable shabby, pitiable
mi-semestre f mid-semester
mode m manner
modèle m model, pattern
modifier to alter, change
moi me, I
moindre least
moins less
    du moins at least
    de moins less
mois m month
moitié f half
monde m world
    tout le monde everyone
monologue m monologue
monsieur m **(messieurs)** mister, sir,
    gentleman
montagne f mountain
monter to climb, raise; to put on (a play)
montre f (wrist) watch
montrer to show
se moquer de to make fun of
moqueur mocking
morale f moral
morceau m piece
mort m dead person
mort f death
mot m word
mouiller to wet, moisten
mourir to die
moustache f moustache
mouvement m movement, change
moyen m means, way
multiplier to multiply
mur m wall
mûr mature, ripe
murmurer to murmur
museau m muzzle, snout (of animal)
musicien m musician
musique f music

nager to swim
naissance f birth
naître to be born
naturel m naturalness, poise
nausée f nausea

nécessaire necessary
négatif negative
négliger to neglect, disregard
neige f snow
nerf m nerve
nerveusement energetically, impatiently
net clean, clear
neuf new
neveu m nephew
névrite f neuritis
ni . . . ni neither . . . nor
nièce f niece
nier to deny
niveau m level
noblement nobly
noir black
nom m name
nombre m number
nombreux numerous
non (—plus) no, (neither)
nos, notre our
notaire m notary
notamment especially
note f note, bill
noter to note, write
notre, nos our
le nôtre, la nôtre, les nôtres ours
nourriture f food
nous we, us, to us
nouveau new, another
    de nouveau again
nouvelle f news
    prendre des nouvelles de inquire
      about
noyé m a drowned or nearly drowned
    person
noyer to drown
nuage m cloud
nuit f night
numéro m issue of newspaper, number,
    turn (in circus, vaudeville)

obéir à to obey
objet m object
obligé obliged
    être obligé de to be obliged to, to
      have to
observer to observe, see
obtenir to obtain, get
occasion f opportunity
s'occuper de to keep oneself busy with,
    to be concerned with, take care of

odeur *f* odor, smell
œil *m* eye
œuf *m* egg
œuvre *f* work
officier *m* officer
offrir to offer
oie *f* goose
oiseau *m* bird
on, l'on you, one, they, we
oncle *m* uncle
ondine *f* water nymph, undine
opposé opposite
opposer to oppose
or now, now then, now it so happens
 that
orage *m* storm
orchestre *m* orchestra
d'ordinaire ordinarily
ordonner to order
ordre *m* order
oreille *f* ear
organiser to organize
originalité *f* originality
orphelin *m* orphan
oser to dare, venture
ôter to remove, take away
ou or
ou . . . ou either . . . or
où where
oublier to forget
ouest *m* west
oui yes
ouvert open
ouvrage *m* work
ouvrir to open

paille *f* straw
pain *m* bread
paire *f* pair
paix *f* peace
panache *m* tailfeathers a dazzling
 manner
panthère *f* panther
paon *m* peacock
papier *m* paper
paquet *m* package, parcel
par by, through
paraître to appear, seem
parapluie *m* umbrella
paravent *m* screen
parc *m* park
parce que because

par contre on the other hand
parcourir to travel through, examine
pardon *m* pardon, forgiveness
pardonner to pardon, forgive
pareil (à) like, alike, such
parfait perfect
parfois sometimes
parler to speak, talk
parmi among, between
paroissial parochial, of the parish
parole *f* word
part *f* part, share
à part aside
participer to take part in
particulier private
particulièrement particularly
partir to depart, leave, go off
partout everywhere
parvenir (à) to succeed (in), to arrive
pas *m* step
passage *m* passage
 au passage while passing by
passager *m* passenger
passé *m* past
passeport *m* passport
passer to pass, take (an exam), spend
 time
 se passer to happen, to go on
 se passer de to do without
passionné passionate, impassioned
pâte *f* paste, stuff
patiemment patiently
pâtisserie *f* pastry, pastry shop
patte *f* paw, foot (of animal or bird)
paupière *f* eyelid
pauvre poor, unfortunate
payer to pay
pays *m* country, district
péché *m* sin
pêcheur *m* fisherman
peindre to paint, depict
peine *f* sorrow, trouble
 à peine hardly
 ce n'est pas la peine don't bother
peinture *f* painting
se pencher to bend, lean over
pendant while, during, for
pendule *f* clock
pénétrer to enter, comprehend, penetrate
pénible hard, painful, distressing
penser (à), (de) to think (of), (about)
percepteur *m* tax collector

perceptiblement noticeably
percevoir to collect
percher to perch
perdre to lose
père *m* father
périr to perish
perle *f* pearl
se permettre de to allow oneself to
perplexe perplexed, puzzled
perruque *f* wig
personnage *m* character (in play, novel)
personne *f* person; nobody
    ne . . . personne no one
personnel personal
persuader to persuade
petit little, small
petit *m*, **petite** *f* little child
petitesse *f* smallness, pettiness
pétrin *m* kneading-bowl
    dans le pétrin in a fix, in the soup
pétrole *m* kerosene
peu little, few
peu s'en faut nearly
peur *f* fear
peut-être perhaps
pharmacie *f* pharmacy, drugstore
philosophie *f* philosophy
photographie *f* photograph
phrase *f* sentence
pièce *f* play, room
pied *m* foot
    de pied ferme resolutely
piège *m* trap, snare
pigeon vole *m* children's game
pincer to pinch
piquer to go down, to sting
piquet *m* piquet (card game)
piquette *f* cheap, sour wine
piqûre *f* injection, puncture
pire worse, worst
piscine *f* swimming pool
piste *f* track, trail
pistolet *m* pistol
pitié *f* pity
pittoresque picturesque, vivid
place *f* square, place
    sur place on the spot
placement *m* investment
plaie *f* wound, sore
se plaindre de to complain about
plaine *f* plain, open country
plainte *f* groan, complaint

plaire to please, delight
se plaire (à) to delight (in), to enjoy
plaisant funny, pleasing
plaisanter to joke
plaisanterie *f* joke
plaisir *m* pleasure
plan *m* plan, drawing
    au premier plan in the foreground
plat *m* dish
plein full
pleurer to cry
pleuvoir to rain
plongeoir *m* diving board
pluie *f* rain
plume *f* feather, pen
plupart *f sing.* the most, greatest part
plus more
    ne . . . plus no more, no longer
    de plus in addition
plusieurs several, many
plus-que-parfait pluperfect
plutôt rather, sooner
poche *f* pocket
poème *m* poem
poésie *f* poetry
poète *m* poet
point *m* point, period
    à ce point to such an extent
    ne . . . point not at all
pois *m* pea
    petits pois green peas
poisson *m* fish
poli polite, refined
politesse *f* politeness
politique *f* policy, politics
polluer to pollute
pompier *m* fireman
ponctualité *f* punctuality
ponctuation *f* punctuation
pont *m* bridge
portail *m* portal, door
porte *f* door, gate
porter to carry
se porter bien to be in good health
poser to pose
    poser une question to ask a question
potiche *f* (China) vase
poule *f* hen
    chair de poule goose flesh
pour for, to in order to
pourboire *m* tip

pourquoi why
poursuite *f* pursuit, chase
poursuivre to pursue
pourtant nevertheless, still, yet
pourvu que provided that
pousser to push
    pousser un cri utter a cry
poussin *m* chick
pouvoir to be able to
précaution *f* precaution, caution
précéder to precede, have precedence
précipitamment headlong, suddenly,
    hurriedly
se précipiter to dash, rush headlong
précis exact, precise
précisément precisely
préférer to prefer
préjugé *m* prejudice
premier, première first
prendre to take
    prendre de court to surprise, take
        aback
    prendre ses aises to make oneself
        comfortable
s'y prendre to go about it, to manage
prénom *m* first name, Christian name
préoccuper to preoccupy, engross
préparatifs *m pl* preparations
préparer to prepare
près de near, close to
    à peu près nearly
présent present, here
se présenter to present oneself
presque nearly, almost
pressé hurried
se presser to crowd, hurry
prêt ready, all ready
prétendre to allege, claim
prêter to lend
    se prêter à to consent to, engage in
prêtre *m* priest
preuve *f* proof, evidence
prévenir to warn
prier to pray, invite
primaire primary
principe *m* principle
priver de to deprive of
prix *m* price
probablement probably
problème *m* problem
prochain next
proches *m pl* relatives

prodige *m* prodigy, wonder
produire to produce
professeur *m* professor, teacher
profiter de to take advantage of
profondément profoundly, deeply
profondeur *f* depth
programme *m* program
progrès *m* progress
projet *m* plan, design
promenade *f* walk
promener to take for a walk
se promener to stroll, take a walk
promesse *f* promise
promettre to promise
pronom *m* pronoun
    pronom complément object pro-
        noun
prononcer to pronounce, speak
    se prononcer to declare, to pro-
        nounce (an opinion)
propos *m* words, remark
    à propos de regarding
    à propos by the way
se proposer to offer oneself
propre own, clean
propriétaire *m* proprietor, owner
protéger to protect
protestation *f* protest
protester to protest
prouver to prove
provoquer to provoke
    provoquer une réponse elicit an
        answer
prudemment prudently, discreetly
public, publique public
puce *f* flea
puis then, next
puisque since
puits *m* well, pit
punir to punish

quai *m* platform, embankment, dock
qualité *f* quality
quand when
    quand même anyhow, even if
quant à as for
quantité *f* quantity
quarante forty
quart *m* fourth, quarter
quartier libre military pass, liberty
quasi almost
quatre four

que what, that, which, whom, as, only
queue *f* tail
quelque chose something
quelquefois sometimes
quelqu'un someone
querelle *f* quarrel
qu'est-ce qui what
qu'est-ce que c'est que what is
questionner to question
qui who, whom, which, that
quiconque whoever
quinze fifteen
quitter to leave
quoi what
quoi que whatever
quoique although

raccrocher to hang up, hook up
racine *f* root
raconter to tell, relate
raffoler de to be crazy about
se rafraichır to refresh oneself
rageur passionate, furious
railleur scoffing
raisin *m* grapes
    raisin noir red grapes
raison *f* reason, common sense
    avoir raison to be right
raisonnable reasonable, sensible
ranger to arrange, to put away
rangée *f* row
rapide *m* express train
rapidement rapidly
se rappeler to recall, remember
rapport *m* relationship
rapprocher to draw near
rare rare
se raser to shave
rassurer to reassure, cheer up
râtelier *m* manger, stall
rationnel rational
rattraper to recapture, grab, catch up with
ravi delighted
ravissant ravishing, entrancing
réalisme *m* realism
récemment recently
recette *f* formula, recipe, trick
recevoir to receive, entertain
recherche *f* search, quest
récipient *m* container, receiver
recommander to recommend

recommencer to begin again, to do it again
réconcilié reconciled
reconnaître to recognize
recouvrir to cover, cap
reculer to move back, withdraw
redescendre to go down again
redire to say again
se redresser to draw oneself up
réduire to reduce
réel real, actual
refaire to remake, do again
réfléchir to reflect, think over
réflexion *f* reflection
    à la réflexion on thinking it over
refus *m* refusal
    pas de refus not to be refused
se refuser à to object, to refuse
regard *m* look
régime *m* diet, system, rule
règle *f* rule
régner to reign, rule
regret *m* regret
regretter to regret, to miss
rejeter to reject
rejoindre to rejoin, reunite
se réjouir to rejoice
relativement (à) relatively (with reference to)
relever to raise again, release
relire to reread
remarque *f* remark
remarquer to notice, to remark
rembourser to repay
remercier to thank
remettre to put back, deliver, remit
remords *m* remorse
remplacer to take the place of, to replace
remplir to fill
remuer to move, stir
rencontre *f* meeting
rencontrer to meet
rendez-vous *m* date, meeting
rendre to give back, render, make
    se rendre à to go to, to surrender
se rendre compte de to realize, find out
renoncer to renounce
rentrée *f* return
rentrer to go back, to put away
reparaıtre to reappear
réparer to repair
repartir to start again, leave again

repasser to review
repas *m* meal
repêcher to fish out
se repentir to repent
répéter to repeat
répondre to answer
réponse *f* answer
reposer to rest, to put back or down
    se reposer to rest (oneself)
reprendre to take again, to take up
    again, go on
représenter to represent
répressif repressive
réprimande *f* reprimand
reprise *f* repetition
    à plusieurs reprises several times,
    repeatedly
reproche *m* reproach
reprocher to reproach
réserver to reserve, save for
résolu resolute
se résoudre (à) to resolve (to)
respecter to respect
respirer to breathe
ressemblance *f* resemblance
ressembler à to resemble
ressentir to feel, resent
resserre *f* store-room
ressortir to go out again
reste *m* remainder, remnant
    du reste anyhow
rester to remain
rétablir to re-establish, restore
retard *m* delay
    en retard late
retenir to hold back, remember, detain
retirer to withdraw, pull back
    se retirer to retire
retour (de—) back
retourner to return, to turn over
se retourner to turn around
retraite *f* retirement
retrouver to find again, to find; to
    join
réussir (à) to succeed (in)
revanche *f* revenge
    en revanche on the other hand
rêve *m* dream
réveil *m* awakening
reveiller to awaken
revenir to come back
rêver to dream

revers *m* reverse
    revers du manteau, du veston
    lapel of a coat, of a jacket
révision *f* revision, review
revoir to see again
révolutionnaire revolutionary
ricaner to laugh sneeringly
riche rich
rideau *m* screen, curtain
ridicule ridiculous
rien nothing
rigoler to laugh, to enjoy oneself (col-
    loquial)
rire *m* laughter
    le fou rire helpless laughter
rire to laugh
risquer to risk
ritournelle *f* ritornelle, little tune
rituel ritual
rivière *f* river, stream
robinet *m* tap, faucet
roi *m* king
rôle *m* role
roman *m* novel
rompre to break
rond round
rond *m* ring, circle
rond de serviette *m* napkin ring
ronronner to purr
rosbif *m* roast beef
rouge red
rougir to grow red, blush
route *f* route, road
    en route on the way
roux *m*, rousse *f* redhead
rudement rudely, roughly
rue *f* street
rugir to roar
ruisseler to stream, trickle
rupture *f* breaking open, breaking off a
    friendship
rusé tricky

sa, son, ses his, hers, its
sagesse *f* wisdom
saisir to seize
sale dirty
saler to salt
salle (de bains) *f* (bath) room
salon *m* living room
saluer to salute, greet

samedi *m* Saturday
sans without
sang-froid *m* courage, nerve
santé *f* health
sarcasme *m* sarcasm
satirique satirical
satisfaire to satisfy
sauce *f* sauce
sauf except
sauter to jump
sauver to save, rescue
    se sauver to escape, run away
savoir to know
    n'en rien savoir to have no idea
scandaliser to scandalize
scène *f* stage, scene
sciatique *f* sciatica
se himself, herself, oneself, itself, them-
    selves
seau *m* bucket
sébile *f* wooden bowl, beggar's bowl
sec, sèche dry
se sécher to dry (oneself)
secouer to shake
secours *m* help
secrétaire *m* & *f* secretary
secrètement secretly
séduction *f* charm
séduire to seduce, charm
seigneur *m* lord
selon according to
semaine *f* week
semblant (faire—) to pretend
sembler to seem
sens *m* meaning, sense
sensible sensitive
sentir to feel, smell
se séparer to separate, part
sergent *m* sergeant
    sergent de ville policeman
série *f* series
sérieusement seriously
sérieux serious
sérieux *m* seriousness
servant *m* gentleman-in-waiting
service *m* service, duty, favor
serviette *f* napkin
servir to serve
    servir à to serve as, to be used as
ses his, her its
seuil *m* threshold, doorstep
seul alone, only

seulement only, even
sévère severe, hard
si if, yes, so, as
le sien, la sienne, les siennes his, hers
signe *m* sign, symbol, mark
signification *f* meaning
signifier to mean
sillon *m* furrow, track
simplement simply
sincère sincere, frank
singe *m* monkey
situation *f* situation, job
sœur *f* sister
soi oneself, himself, herself, itself
soif *f* thirst
    avoir soif to be thirsty
soigner to look after, take care of
soigneux careful
soin *m* care
    être aux petits soins to take tender
    care of
soir *m*, **soirée** *f* evening
soldat *m* soldier
soleil *m* sun
solide solid
sombre dark, gloomy
somme *f* sum
    en somme in short
sommer to summon
son his, her, its
songer to dream, think, consider
sonner to sound, ring
sonnette *f* bell, doorbell
sort *m* fate
sorte *f* sort
    de sorte que so that
sortie *f* exit, departure
sortir to go out, leave, take out
sot *m* fool
sottise *f* stupidity, silly thing, silliness
sou *m* 5 centimes; ½₀ of a franc
se soucier de to care about
soudain sudden, all of a sudden
souffrir to suffer
soulager to relieve, lighten, help
soulier *m* shoe
soupçon *m* suspicion
soupçonner to suspect
soupirer to sigh
sourire *m* smile
sourire to smile
sous under

soutirer to draw off
souvenir *m* remembrance, memory
se souvenir de to remember, recall
spécifier to specify, insist
spectateur *m* spectator, witness
spirituel witty
spleen *m* spleen, mental depression
stylo *m* pen
    stylo à bille ballpoint pen
sucre *m* sugar
succès *m* success
succulent succulent, delicious
sud *m* south
suffire to suffice, to be sufficient
suffisant sufficient, enough
suggérer to suggest
se suicider to commit suicide
suite *f* continuation
    toute de suite at once, immediately
suivre to follow
sujet *m* subject
    au sujet de concerning, relating to
superbe superb, proud
supérieur superior, upper
supplice *m* punishment, agony
supplier to plead, beg
sur on, upon
sûr sure, certain, safe
sûrement surely, certainly
surprendre to surprise
sursaut, en with a start
sursauter to startle, give a start
surtout especially, above all
survivant survivor
symboliser to symbolize
sympathique likeable, congenial

ta, ton, tes your
tableau *m* blackboard, picture
tâche *f* task
tâcher to try
taire to say nothing about
se taire to be silent, to shut up
tandis que while
tant so much, so many
    tant mieux so much the better
    tant pis too bad
tante *f* aunt
tas *m* heap, pile
tasse *f* cup
taureau *m* bull

te you, to you
tel, telle (—que) such (as)
télégraphier to telegraph, cable
tellement in such a manner, so
témoin *m* witness
temps *m* time
    de temps en temps from time to time
tendre tender, delicate
tendre to extend, give
tenir to hold
se tenir to remain, stand, behave
tenir à to insist on, to be attached to
tenir compte de to take into account
tentant tempting, alluring
tenter to tempt, attempt
tenue *f* behavior, good behavior
terminaison *f* termination, ending
se terminer to end, terminate
terrasse *f* terrace, pavement in front of a café
terre *f* ground, earth
    par terre on the ground
terrorisé badly frightened
tes, ton, ta your
tête *f* head, face
texte *m* text, textbook
théâtre *m* theatre, dramatic art
thème *m* theme, subject
le tien, la tienne, les tiennes yours
timide shy, timid
timidité *f* shyness, bashfulness
tirer to draw, pull, shoot
    s'en tirer to manage, get by
tiroir *m* drawer
titre *m* title
    à titre gracieux as a favor, free
titubant staggering
toc *m* faked stuff (colloquial)
    du toc imitation jewelry
toi you
tomber to occur, to fall
    tomber bien to occur at the right moment
    tomber mal to occur at the wrong moment
ton, ta, tes your
ton *m* tone
torchon *m* dishrag, rag
se tordre to twist, to laugh uproariously
tort *m* wrong
    avoir tort to be wrong

toucher to touch, touch upon, cash
toujours always, still
tour *m* tour, trick, turn
tour du monde *m* journey around the world
tourner to turn, stir
    se tourner to turn around
tousser to cough
tout, tous all, completely, very, everything
    tout ce qui everything that
tout à coup suddenly
tout à fait completely
tout à l'heure a little while ago, in a little while
tout de même after all
tout le monde everyone, everybody
tracas *m* worry, trouble
trace *f* track, trace
traduire to translate
tragiquement tragically
trahir to betray
train *m* train
    en train de in the act of, engaged in
tramer to weave (a plot)
tranquille calm, still, unworried
tranquilliser to soothe, reassure
transporter to transport, convey
travail (travaux) *m* work
travailler to work
travailleur hardworking
traverser to cross
trémolo *m* tremolo, tremulous effect
trépas *m* decease, death
très very
triste sad
tristesse *f* sadness
trois three
tromper to deceive
se tromper to be mistaken, be wrong
trompeur *m* deceiver
trop too much, too many
trou *m* hole
troubler to bother, trouble
trouver to find, to think
    se trouver to be, to be located, to exist
truite *f* trout
tu you
tuer to kill
tuteur *m* guardian
tutoyer to address someone as *tu* or *toi*

type *m* type
    ce type-là that guy (colloquial)
typique typical

ultime last
l'un l'autre each other
uni joined, united
uniforme uniform, unvarying
usage *m* experience, custom, breeding
    d'usage customary
utilisation *f* use
utiliser to make use of

vacances *f pl* vacation
vache *f* cow
vaincre to conquer, defeat
vain vain, useless
valise *f* suitcase
valoir to be worth, to be as good as
    valoir mieux to be better
vanité *f* vanity
vaniteux vain, conceited
vanter to praise
se vanter to boast
veau *m* calf
vendre to sell
venir to come
    en venir to get at
venir de to have just
vent *m* wind
vente *f* sale
véritable true, real
vérité *f* truth
verre *m* glass
vers to, towards
vers *m* line of verse
vert green
vertu *f* virtue
veston *m* jacket
viande *f* meat, food
vide empty
vie *f* life
    en vie alive
vieil, vieille, vieux old
vieillesse *f* old age
(mon) vieux old man, pal
vif lively
vilain nasty, bad, ugly
villa *f* villa
ville *f* city
ville d'eaux spa, resort

vin *m* wine
vingt twenty
vingt-cinq twenty-five
visage *m* face
viser to aim
visiter to visit, go through
visiteur *m* visitor
vite fast, quickly
vivant living
vivement sharply, keenly, quickly
vivre to live
voici here is, here are
voilà there is, there are, ago
voir to see
voire even
voiture *f* carriage, car
    en voiture! all aboard!
voix *f* voice
    voix blanche toneless voice
volant *m* steering wheel

voler to steal
voleur *m* thief
volontairement voluntarily, willingly
volontiers willingly, gladly
volupté *f* pleasure, delight
votre, vos your
le vôtre, la vôtre, les vôtres, yours
vouloir to want, to expect
vouloir bien to be willing
vouloir dire to mean
vouloir rire to be joking
en vouloir à to be angry with
vous you, to you
voyager to travel
vrai true
vraiment truly, really
vue *f* view, sight

y there, to it, to them
yeux *m pl* eyes